藝道

Takaaki KUMAKURA

GEIDO論

熊倉敬聡

春秋社

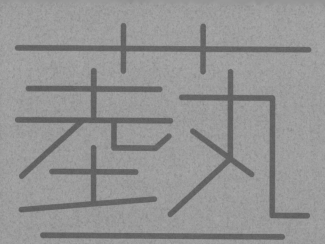

プロローグ　一休寺（1）――虎丘庵に書かれた〝暗号〟

ふと思い立ち、今は京都市京田辺にある、通称「一休寺」こと、酬恩庵に行った。「風狂」の禅僧、一休宗純が（満）八七歳で没するまで晩年暮らした寺である。

現在の住職に案内され、一休の住処であった「虎丘庵」の木戸口を入る。独特な律動で配された飛石を渡りながら、一休直筆とされる「虎丘」の字が彫られた額の下をくぐり、部屋の中へと入る。いたって簡素な書院造りの座敷に座りながら、しばし住職の解説を聞く。正面の付け書院に、一尺あまり開かれた明障子の合い間からは、やや花の盛りの過ぎた老梅がのぞき、姿は見えないが、おそらくはめじろであろう小鳥が枝を揺らすのか、花弁が幾ひら時折はらはらと舞い散る。背後の漆喰壁の向こうには、一休の霊廟の瓦屋根が臨まれる。一休は、まさにこの部屋で、この畳の上で、寝泊りし、坐り、詩歌を認め、あるいは茶を服していた。しかし、彼は一人ではなかった。

おそらくは、彼の「風狂」なる禅に惹かれ、同時代の藝能者・藝道者たち――金春禅竹や音阿弥などの能楽者、連歌の柴屋軒宗長、俳諧の山崎宗鑑、絵画の曾我蛇足などが、彼を訪ね、さらにはこの薪村《たきぎむら》（「薪能」という名の由来ともされる）に住みつき、新たな藝能・藝道を作り出していた。その中に、茶の湯を刷新しようとしていた村田珠光もまたいた。

藝能者・藝道者たちだけではなかった。いや、琵琶弾きであったがゆえに、その一人とも言えようが、格別な存在がいた。森女《しんじょ》である。

応仁の乱の戦火がここ薪村にも迫り、それを逃れるため、大和、和泉の処処を転々としていた一休が、住吉の薬師堂でこの、彼よりも五〇歳も若い、盲目の琵琶弾きに出会った。そして晩年、一休と森女は、ここ虎丘庵で暮らし、藝能者・藝道者たちと交歓し、互いに藝を磨きあいつつ、その傍らで、まことに濃密な、しかし浄楽に満ちたエロスを奏でていたのだ。森女は語る。

禅師さまは楽器でも奏でるかのように、私の体から喜びの音色を引き出されるのです。唇から頬へ、頬から首筋へと禅師さまの愛撫を受けるほどに、私はどんどん快楽の深い淵に落ちていきました。それ以上のことは、私には口にしかねますので、禅師さまの詩に託しましょう。

「美人の陰《ほと》、水仙花の香《かおり》有り」

楚《そ》台《だい》応《まさ》に望むべし、更《さら》に応に攀《よ》ずべし
半夜、玉床《ぎょくしょう》、愁夢《しゅうむ》の間
花は綻《ほころ》ぶ一茎、梅樹の下
凌波仙子《りょうはせんす》、腰間《ようかん》を遶《めぐ》る

ここで少しばかりの説明を加えさせて頂くなら、楚台というのは女人の体のことですし、花や梅樹とは男女の秘部、そして凌波仙子とは水仙のことです。それにしても、すでに七十八歳というご高齢だった禅師さまが、まことにあからさまな詩をお詠みになったものです[1]。

一休は、森女という「楽器」を奏でながら、沸き起こる情愛の「音色」を、漢詩へと歌いこめていった。その八百編あまりを自ら纏め、その名も『狂雲集』なる、空前絶後のエロスに満ちた禅詩集を編んだのだった。その直筆原本が、今も宝物殿に展示されている。

住職との語らいのあと、再び木戸口から出て、庫裏にある休憩所へと案内される。しばし待たされたあと、薄茶と菓子が出され、そして何やら漆黒の、動物の「糞」の如きものが添えられている。訝しげに口の中に投じると、古からの時間が芳醇にも濃縮されたような、強烈な味と香りが口いっぱい、五臓六腑に沁みわたる。これが、かの「一休寺納豆」か。

帰りしなに、帳場に立ち寄ると、なんと傍には、前著『藝術２・０』[2]の執筆に際し多大なるインスピレーションを与えてくれた、発酵デザイナーこと小倉ヒラクの顔写真が、一休寺納豆のパッケージとともに、飾られているではないか。彼の一休寺納豆の解説を聞くとしよう。

ふだんなかなか訪れる機会のない近畿ののんびりした郊外、京田辺。そこにあらわれたのは、お洒落なシトロエンの車に乗った一休寺を営む田邉さん夫妻。そして案内されたのは、手入れの行き届いた庭が印象的な、まごうことなき名刹《めいさつ》酬恩庵…！

で、そんな美しい寺の境内に突如あらわれる大きな木桶群。半野外のような環境で、例の黒い豆粒が熟成させられているのです。住職に訪ねてみたところ、その起源は応仁の乱の頃と言い伝えられているよう。

戦乱で焼け落ちた都の難民たちに、僧侶たちが滋養ある保存食として分け与えていたレスキュー食として始まったものが、六〇〇年近くスタイルを変えず寺の境内で醸され続けているミラクル…！

住職に製法を訪ねてみたところ、蒸した大豆の粒に麹菌を付けて豆麹とし、そこに麦の粉と塩を混ぜて豆粒状のまま発酵・熟成させて仕上げるそう。

住職は「納豆」と言っていますが、醸造法的には納豆菌の関与はありません。浜納豆のような、近畿～東海の一部でつくられる麹菌をスターターとして発酵させる「麹納豆」の系譜であることは間違いない。

もっと言えば、半野外で蒸した大豆を粒ごと麹にして塩漬けにし、麦の粉を振って発酵させる…という手法は、中国の醤《ひしお》の原点の一つである豆鼓《とうち》と似ている、というかほぼ同じ。

寺系麹納豆界（という界があるかどうかは知らないか）の代表格である大徳寺納豆は大豆を蒸すのではなく煮る。その結果大豆がかなり柔らかくなり、一休寺の納豆のようなしっかりした粒感にはならない。中国の一般的な豆鼓により近いのは一休寺納豆のほう。製法はほぼ同一、違うのはカビの種類（日本のコウジカビ or 中国のクモノスカビ）だけ。

つまりこの納豆は、大陸から豆鼓、つまり醤が渡ってきた歴史を刻印しているモメンタムな発酵ブツなのではなかろうか？(3)

まさに、この漆黒の異様な小塊は、おそらくは一休が醸し始め、それが六〇〇年近くも伝え続けられている発酵食品なのだ。ということは、もしかすると、私が先ほど口にした、そして今ではもう私の体に吸収されつつある塊には、一休の常在菌の末裔が混在していたかもしれない……。

そういえば、一休は、一四七四年、大徳寺の四十八世の住持に任ぜられている。それ以前から、住んでみたり出てみたり、森女と出会ってからは、住持という要職にありながら、その不自由さに耐えがたかったのか、もっぱらこの里山に結んだ庵に「しけこんで」いた。

約六〇〇年後、私は今、毎週のように、大徳寺の片隅に「茶と暮らす家」を営む、若い茶人たちのユニット「陶々舎」の一人、天江大陸に稽古をつけてもらっている。そして、このコロナ禍の状況で、「密」の最たる空間＝茶室に必ずしも依らない、が単にその場をオンラインに置き換えただけでもない、新たな茶の湯の実験を試みている。

今回もまた、前著で敢行した「旅」――（Contemporary）Art の終焉から出発してこれからの創造性を探索する旅――がとりあえず行き着いた「GEIDO」なる概念・実践を、さらに概念的に研ぎ澄まし、さらに実存的に深掘りするために、新たな「旅」に出た。

私はどうして、ふと、ここ、一休寺・虎丘庵に来てしまったのか。そこには、私がこの第二の「旅」で追い求めていたGEIDO、その「美」が、実は〝暗号〟として書き込まれていたのではなかったか。私は、その〝暗号〟に、無意識に呼ばれ、それを〝解く〟ために、この、まさに梅の花が散り始め、めじろが宿りにくる時候にやってきたのだった。

GEIDO論　目次

第3章 GEIDOは民藝ではない

長いエピローグ　一休寺（2）――わび茶による文明の「どんでん返し」　310

GEIDO論

はじめに――COVID-19，そしてGEIDOの生態学的転回について

私は、長年、一九七〇年代後半から二〇〇〇年代前半にかけて、Art――そしてその日本的翻案である「芸術」ないし「アート」――の世界で、勉強し、研究し、批評し、あるいは実践しながら、活動してきた。しかし、古い世紀が終わりつつあるとともに、実は、Art（そしてその翻案）が人類の創造性の発露としてすでに歴史的役割を終えつつあるのではないか、だとすると、Artの終焉後、いったい人類の創造性はどこに向かい、どのように実現されていくのだろうかと自問しつづけるようになった。その自問の「旅」日記こそ、前著『藝術2・0』であり、その「旅」がとりあえず辿り着いた逗留地＝「GEIDO」という概念・実践を、今回さらに概念的に練磨し、実存的に掘り下げるために、再び新たな「旅」に出たのだった。

この第二の「旅」の記録を読み進めていただくにあたって、（必ずしも全ての方が前著を既読されているとは限らないので）やはり最初の「旅」の軌跡――Artの終焉からGEIDOへの軌跡

——についてごく簡単ながらも触れておきたい。

Art から GEIDO へ

私は、一〇代後半から「芸術」の世界に実践的・理論的に足を踏み入れ、そして二〇代前半に、その「本体」たるArt——「芸術」と「Art」はかくも違っていた！——の「本拠地」の一つとされるフランス・パリに留学し、七年も滞在し、「ステファヌ・マラルメの〈経済学〉」という一見奇異なテーマについて研究しつつ、Artの魅力・魔力に（心身が病むほどに）耽溺した末、その呪縛から辛うじて身を振り解きつつ、帰国した。それはちょうど日本で「バブル経済」が崩壊せんとする時だった。その経済的崩壊の最中、が文化的にはいまだ無数の「バブル」が漂いつづけていたその頃、私は、それまで関心がないどころか忌み嫌ってさえいたContemporary Artの日本的・バブル的翻案ともいいうる「現代アート」に、なぜか急速に興味をもち、研究するだけでなく批評し、あるいは創作したり踊ったりしながら、その「アート」の、思想的浮薄さも交えた、世界的にみても特異な文化的「豊穣さ」を批評的に堪能していたのだった。だがやがて、「現代アート」、そしてその「原典」たるContemporary Artを理論的に、実践的に、そして歴史的に知っていけばいくほどに、その〝限界〟——人類史にあって、それまで創造性が（もう一つの巨大な、対蹠《しょ》的な領野＝資本主義とともに）ことごとく傾注されていたArtが、もはやいかなる「進化」も遂げられないほどに〝限界＝飽和点〟に達し、歴史的使命を終えつつあることを、奇しくも二〇世紀末の二年間、Contemporary Art のメッカたるニューヨークに住むことによって（そのマーケットを目当てにこぞって「現代アート」の「アーティスト」たちが集まっていた）、強烈に実感したのだった。

二〇〇〇年春に帰国した私は、徐々に Contemporary Art、そして現代アートの世界から実践的、理論的に離れるとともに、では、Art（と資本主義）を去りつつある（と私が見る）人類の創造性はいったいどこに向かうのだろうかと、その外の領野のあちこちに探りを入れ、そのかすかな兆しを触診していった。しかし、なかなか新たな創造性の確たる相貌は見出しがたく、何年も右往左往し自問自答がつづいた。

そんな折、二〇一一年、東日本大震災が起こり、放射能汚染などに対する強い不安から、偶然も重なり、京都に移り住むことになり、この古からの都で、他所、特に東京のような歴史の記憶に乏しい都市ではほとんど日常的に体感することのできない、千年来の――レヴィ＝ストロース風に言えば――「冷たい」文化と現代の「熱い」文化との、歴史的にまことにハイブリッドな、しかしこの町ではむしろ日々の生活を彩る「冴え」を創りだす、「現代アート」にも「伝統文化」にも収まりきらない、〝第三の〟クリエーションがここかしこに息づいていることを知った。そして、この〝第三の〟クリエーションこそが、もしかすると、私が長年探しあぐねていた（Art 以降の）新たな創造性の一つの現れではないかと直感するにいたった。

だが、その未知なるクリエーションには当然ながらいまだ確たる名前はなく、直感を共有する仲間たちと頭を絞った末、とりあえず苦し紛れに「藝術２・０」などと名づけざるをえなかった。そして、あいかわらず手探りしながら、「藝術2・0」と思しきクリエーションの萌芽を、今はまだ「工芸」、「発酵」、「坐禅」、「カフェ」、「学び」、「コミュニティ」、「茶道」などと呼ばれているフィールドの中に、しかし従来のそれらが指し示すものとは決定的に異なる相貌を見極めつつ、探し求めていった。その、若干の人類史的感覚と、自分の直感だけが頼りの、手探りの「旅」を記録したのが、前著『藝術2・0』であり、その「旅」の末に、この苦し紛れの言葉に置き換えうるよりスマートな言葉として浮かび上がってきたのが「GEIDO」なのであった。(なぜわざわざ「藝」という古字を使い、それがしかも「2・0」なのか、そしてなぜ「GEIDO」とアルファベットで表記するのか、その理由は第1章で詳らかにしたい。)

その「藝術2・0」から「GEIDO」への旅の道すがら、徐々に二つの奇妙な形象が姿を現してきた。「V」と「〇」、しかも「いびつなV」と「いびつな〇」である。非常に大まかながらも、「V」とは、藝術2・0＝GEIDOを実践する者の実存的探究の軌跡、すなわち瞑想的行によりこの世の「有」から脱し「無」へと参入するベクトルと、今度はその「無」から再び「有」の世界へと還帰するが、その新たな相貌の「有」と自在に戯れるベクトルの軌跡であり、一方「〇」は、そうした探究を実践している者、藝術家2・0＝GEIDO-KAたちが集い、互いの探究の仮初めの成果を贈りあい味わいあう場づくりを表していた。そこでは、藝術家2・0＝GEIDO-KAたちの実践＝Vは、必ずしも極まっている必要はなく、それぞれに特異で「いびつな」深度を受け入れあえるような、寛容でつど「いびつな」場＝〇なのである。

こうして、藝術2・0を巡る「旅」は、とりあえずの逗留地＝GEIDOへと辿り着いた。だが、私はまだ満足できなかった。GEIDO、すなわちArt以降の創造性には、「工芸」、「発酵」、「坐禅」、「カフェ」、「学び」、「コミュニティ」、「茶道」などといまだ呼ばれている領野以外にも、その潜在力を発揮しうるフィールドがあるはずであり、例えば一見そうした創造性とは無関係に見える「性愛」、「経済」といったフィールドでも、GEIDO的実践と思想は展開しうるのではないか。が、そのさらなる探索の旅を企てるためには、「GEIDO」という概念自体をさらに錬磨し、その実践の展開をより思想的に豊穣に繊細に見極める必要があるのではないか。そうした仮の展望を抱えながら、私は再び「旅」を開始した。

ところが、である。「旅」に出てまもなく、(私だけでなく地球上のほとんどの者がおそらく)予期していなかった出来事が静々と人類を襲い始めた。「新型コロナウイルス」こと、COVID-19である。その感染のグローバルかつミクロで不可視の広がり、それを巡る目まぐるしい情報の氾濫に晒され続けるにつれ、GEIDOをめぐる「旅」も、方向や道程を変更せざるをえないように思えた。だが、私は、この新たな人類史的状況にあって、「旅」の目的や方法を変えるのではなく、むしろ「旅」をこの前代未聞の状況に〝再文脈化〟し、GEIDOの人類史的意義と使命をより鮮明にしていくことに挑もうと思った。その〝再文脈化〟こそが、以下、GEIDOの「生態学的転回」と描くも名づけた作業に他ならない。

ウイルスとの「戦争」？

「われわれは戦争状態にあります」。フランスのマクロン大統領は、二〇二〇年三月一六日、新型コロナウイルスに関する第二回のテレビ演説で、フランス国民に向けてこう訴えかけた。

われわれは戦争状態にあります、公衆衛生上の戦争状態です。確かにわれわれは軍隊と戦っているのでも、他国と戦っているのでもありません。しかし敵はそこにいます。目に見えず、つかみどころもなく、広がっています。総力戦で臨むことがわれわれに求められています。[1]

「われわれは戦争状態にあります」、このフレーズを、マクロンは同演説で六度繰り返した。おそらくは弁論術的リズム、インパクトを狙ったであろう、とはいえ…。

「戦時下の大統領」に自らをなぞらえたトランプ元大統領をはじめとして、甚大な被害に見舞われ始めた各国首脳は、この時期口々に「戦い」、「敵」、「総動員体制」などの「戦争」のメタファーを多用し、ウイルスの脅威に挑んでいた。しかし同時に、私は、いかに猛威を奮っているとはいえ、生態系の限りなくミクロで不可視な一要素に対して、人類がこうした気構えしかとれないことに、曰く言い難い違和感を覚えていた。しかも、その違和感は、当時（GEIDOの生態学的転回の観点から参照が必須と思われた）フランスの思想家ブルーノ・ラトゥールの

『ガイアに向き合う』(2)を繙くにつれ、彼のガイア観——ガイアの脅威に「敵対」する人類、互いの「存在そのものの否定」をかけた「戦争」——に抱いた違和感と、私の中で共鳴していた。ドイツの政治学者カール・シュミットの有名な戦争論、「友・敵」理論（「友・敵・闘争という諸概念が現実的な意味をもつのは、それらがとくに、物理的殺りくの現実的可能性とかかわり、そのかかわりをもち続けることによってである。戦争は敵対より生じる。敵対とは、他者の存在そのものの否定だからである。(3)」）に深く共感しつつ、ラトゥールは人類とガイアの関係性をこう問う。

「人類と、他の存在たち、すなわち『異者』である〔…〕『人間ならざるもの』たちとの戦いを調停しうる、外的で不偏不党の第三者がいないとわかった時、いったい何が起こるのだろうか。(4)」

殺し合いが起きる、と彼は断言する。「いたるところで陣地争いが起こり、根本的に異質な存在たちが互いに互いの『存在そのものを否定』しあうことになる。(5)」しかし、ガイアが「脅威」として現れることにも、一種の効用（?）らしきものもある。なぜなら、それが「我々人類をして、自らの滅亡に、有限性に、『存在そのものの否定』に、この地球の一員としてただただ存在することの難しさに、気づかせてくれる唯一の手段だから(6)」だ。そして、この数多の人にとって「カタストロフィ」と映るものにこそ、ラトゥールは「ごく微かだが希望の源泉(7)」を見出すという。

確かに、ラトゥールには仏教的「縁起」観にも近いネットワーク世界観がある。「ある隣接者は能動的に自らの隣接者に働きかけ、その隣接者と、それに働きかける他のすべての隣接者との相互作用は、作用の波動と呼ぶべきものを形づくる。この作用の波動にはいかなる境界線もなく、さらに重要なことには、いかなる決まった尺度もない。(8)」これら「隣接者」たち、ガイアの「根本的に異質な存在たち」は、このネットワーク、「作用の波動」の中で、互いに「存在そのものを否定」しあう、すなわち殺しあうしかないのか。その「全面戦争」をたとえ局所的にでも避け、人類が「ごく微かだが希望の源泉」から自らの「居住場所」をなんとか見出していくためにも、ラトゥールはまず何よりも「これまでとは違う記述を作りだす」必要があると言う。(9)

要は個々のテレストリアル〔大地的なもの〕の生存を可能にする要素のすべてを悉皆的に探すことだ。それによってそれぞれの要素の等級（class）に関わる記述を広げていく。あなたは一個のテレストリアルとして誰（何）を一番大切に思うのか。あなたは誰と共に暮らしていけるのか。生存のために誰（何）があなたに依存しているのか。誰（何）となら共に暮らしていけるのか。誰（何）に対して闘いを挑むのか。どうすればすべてのエージェントを、重要性の度合いに応じてランクづけできるのか。(10)

確かに、「敵」と「友」を知り、是が非でも生き残るためには、こうした「記述」、作戦図も必要とされよう。しかし、はたして、人類とガイアは、畢竟「戦争」するしかないのか。人類は「生き残る」ために、新型コロナウイルスに続き、「敵」とみなしうるガイアの出来る限り多くの要素、エージェントに「戦い」を挑み、望むらくは殲滅せんことを願うしかないのか。

そもそも、そんなことはこの期に及んで可能なのだろうか。

「美は一種のウイルスである」

アメリカの思想家ティモシー・モートンが、新型コロナウイルスをめぐって奇異な題のエッセイを書いている。「ウイルスよ、共生に感謝[11]」。モートンは、COVID-19を、我々の時代の「ハイパーオブジェクト」、地球温暖化というハイパーオブジェクト中のハイパーオブジェクトと言い、これは温暖化の「予習」なのか？と問う。そして、彼自身ひどい喘息もちで、睡眠時無呼吸症なので、もしウイルスに感染したら、たぶん死ぬだろう、と不安がる。

しかしまた、彼は奇妙な喜びも覚えている。ついに環境活動家グレタ・トゥーンベリが休みを取れ、長い間通っていなかった学校にも戻ることができたし、このウイルスのおかげで大気汚染と二酸化炭素排出が激減したし、コロラド州ボルダーの街路では、いつもは極端にシャイで、銃を持った人間たちの圏域には近寄ろうとしないピューマが闊歩していたりするからだ。

彼はさらに、このウイルスが人間の生活にもたらす両義性、特に「歓待《ホスピタリティ》」の両義性に着目する。Hospitality の語源であるラテン語 hostis は、host（主）、guest（客）、friend（友）、enemy（敵）という現代語の感覚では反意となるような両義性を元々備えていた。だから、「歓待」は、自分の家のドアを殺人者に向けて開く可能性をも宿していた。「僕は死にたくない。このウイルスのせいで誰かに死んでほしくない。でも、僕には『生き生きと生きる（alive）』ことが要するに『生き延びる（survive）』ことと対照的な意味をもつことがわかった。」

Hospitality（という語）の両義性。確かに今、「友人」に会おうとする時、彼（女）が（その人間性と関わりなく）「敵」、しかも自分の命を奪うかもしれない「敵」でもある蓋然性を捨てきれない。しかも「敵」であるかどうかは目に見えない。だから、想像界と現実界で絶えず「友」と「敵」、親愛なるものと殺人者が表裏を反転しつづけることになってしまい、決定不能な状況、ダブルバインド状況に置かれてしまう。一番安全かつ安心なのは、とりあえず「一時的なことだ」と自らを納得させ、「友／敵」たちと会わないことだ。Alive よりも survive を優先させることだ。しかし、この両義的状況がいつまで続くか、誰にも（おそらくウイルスにも）わからない。ただ自室に蟄居しつづけていてもやるせないので、とりあえず「オンライン」という現代のテクノロジーにすがるしかない……。

ところで、モートンは、この短いエッセイを、題名以上に奇妙な一節で終える。

芸術でも同じことだ。芸術は、意味もない絵具の滴りのためのPRではない。〔…〕もし美しいものが最大限度を超えれば、あなたの身体の中の臓器は溶け出し、死に至ることだろう。あるいはあなたが美しいものを食べれば、それはまた死に至るだろう。美と共生することは生やさしいことではない。美は死の可能性である——美は脆い。脆さそのものである。

美は一種のウイルスである。

この謎めいた一節をどう解釈すべきか。語法が省略的で論理的飛躍が多いため、このままではいたって真意がつかみにくい。幸い、美とウイルスとの関係をより明示的に語っている彼自身の別のテキストがあるので、それを参照しよう。

その「涙にくれ、異国の畠中に立ちつくした」という、これまた奇妙な題をもつテキストの中で、モートンは、花の美についてこう語っている。

美は私に、現象と物の裂け目を経験可能にしてくれる表現をもたらしてくれる。なぜなら私はただこの花が咲くという現象が好きだからなのだが、しかしながら、花を引き裂いて開いても、私が本当に好きであるものを見ることはできない。美をまさにそうであるようにする能動的な構成要素は、花にも私の主観性にも存在しない。花は奇怪な輪である。それは私を私の外へと誘うが、私を私へと連れ戻す。あたかも私には、私ではない何ものかが存在するとでも言うように。このことは、カントにしてみればもちろん厳密に言って正しいのだが、なぜなら私の理性は本当は私ではなく、美の経験はこの私ではないということの証拠だからである。(12)

花=美は「奇怪な輪」である。この「輪」とは何だろうか。私は、目の前の花を美しいと感じる。しかし、私が美しいと感じるのは、実は私の中に「私ではない何ものか」、私に花を

「美しい」と感じさせる「何ものか」が棲まっているからだ。その「私ではない何ものか」と「私が美しいと感じること」が、極薄い「裂け目」を介してくるくると回転しつづける、その「輪」こそ、美的経験を成り立たせている当のものに他ならない。だから、とモートンはつづける。美的経験はウイルスのようなものだ、と。

したがって、美的経験は花のようなものでもあるが、言いかえると、それはウイルスのようなものであり、思考をつうじてみずからを増殖させていく奇妙な輪であるということである。そこで美的経験は、宿主に棲みつく寄生物のようにして発展していく。美を感じることは、そこでウイルスにつねにすでに感染していることを認めることである。(13)

「私ではない何ものか」、私に美しいと感じさせる「何ものか」が、ちょうどウイルスのように、目に見えない形で、私という「宿主」の内に潜んでいる。私は常にすでにその美=ウイルスに「感染」しているがゆえに、花を、芸術作品を、あるいは恋人を「美しい」と感じる。でもなぜ(先の短文の最終節にあったように)、それが「死」でもあるのか。モートンはこう付け足す。

プラトンが危惧したように、それが詩を読むことの要点ではないのか。それは、詩を貫いて流れる悪魔的な(すなわち因果的な)エネルギーを再生産することであり、理由もなくアルゴリズムを複製することではないのか。[14]

この「涙にくれ、異国の畠中に立ちつくした」というテキストで、モートンが再三述べているように、「私」と「私ではない何ものか」との「奇妙な輪」は、なにも美的経験だけにとどまらない。カントの哲学が明らかにしたように、それは人間の理性一般を成り立たせている条件でもある。だが、モートンはここで、「私ではない何ものか」の中で美的経験こそが「悪魔的なエネルギー」を再生産する、すなわち宿主に取り憑きつつ、宿主を破滅にまでいたらしめる力を孕んでいると見る。「もし美しいものが最大限度を超えれば、あなたの身体の中の臓器は溶け出し、死に至ることだろう。〔…〕美は死の可能性である。」

それゆえに、「美は一種のウイルス」なのではないか。そう、モートンは問うのである。

もう一つの〝美〟へ

「ウイルスよ、共生に感謝」。結局、モートンは（新型コロナ）ウイルスに感謝しているのか、それとも、「一種のウイルス」ともいえる「美」に感謝しているのか。それとも、両者になのか。あるいは、宿主=私（人間）に寄生し感染し、死をもたらしうるあらゆる存在になのか。

「美的経験は〔…〕ウイルスのようなもの」である。少なくとも、モートンは、美に関し「ウイルス」をメタファーとして用いている。「芸術でも同じことだ」。この「同じ」「ような」

というメタファー化が介されることにより、私たちはモートンがはたして「共生」を（新型コロナ）ウイルスに感謝しているのか、美に感謝しているのか、決定不能性に陥る。しかし、私たち人類は、そしてすべての生命体は、文字通り、ウイルスにその共生を感謝すべしとでも言いたげな生物学者がいる。福岡伸一である。

かくしてウイルスは私たち生命の不可避的な一部であるがゆえに、それを根絶したり撲滅したりすることはできない。私たちはこれまでも、これからもウイルスを受け入れ、共に動的平衡を生きていくしかない。

「ウイルスという存在　生命の進化に不可避的な一部」という短文[15]で、福岡は、ウイルスをまず「利他的な存在」と捉える。なぜか。通常、生命の進化において遺伝情報は親から子へと「垂直」方向に伝達される。ところが、ウイルスは、生物＝宿主間を（時には種を超えて）「水平」移動することにより、遺伝情報を横断的に伝達して（時には宿主に病気や死をもたらしつつ）生態系全体の動的平衡を促進してきた。

宿主は「極めて積極的に、ウイルスを招き入れているとさえいえる挙動」すらとると言う。なぜか。なぜなら、ウイルスは元々「宿」に住まっていたが、いつぞや出て行った「家出人」であるから。「ウイルスは構造の単純さゆえ、生命発生の初源から存在したかといえばそうではなく、進化の結果、高等生物が登場したあと、はじめてウイルスは現れた。高等生物の遺伝子の一部が、外部に飛び出したものとして。つまり、ウイルスはもともと私たちのものだった。それが家出し、また、どこかから流れてきた家出人を宿主は優しく迎え入れているのだ。」宿主（host）は、そのように「家出人＝ウイルス」を、自らの病、死のリスクを負いながらも招じ入れる＝感染する。そして、ウイルスは「旅」の途上で得た未知の「異邦の」情報を携え、「利他的に」ふるまって、生命進化に「変異」をもたらし、動的平衡を促進する。微生物学的hostis の両義性。この両義性こそ、我々生命体の宿命なのではないか。だから、我々はウイルスと「共生」するしか道はないのではないか。「私たちはこれまでも、これからもウイルスを受け入れ、共に動的平衡を生きていくしかない。」と福岡は説く。したがって、我々は、ウイルスにその「共生」を「感謝」すべきなのだろうか。

いや、ときにウイルスが病気や死をもたらすことですら利他的な行為といえるかもしれない。病気は免疫システムの動的平衡を揺らし、新しい平衡状態を求めることに役立つ。そして個体の死は、その個体が専有していた生態学的な地位、つまりニッチを、新しい生命に手渡すという、生態系全体の動的平衡を促進する行為である。

福岡はここで、「個体」にしか言及していないが、もちろん「種」に関しても同様のことは言えるだろう。今回のコロナ禍はまさに、福岡が言うように、ウイルスによる「生態系全体の動的平衡を促進する（利他的）行為」なのだろうか。ウイルス学が専門ではない私にはこう自問することしかできない。

他に私にできることはといえば、モートンのように「美」をウイルスに喩え、その死の可能性との「共生」に「感謝」するのではなく、微生物を含めたガイア全体と、人間は（「戦争」するだけでなく）、如上の生物学的宿命を受け入れつつも、自らが培ってきた「文化」の何がしかを役立てることにより、もう一つ別の「共生」の在り方、共に（「殺しあう」のではなく）〝恵みあう〟在り方、人間とガイアの新たな共創造（co-creation）の在り方を模索することではないか。その、ごくわずかかもしれない可能性を探ることこそ、本論の要諦と言えよう。

それこそが、私が、コロナ禍の渦中に置かれ、GEIDOを再分脈化し、「生態学的に転回」しようと思っている、まさに可能性だ。しかし、その「転回」は、単にGEIDOをガイアへと開くにとどまらない。私は、そう開きながらも、ガイアへと贈り、ガイアから贈られながら、そこに願わくば、ある〝美〟が立ち現れるよう、賭けてみたいのだ。しかし、その〝美〟は、モートンが説くような「身体の中の臓器が溶け出す」ような、死の可能性としての「美」ではなく（私はもちろんヨーロッパやアメリカでそうした「美」が愛でられていたことも体感している）、むしろ、生命のエネルギー、エロスの滔々とした流れが凝縮し、際立つような、もう一つの〝美〟がGEIDOの只中に立ち現れるのを見てみたいのだ。

第1章　藝術2・0からGEIDOへ――『藝術2・0』を振り返りながら

藝術2・0から

ではこれから新たな「旅」＝「GEIDO論」を企てるにあたり、まずは改めて『藝術2・0』で敢行した「旅」をより詳しく振り返ってみよう。

人類の創造性は、一八世紀後半以降（資本主義と並んで）仮託されてきたArtから、現在Art自体が歴史的使命を終えつつあるとともに、他の、人類の未だ知らざる領野へと移動し、新たに芽吹きつつある――私は、その新たな創造性の萌芽を、とりあえず（他に適する言葉を見出しえないがために）「藝術2・0」と名づけ、その未だ見極めがたき発現を、「工芸」、「発酵」、

「坐禅」、「カフェ」、「学び」、「コミュニティ」、「茶道」などと呼ばれてきた領域の内に手探りし、その予兆に満ちた蠢き、創造的潜在力を触診したのだった。

木桶職人中川周士の桶の「突然変異体」、発酵デザイナー小倉ヒラクの「冷たくも熱いクリエーション」、美術家小山田徹の「無技の技」、私も立ち上げ・運営に携わった三田の家の乱交的学び・歓待、アズワンネットワークの「探究」する〈中空＝円〉の可能性、禅僧藤田一照の追求する「くつろぎの坐禅」、そして若き茶人たち陶々舎の開く茶道の現代的潜勢力。それら、取り留めなく雑多にみえるやもしれぬ試みの内に、通底し共鳴する「藝術2・0」の顫《せん》動音を聴きあてていったのだった。

でもなぜあえて「藝術2・0」なのか？ 来るべき創造性を表すのに、事もあろうに古字「藝」を用い、にもかかわらず「2・0」なのか？

当然のことながら、この国にはある時代まで「藝術」、「芸術」、「アート」という概念・実践、ましてや「Art」という概念・実践は存在しなかった。日本で初めて、「Art」（正確には「Liberal Art」）を翻訳せんとして、「藝術」という文字・語を当てたのは、政治家で哲学者であった西《にし》周《あまね》（一八二九—九七）である（実は「哲学」という語もまた西が作った）。彼は、Art の二種類、すなわち Mechanical Art と Liberal Art に対し、それぞれ「技術」と「藝術」という語を発案した。なぜ、Mechanical に「技」、Liberal に「藝」なのか？ それぞれの漢字の原義・成り立ちに基づいたのである。「技」は、「大工の如き」「支體を勞する」字義ゆえに、「藝」は、「詩文を作る等」「心思を勞する」義ゆえに。[1]

> 技は則ち手業をなすの字意にして、手ニ支の字を合せしものなり。支は則ち指の字意なり。藝の字我朝にては業となすへし。藝の字元ト萟の字より生するものにして、植ゑ、生せしむるの意なるへし(2)。

すなわち、西は、「支體を勞して」「手業をなす」Mechanical Art＝「技術」に比する形で、Liberal Artを「心思を勞して」、いわば精神の種を「植ゑ」、作物を「生せしむる」術と解し、「藝術」という字を当てたのである。それは、あたかも(Liberal) Artという西欧伝来の精神の種子を、やはり元来は別の異国伝来の文字の形象力を借りて、日本という異種の文化的土壌に移植し生い茂らせようとする所作であった。

はたして、その後(Liberal) Artは、西が願ったように、「藝術」として、日本という土壌に根づいたのか。それは、第二次世界大戦後、時の政府が「当用漢字」という政策の下に、「藝」の字に対して、その原義と真逆の意をもつ「芸」(「草を刈りとる」意)という字を代用したように、(Liberal) Artの原義と実体を忘却したまま、その代用、すなわち「芸術」をいたずらに反復しただけでなかったのか。さらには、あたかもその忘却を忘却するかのように、あたかも自分たちがArtの嫡子であると幻想するように、「アート」と擬音で言い換えつつ、その代用性を知らず知らず補強しただけではなかったのか。

それにしても、私はなぜわざわざ、人類にとって未知な創造性を、古字「藝」を用いて「藝術2・0」と呼びたいのか。その理由は、一つには、この国の「芸術家」あるいは「アーティスト」たちが反復し続けてきた「芸術」ないし「アート」と、それが明白に袂を分かつはずだと予感しているためであり、もう一つには、西がおそらくは一五〇年前Artにとっての未踏の地＝日本に望んだように、しかし今度は全く別次元の、人類にとっての未踏の地で、この「藝術2・0」が「心思を労して」、精神の種を「植ゑ」、作物を「生せしむる」術にならんと、望むからである。

しかしなぜ、「Art 2.0」でなく、「藝術2・0」なのか。

『藝術2・0』の第二章で詳しく述べたように、Artは、まず何よりも人類に普遍的な事象ではなく、あくまで「西欧近代」という特定の時代・地域が作り出した歴史的概念であり実践である。一八世紀後半から一九世紀前半にかけて、当時のヨーロッパの「先進国」で、精神の冒険家たちが、それまでその被造物の「模倣」しか許されていなかった、唯一絶対の創造主＝神の玉座を簒奪しようと、宇宙創世の秘術を自らの精神の内に映し込み「作品」として再創造せんと全身全霊で挑んだ。が、その再創造の術＝Artは――それを通俗的な芸術史・批評は「芸術のための芸術」や「芸術の自律性」などと俗称した――、所詮「再」創造にすぎず、神の創世を反復・再演せんとする狂気じみた、「精神」の極度にメガロマニアックで無謀な冒険であったがゆえに、早晩その極北で座礁し砕け散り、肥大化した「精神」に貶められていた「肉体」もまた荒廃の極に達した（モートンの言う「身体の中の臓器が溶け出す」「死の可能性」としての「美」もこれを意味しよう）。

　このArtの狂気と本意を炯眼《けいがん》にも見てとった、一人の若きフランス人、マルセル・デュシャンは、Artの歴史を根底から転覆させる、文字通り前代未聞の賭けに出る。それこそが、「レディメイド」、なかんずく『泉』（一九一七年）である。Artが絶望的に追い求めた宇宙的とも言える〈美〉の、およそ最も対蹠点にある「便器」をひっくり返し、Art作品と嘯かんとする劇作術を労して、Artの舞台にさりげなく差し入れた『泉』は、Artの〈外〉＝Non-ArtをArtと僭称しようとする自家撞着的身振りによってArtそのものの存在理由を根底から問い糺すとともに、その身振りを社会的に認知させることで、Artの領土を〈外〉へと拡張しようとする、メタ言語的であると同時にいたって「植民地主義」的な行為であった。

　この、『泉』がものの見事にパフォームしてみせた〈メタArt〉あるいは〈Art 2.0〉。それを以降、アートワールド――Art 2.0が作り出した世界――は「Contemporary Art」などと通称し、このデュシャンのロジックを反復することにしか能がないかのように、いかにそれまでArtでなかったものをArtにするか、いかにArtの新しい〈外部〉を発見・発明し、それを〈内部化〉するか、その新しさ・アイデア合戦の如き場と化した。そしてゴミ、騒音、無意識といったものから、しまいには空虚（イヴ・クライン）、無音（ジョン・ケージ）、沈黙（サミュエル・ベケット）といったArtの「零度」にまで身を晒し、決定的な「死」、「終焉」を迎えるかに見えたが、今度は一転してArt (2.0)自体のリサイクル、シミュレーションで起死回生を図ったかと思うと（ポストモダニズム）、「アウトサイダー」たち、そして「欧米」の〈外〉（含日本）の造作にいたるまで植民地化を企てたが、それらの延命工作もついに二〇世紀末ことごとく潰《つい》え

（ちょうどその頃私はニューヨークにいた）、新世紀の黎明とともにArt (2.0) は、Moneyとの禁断の婚姻を成就しつつ（アートマーケットの空前絶後の盛況）、創造性の亡霊・ゾンビと化し、その歴史的使命を終えていく。

だから、藝術2・0は、断じてArt 2.0ではありえない。むしろ、今や創造性の亡骸となったArt 2.0から、創造性が知らぬ間に抜け出し、その「心思の種」を全く他所の、未知なる地に撒き、芽吹かせ、作物を生せしむる全く新らしき術、しかし、その未知なる術は、未だとりあえず既存の領域に何気なくひっそりと潜んでいるがために、従来の物の見方に縛られている眼には見極めがたい、そんな潜勢的な蠢きなのである。

私にしたところで、その予兆に惹かれながらも、蠢きの正体を見極めるまでに、十余年がかかった。Art (2.0) のみならず、慣れ親しんだ「学び」、「カフェ」、「坐禅」、「コミュニティ」などの言説の呪縛から解かれるには、工芸、発酵、茶道といった、それまでの私には未知な文化に出会い、しかしその古来の知恵・技のみならず、そこに萌えつつある鮮やかな創造の芽を見極め、そこから翻って、親しい土壌にもやはり潜んでいた同種の創造性の倍音を聴きとるという、地道だが胸躍る作業が必要であった。その軌跡が、前著『藝術2・0』に他ならない。

その旅の途上、私は、藝術2・0の秘鑰《ひけん》とは何か？と再三自問した。そしてある日、小倉ヒラクの『発酵文化人類学』(3) に出会った。まさに運命的な出会いであった。そこには、秘鑰を明かすヒントが散りばめられていた。

小倉は、人類学者クロード・レヴィ＝ストロースの有名な二分法「冷たい社会」と「熱い社会」を発酵学的に変奏しつつ、現今の醸造家たちのクリエィティヴな挑戦を、「冷たいクリエーション」（先祖伝来の発酵文化）の「熱いクリエーション」（現代的感性とテクノロジー）による再デザイン化、あるいは「オーガニック軸」に沿って原点回帰しつつも、同時に「イノベーション軸」に未来的可能性を開花させるような、いわば「冷たく」も「熱い」逆説的なクリエーションと、捉えていた。

さらに彼は、私が試みたインタビュー(4)の中で、「熱いクリエーション」による再デザイン化を可能にするのは、醸造家たちが蔵している「OSとしてのアート」なのではないかと指摘した。彼自身はそれ以上含意を詳らかにしなかったが、私はそれを受け、以下のように推察した。「OSとしてのアート」とは（彼の行論からいって）もちろんArt (2.0)、ましてや「アート」という言説のことではなく、それとは全く異質な何か、なのではないか。醸造家たちの発言から推すと、おそらくは彼らがバブル時代以降摂取してきた多種多様なポストモダンでデジタルな文化と、ある時点でその飽和に嫌気がさし、バックパック一つで地球のあちこちをさまよい歩き体験・狩猟採集した文化的・感性的断片——そこにはArt (2.0) の断片も入りうる——との、奇妙な混成体ではなかったろうか。その混成体、その人独自の「小さな物語」を、小倉はとりあえず「OSとしてのアート」と呼んだのではないか。そして、その「OS」と言いつつも、各自の内で特異に書き換えられていく「小さな物語」が、どこぞのローカルな「冷たい」発酵文化、そして微生物たちの蠢きと出会い、その人、その地ならではの「サムシング・スペシャル」な発酵食を共に創りだしていく。その「冷たく」も「熱い」クリエーションの逆説的弁証法こそ、藝術2・0の秘鑰、少なくともその一つであると、私は確信したのだった。

そうして、私は小倉以外にも、この「冷たく」も「熱い」創造の弁証法を、探し求めていった。中川周士の木桶と現代美術が野合する「突然変異体」、藤田一照の英語とソマティックワークと他者との交わりで変革される坐禅、(元ダムタイプ)小山田徹の焚火へといたる「モダニズム」、陶々舎の無印良品で点て供する茶道、そして私自身の『双賽一擲』(ステファヌ・マラルメ)的感性が充満した〃もう一つの〃学び場「三田の家」などの中に、藝術2・0の弁証法=秘鑰を探索し、詳らかにしていった。

その過程の中で(先に述べたように)、徐々に、二つの奇妙な形象が立ち現れてきた。Vと◯である。しかも「いびつなV」と「いびつな◯」である。先ほどよりさらに詳しく振り返ろう。

いびつなV——新たなGEIDO論へ

まず、「いびつなV」とは何か?

これら「藝術家2・0」たちの探究、そしてそれを思想的・理論的に解析するために招来した思想家たち、創り手たちの説くところを実存的に観じると、いずれも皆、次のような軌跡を描いていた。——各々が生まれ落ち育ってきた「有」の世界、そこにはその世界を成り立たせる固有の文化的・社会的諸構造、そして多数の「型」が充満している。それらの構造を学び、型を修めていく修業・修行の中で、ある者たちは、その行の深まりとともに、それらの構造・

型を突き抜け、〈外〉へと、「有」なき底なしの「無」へと出てしまう。実存が、限りない危機へと晒され、「無」の深奥へと消尽していく。が、突然、そんな無限の底なき底から何かしら暖かいものが、〈いのち〉の奔流が湧き出てくる。限りなく無と化した自己も、その奔流に乗り、奔流そのものとなり、気づくと再び「有」の岸辺へと流れ着いている。そうした「有」ないし「生」から「無」ないし「死」への「参入」、そして「無・死」から「有・生」への「還帰」の実存的冒険の軌跡を、私は「V」という形象として観じたのである。

哲学者久松真一は、この実存的「V」に、日本の藝道（茶道、能など）の真髄を見た。彼は、西欧のArtが「有」から「無」への「参入」としての探究に終わっているのに対し、藝道は「参入」の道を辿った後、もう一つの道、すなわち「無」から「有」への「還帰」の道において為される技だという。(3)「参入」の探究の末、空無化された自己を、久松は「無相の自己」と呼び、その藝道の主体＝無相の自己にとって、「還帰」すべき「有」そして「有」を成す構造・型は、もはや「参入」の出発点であったそれではない。自己が従い、それに縛られる型ではなく、それは〃戯れ〃の相手となる。自らの藝を演じるための〃遊具〃となる。そうした境地に遊ぶ「名人」たちは、まずは、自らが演じる藝の巨視的文脈（時代・地域など）や微視的環境（現場の自然的・人為的条件など）に応じて、臨機応変に、ある型を選び、捨て、変え、あるいは新しい型を創る。これこそが、藝道で言うところの「破格」である。そうして、「名人」は己の藝を再創造する。しかし、名人によっては、それに留まらない。さらに「離格」の境地に達する。

夏はいかにも涼しきやうに、冬はいかにもあたかなるやうに、炭は湯のわくやうに、茶は服のよきやうに、これにて秘事はすみ。(6)

利休の「無作の作」、芭蕉の「軽み」、世阿弥の「妙」……。「離格」なる名人たち。

ところで、岡倉天心は、『茶の本』で、茶人たちの生ける花の究極として「花御供《ごくう》」（花を生贄にして捧げること）を挙げる。

花の中には死を栄光とするものもある――日本の桜のように、すすんで風に身を委ねるのだ。吉野や嵐山の桜吹雪を経験したことのある人なら誰でもわかるはずだ。つかの間、花たちは、宝石の雲のように渦巻き、水晶のような流れの上を舞うかと思うと、次の瞬間には、笑いさざめく水の流れにのって消えていく、あたかも、こう語りかけながらのように。「さようなら、春よ、私たちは永遠に向かって旅立つのです(7)」。

ここにはもはや、人間のいかなる「作」もない。ただ自然の「作」があるのみである。これこそ、「無作の作」＝「離格」の極みであろうか。

だが、この桜の死を「栄光」と断じ、「美」と感じるのは、他ならぬ人間ではないだろうか。限りなく「無」化されたとはいえ、あるいは「無」化されたからこそ、人間の〈いのち〉は桜の死と合一し、打ち震え、共に笑いさざめくのではないか。

床の間に生ける一輪の花もまた、あるいは茶を点てる所作の一つ一つ、設えの一つ一つもまた同様に、無化された自己の〈いのち〉の、自然への捧げものである。無限小の自己と、無限大の宇宙とが交感しあう「依り代」である。藝術2・0とは、したがって、この藝道の「無作の作」の復活にあるのだろうか。

否、とはっきり言おう。若き茶人、陶々舎の一人、中山福太朗は言う。

蛍光灯の下でマックの味を知った私たちが、Perfumeを聴きながらどんなお茶をするのか。伝統文化なんて言葉に惑わされず、いま現在生きている自分の感覚で、それをいいと思うかどうかを判断していい。利休は死んでしまいました。今、現世に生きている私たちが、尊い。その私たちが、何をいいと思うのか――そこに魅かれます。誤解を恐れず言えば、家元制度はシーラカンスみたいなもの。あのまま生き続けていくことが大切なのだと思います。そのまま、ずっと受け継いだものを伝えてもらわないといけないし、それが博物館に収蔵されるのではなく、生きたものとして存在することに、大変な意義がある。私たち市井でお茶をしている人間はそうはなれないし、そうなる必要もない。トビウオにならなきゃいけないし、機動力も必要です。守らないといけないものがあって、好き勝手にしてはいけない人たちがいてくれるからこそ、私たちが自由に動くことができる。それは本当にありがたいことです。(8)

そう、私たちは、茶を知りながらも、マックも、Perfumeも知ってしまった。私たちの「OSとしてのアート」は、「ポストモダン」で「マルチカルチュラル」で「デジタル」な時代だからこそ、古今東西、多種多様な文化、型を、各々の仕方で採取・編集し、極度にハイブリッドで「熱い」「小さな物語」を編み上げている。それら個々に特異な「熱いクリエーション」が、今、どこぞの、これまたそれぞれに特異な自然環境で、その地に固有な「冷たいクリエーション」と出逢い、その逆説的弁証法の螺旋的探究の内で、「熱い」型「冷たい」型もろともが「破格」され、この世に一つしかない「サムシング・スペシャル」を生み出していく。それこそが、藝術2・0。

ただし、藝術2・0を演じる主体は、必ずしも藝を極め尽くした名人に限る必要はなかろう。各々のVもまた深浅広狭において特異であってよかろう。「物足りない」(藤田一照)までも「差し控えて」(田辺元)もよかろう。Vは、だから、個々に「いびつ」であってもよかろう。

それら「いびつなV」たちが繰り出す「熱くも冷たい」クリエーション。それを通した、人間と自然との一期一会的co-creationこそを、私は「藝術2・0」と呼びたかったのだ。だが今や、この新たな創造性は、「熱いクリエーション」がますます多文化横断的に活性化しているがゆえに、この狭隘な島国に限られた現象ではなく、地球上のいたるところで特異な「冷たいクリエーション」と出逢うことにより、その現場に固有な「サムシング・スペシャル」を生み出しているはずだ。だからこそ、私は、原稿を書き進めるにつれ、漢字文化圏を超えて、(国際語となったJUDOやAIKIDOなどと同様)あえて「GEIDO」と呼び記してみたい欲望に駆られたのだ。

いびつなＶ、あるいは一期一会の民主主義

「いびつなＶ」が、GEIDOの精髄の一つだとすれば、もう一つの精髄が「いびつな〇」である。

心理学者河合隼雄は、『古事記』を読み解き、奇妙にも反復される三神の組み合わせのうち、中心にあたる神が常に無為で、記述すらほとんどないことに着目した。そして、この『古事記』神話における「中空性」こそ、以後発展してきた「日本人の思想、宗教、社会構造などのプロトタイプ」[9]になっていると主張する。そしてそこから、「中空巡回構造」を導き出した。

筆者が日本神話の（従って日本人の心の）構造として心に描くものは、中空の球の表面に、互いに適切な関係をもちつつバランスをとって配置されている神々の姿である。ただ、人間がこの中空の球状マンダラをそのまま把握し、意識化することは極めて困難であり、それはしばしば、二次元平面に投影された円として意識される。つまり、それは投影される平面に応じて何らかの中心をもつことになる。しかし、その中心は絶対的ではなく投影面が変れば（状況が変れば）、中心も変るのである。[10]

河合によれば、「中空巡回構造」は、社会組織の中で「短所」として現れれば、責任の所在が一つの「中心」に収斂せず、小さい仮初めの中心を経巡り、宙吊りになってしまう「無責任体制」となる。しかし（河合自身は明言していないが）それが「長所」として働き出せば、私が自ら体験し『藝術2・0』で描いたアズワンセミナーの「探究」＝円座の場の如く、小さい中心たち、小さい「神々」たちが、各々いびつなVの奥底から辛うじて発する呟き、叫び、あるいは沈黙の強度が、中空の虚ろをさざめかせ、きらめかせ、荘厳するような小さな「奇跡」すら起こしうるだろう。

茶の席もまた、いたって「いびつな◯」である。そこでは、あるいびつなVを体現する者＝「亭主」が、他のそれぞれいびつなVたちを招く。彼らは、小さな火を囲み、「中空」のままで、坐る。招いたVは、他のVたちを歓待するために、一服の茶を、一献の酒を、一皿の料理を、あるいは一輪の花を、一幅の画を、一本の香を、あるいは簡素な一言を、沈黙を、供する。亭主は、はたして、それらの手向け、渾身のギフトが、客たちのVの心奥でどのように迎え入れられ、何を引き起こすか、知る由もない。それでも、彼（女）は、全身全霊を込めて、贈りつづける。客＝Vたちの〈いのち〉がやがて微笑んでくれることを願って。

いびつなVたちが、実存的に興じあういびつな◯。その席＝場は、何も茶席や件のセミナーに限らない。『藝術2・0』でも、私はいくつかの「ワークショップ」、「カフェ」を取り上げつつ、その倹《つま》しい豊穣さ、小さな奇跡を描いてみせた。そこでは、今や「ファシリテーター」などと呼ばれもする亭主が、親しき者たちを招く。あるいは誰を招くのでもなく、でも誰が訪れてきても無条件に招じ入れる。親しき者たちを招く場合にも、彼（女）らの既知の人となりを再認し興じあうために招くのではない。親しき者たちの内にも秘められたVへと、自らのVの奥底から〝何か〟を手向け、贈るために招くのだ。その時、そこで、自らが、その者にしか手向けえない何かを手向けるのだ。「一期一会」の心構えとはそうしたものだ。久松は言う。

この「一期《いちご》」というのは「一期の命」などと使われるごとく、「一生涯」を意味し、「一期一会《いちごいちえ》」とは一生涯に一度の会の意味で、それが特に茶会を催す場合の心構え、態度などに関して多くいわれておるものである。茶事を催す場合、これが一生涯一度の会であると観念していれば、万事に隙なく心を配り、そこに自己の最善を尽くすこととなる。(11)

それは、「せっぱ詰まった」事態でもある。実存的に絶体絶命に追い込まれた事態でもある。一切逃げ場がなく、でも何かを手向けなくてはいけない事態である。そこに久松は、日常の限界を突破する異常な力の湧出を見る。

せっぱ詰まったということが、単に否定的な絶望契機《ぜつぼうけいき》にならないで、むしろ絶対肯定契機《ぜったいこうていけいき》となる時に、人間は日常の限界を突破して、異常な自在な力を発揮することができるものなのである。(12)

この絶体絶命の窮しきった境地を全面的に肯定し楽しみきるところに、「亭主」の歓待の醍醐味もまたあるだろう。

ところで、岡倉天心は『茶の本』で、茶道は「東洋的民主主義」の神髄を示すと述べている。茶道は貴婦人の優雅なサロンにも受け入れられれば、庶民のあばら家にも分け隔てなく入っていった。わが国の農民は花を生ける術を心得てきたし、最下層の労働者ですら岩や水を聖なるものとして敬うことを忘れなかった。(13)

そう、茶道はおそらくある時代まで（少なくとも天心の時代まで）、市井の生活の隅々に（正式なお点前ができるか否かにかかわらず）、その精神と型を「民主主義化」していた。だが、その「民主主義」は単なる世俗化ではなかった。逆に、日常の世俗の「縁」を半ば断ち切る、脱「俗」的な、半「絶縁」的な、非日常的民主主義だった。露地を歩みつつ、蹲《つくばい》で手を浄めつつ、にじり口を通り抜けつつ、人々は「世間」のしがらみ、社会的アイデンティティから解き放たれていった。

私は、この茶道の「東洋的民主主義」を今や「東洋の理想」の呪縛から解き放ち、たとえばフランスの思想家ジャック・デリダが、民主主義の彼方に待ち望みつづけた「来たるべき」「無条件な」「絶対的」民主主義あるいは歓待(14)へと読み換えたい。もはや古の「藝道」ではなく、二一世紀的「GEIDO」として、いかなるいびつなVたちも無条件に歓待しあう一期一会のいびつな〇の民主主義と読み換えたい。しかし、そのGEIDO、絶対的な歓待=民主主義は、デリダが言うように、絶えず「来たるべき」ものではなく、すでに、ここかしこに、現に、来ているのだ。

私は、次章から、『藝術2・0』より受け継いだGEIDOの輪郭・本質を、さらに思想的に見極めるべく、人によっては隣接するとみえるかもしれぬ過去の創造の在り方・概念、たとえば鶴見俊輔の云う「限界芸術」、あるいは柳宗悦が説いた「民藝」との共通点そして相違点を明らかにしていくであろう。さらに、『藝術2・0』では探究を保留した「性愛」、「経済」などの領域で、GEIDO的実践の蠢きが予感されることを詳らかにしていくだろう。最終的には、これらのGEIDO的実践が、自滅の危機に瀕する資本主義的文明から人類、そして地球の〈いのち〉を救う新たな創造性たることを示していきたい。

第2章　GEIDOは限界芸術ではない

鶴見俊輔「限界芸術論」再考

前著『藝術2・0』から、GEIDOを思想的・実践的にさらに深めるべく新たな旅に出ようとした時、まず私の射程に入ってきたのが、鶴見俊輔の「限界芸術」論であった。この、およそ六〇年前に着想された、当時としてはある意味独創的でもあったろう芸術論は、ある現代の美術評論家によれば、長年美術批評界で「黙殺されてきた」論でありながらも、今や「もっともアクチュアルな批評的問題」として提起されうる論であるらしい。だから今こそ、「この限界芸術のプロジェクトを再始動させる時期」だと言うことだ。その理由は二つ。一つは、現在アートの世界で活躍している（アマチュアの）市民たちの活動を正当化できる理論であること。

もう一つは、「これまでの『芸術』とは異なる、『別の芸術』を実践するための革命的な道具として使える」[1]ことである。

さらに、この評論家は、限界芸術の可能性の中心は「環境破壊を生む熱のさなかにあって、その熱に打ちひしがれながらも、それとは別の熱を身体のなかで育み、それを他者に伝えたり、他者から伝えられたりすることによって、暮らしをより深くより美しく変容させていくことにあります。それを繰り返していけば、結果的に『芸術』概念を根底から再編する革命へとつながっていくのではないでしょうか[2]」と問うのである。

この「革命」はまさに、創造性の概念と実践を刷新し、新たなArt of Living（生きる技）とでも言うべきものを作り出そうとする藝術2・0ないしGEIDOのそれと同じなのではないか。GEIDOは、結局、鶴見が約六〇年前に構想した「限界芸術」の現代的焼き直しにすぎないのではないか。

以下、こうした、ありうべき問いが反語的問いとなるよう、私は、両者の間に共通する響きを聴きとりつつ、そして限界芸術の余響の一部を引き継ぎつつも、GEIDOに限界芸術を超える新たな理論的・実践的潜在力を探り当てていきたい。

「限界芸術」とは？

鶴見の云う「限界芸術」とは何か。奈辺に、その概念的独創性があるのか。

「芸術の発展」という「限界芸術」論を、鶴見はまず、「芸術」の定義から始める。[3] 一言、芸術とは「たのしい記号」である、と。この、人を喰ったかのような唐突な定義を、すぐにやや学問的に（ジョン・デューイ的に?・）言い直し、芸術とは「美的経験を直接的につくり出す記号」であると言う。では「美的経験」とは何か。それは、広義では（労働して食費を稼ぐという間接価値的経験と比して）「食事をする」などの直接価値的経験（それ自身において価値のある経験）である。そしてこの論法だと、生きる経験全体が美的経験に覆われかねないが、それは潜在的には正しいとした上で、鶴見は、しかし、美的経験として「高まって行く」経験こそが、狭義の美的経験だとする。

彼はさらに、「高まって行く」という漠然とした意味あいを限定する条件として二つのものがあると言う。一つは「尺度」。食べるという味覚的経験には「尺度」がないが、狭義の美的経験には「尺度」がある。（しかし、鶴見はその「尺度」がどのようなものか一切詳述しない。）もう一つは、日常からの「脱出性」。美的経験は、経験一般から「離脱反逆」をもたらすとされる。

さらに鶴見は、（狭義の）美的経験の一部分たる「芸術」を三つに分類する。「純粋芸術」(Pure Art)、「大衆芸術」(Popular Art)、「限界芸術」(Marginal Art) である。「純粋芸術」は、専門的芸術家によって作られ、それを鑑賞しうる教養をもつ専門的享受者により享受される。「大衆芸術」は、専門的芸術家（と企業家）によって作られ、大衆が享受者となる。「限界芸術」は、非専門的芸術家によって作られ、非専門的享受者によって受容される。

「限界芸術」は、歴史的にみて、「純粋芸術」や「大衆芸術」よりもはるかに古く、太古の洞窟壁画以来連綿と続く、系統発生的にみて最も根源的な芸術の形といえる。それはまた、個体発生的にみても、人生で最初に接する芸術だといえよう。例として、新聞紙で作ったカブト、奴ダコ、コマなど、鶴見の時代を彷彿とさせる遊びを列挙する。

ちなみに、「限界芸術」のより具体的なイメージと広がりを示すために、「芸術の発展」の末尾に付されている、限界芸術／純粋芸術／大衆芸術の対照表から、限界芸術の例を挙げてみよう。鶴見は行動の種類で、分類している。(4)

身体を動かす――みずからのうごきを感じる：日常生活の身ぶり、労働のリズム、出ぞめ式、木やり、遊び、求愛行為、拍手、盆おどり、阿波おどり、竹馬、まりつき、すもう、獅子舞。

建てる――住む、使う、見る：家、町並、箱庭、盆栽、かざり、はなお、水中花、結び方、積木、生花、茶の湯、まゆだま、墓。

かなでる、しゃべる――きく：労働の合の手、エンヤコラの歌、ふしことば、早口言葉、替え歌、鼻唄、アダナ、どどいつ、漫才、声色。

えがく――みる：らくがき、絵馬、羽子板、しんこざいく、凧絵、年賀状、流灯。

書く――読む：手紙、ゴシップ、月並俳句、書道、タナバタ。

演じる――見る、参加する：祭、葬式、見合、会議、家族アルバム、記録映画、いろはカルタ、百人一首、双六、福引、宝船、門火、墓まいり、デモ。

ここには、当時の周縁的な文化的・社会的事項がほぼ網羅されていると言っても過言ではないだろう。「限界芸術」が、いくら「限界」的＝Marginalとはいえ、最たる狭義の美的経験、すなわち「芸術」の一種だとしたら、はたしてこれらの経験に「尺度」があり、日常からの「脱出性」があるかどうか甚だ疑問だが、とりあえずそれは措いておこう。さらに、鶴見の限界芸術論「芸術の発展」を追っていこう。

限界芸術の「研究」「批評」「創作」

鶴見は、日本における限界芸術のキーパーソンを三人挙げる。限界芸術の「研究者」である柳田国男、限界芸術の「批評家」である柳宗悦、そして限界芸術の「作家」である宮沢賢治である。

柳田国男の民俗学こそ、限界芸術の「研究」であると、鶴見は断じる。(5) まず鶴見は、柳田の民謡論を取り上げ、柳田によれば、日本の民謡の元歌は田植などの作業歌（労働歌）であり、「衣食住を確保する諸活動（労働）の倍音として、それらをたのしいものとする活動（遊び）」、すなわち限界芸術＝芸術の最古の形式が現れた、と敷衍する。

次に鶴見は、柳田による、民謡の三つの傍系（鼻唄、子供の遊びのあいのてにうたわれる歌、宴会用の歌）についての研究を取り上げ、これらもまた限界芸術（柳田によれば「凡人芸術」）であるとした上で、「すべての子供は起きているあいだじゅう芸術家であるが、大人になると、酒をのんでいるあいだだけ芸術家になる」と、限界芸術の裾野を酔客にまで広げていく。

さらに、鶴見は、柳田による（「アメンボー」などの）モノの名前そのもの、そしてゴシップについての研究もまた、限界芸術の「最小粒子」の研究であると評し、そして最終的に、柳田は何よりも「祭」を「総合的限界芸術」として評価したとする。だが、その柳田が評価した祭は、演じる者と見物人が別れて一種のショーと化した「大祭」ではなく、そうした参加者間の分離がない「小祭」であり、柳田は「小祭」をこそ現代に復興しようと欲した。しかし、鶴見は、その「小祭」復興の提案は、保守主義者柳田としては当然だが、小祭を支えてきた国民的信仰が失われた現在、それは適切さを欠くがゆえに、新しい小祭とそれを支える新しい国民的信仰を作ることこそが、我々に課された歴史的責務ではないかと、この限界芸術の「研究者」をやんわりと批判するのである。

次に鶴見は、限界芸術の「批評家」、柳宗悦を論じる。(6) 彼は、柳田が限界芸術の研究に一つの水準を作ったと同様、柳は限界芸術の批評に一つの水準を作ったと評価する。

鶴見は、柳の有名な「用」の美学――無名の職人たちが無心の手仕事で作り出した雑器を、民衆が日常の暮らしの中で用い愛でる――に深く首肯したあと、柳の民芸論とその実践の「成功した部分」と「失敗した部分」を指摘する。

まず、「成功した部分」は、機械工業がまだ十分に浸透していなかった地方に残っていた手仕事の伝統を探し出し、それを全国的に普及した点。そして「失敗した部分」は、京都で柳に傾倒していた工芸家たちが作ったギルド「上加茂民芸協団」がわずか二年で終わってしまった点。さらに、柳が近代以前、特に中世的信仰と遺産に傾注しすぎたあまり、限界芸術を「機械的生産に反対する力としてのみ」評価した点に求める。少なくとも鶴見が考える限界芸術は、そうした柳の「民芸」の手工芸的枠組みを超え、カメラや映画やラジオといった、近現代のテクノロジー、メディアの利用まで含み込むものなのである。

鶴見は、そのように柳の民芸論の限界を指摘した後、にもかかわらず、彼の、日本の伝統を評価する美学が、ある種の普遍性を獲得すると結論づける。つまり、柳の美学は、日本の伝統的美学、なかんずく不完全を尊ぶ「奇数の美」、そして無味・無地を愛でる「わび・さび・渋み」の追求を、民芸思想とともに世界に示し、欧米に民芸美術館を建てることすら欲することで、「日本の伝統をひっさげて世界に出てゆくことを説く柳宗悦の批評の視点は、日本の限界芸術についての論評を軸としてつくられた普遍的な美学の体系であると言えよう」と、結ぶ。

このように鶴見は、限界芸術の「批評家」としての柳の民芸論・美学の可能性と限界を指摘しつつ、自らの限界芸術論の射程をさらにシャープに限取っていく。

次に鶴見は、限界芸術の「作家」宮沢賢治を論じる。柳田の小祭復興、柳の工芸家ギルドの試みを、現在の日本に限界芸術を復活させる方法として肯《がえん》じえなかったが、宮沢の「創作」は、その復活の力になりうるのではないかと、鶴見は論を開始する。(7)

鶴見は、宮沢の芸術観が三つのモーメントにより成っていると言う。①芸術をつくる状況、

②芸術をつくる主体、③芸術による状況の変革、である。

①芸術をつくる状況

宮沢にとって、芸術とは「主体となる個人あるいは集団にとって、それをとりまく日常的状況をより深く美しいものにむかって変革するという行為」である。だからこそ、状況の中にあるあらゆる事象が、芸術の素材となりうる。たとえば、日常の声音が音楽に、身振りが演劇になりうる。

鶴見は、その日常的状況の芸術化の典型例として、宮沢が生徒たちを引率した北海道への修学旅行を挙げる。そこでは、旅のプログラムの立案から、食事、散歩、雑談までもが、人間関係のドラマとして、限界芸術となる。もちろん、宮沢にとっての限界芸術は、修学旅行という「特別な」学びの機会のみではない。彼が農学校で生徒たちと行った日々の「授業」のあらゆる要素が、芸術の素材となっていた。そして、そのような芸術をつくる状況を理想化し結晶化したものこそ、「イーハトーヴォ」というシンボリックな理想郷である、と鶴見は見てとる。

②芸術をつくる主体

宮沢にとって、芸術をつくる主体は専門的な芸術家ではなく、一人一人の個人、むしろ芸術家らしくない生産活動に従事している個人であった。そして、その理想型は、素人芸術家ですらない、ただ黙々と働く人々、「存在としての芸術」とでもいうべき人々であった。その理想的主体を、宮沢は「ベゴ」という丸い石（『気のいい火山弾』）、「白象」（『オッペルと象』）、「デクノボー」（『雨ニモマ負ケズ』）、あるいは法華経を借りて宇宙の「微塵」などに形象化した。

しかし、宮沢においても、現実には「存在としての芸術」＝理想的主体となることに徹しきれない自分の深い業がある。世界からの孤立に懊悩し、世界を呪詛さえする「修羅」が、悲痛の叫びを挙げている。「微塵」の奥底で、この「修羅」が「自分の力でデクノボー、白象、ベゴ石にむかっての道すじをきりひらいてゆくことの中に、政治があり、宗教があり、政治とも宗教ともみまがうような形での限界芸術の活動としての宮沢賢治の芸術が成立する」と、鶴見は、宮沢の思想と実践を実存的に高く評価する。

③芸術による状況の変革

宮沢にとって芸術とは、何よりも個々人が己の本来的要求にしたがって状況を変革する行為であったと、鶴見は捉える。その変革への努力が最も明らかな形をとったのが、「羅須地人協会」（一九二六—二八年）の活動であった。農学校を辞めた宮沢はこの時期、技術者として肥料設計や講義などのために岩手県を文字通り東奔西走する。技術者＝芸術家として、宮沢は当時の農村の状況を変革しようとしたのだ。その現状変革を駆動する原動力こそ、世界への異和・不満としての「修羅」の能動化されたエネルギーであり、それが技術者＝芸術家である彼に未来のヴィジョンを抱かせ、行動に走らせた、と鶴見は見る。

畢竟、宮沢にとって、各人の人生がそのまま芸術である、ように見えるが、それは、各人の一挙手一投足がそのままにして芸術であるという意味ではなく、その主体がそれらの行為を「高め」「みがき」、さらにはそれへの見方を「深めて」いき、最終的には「自分の生前死後もふくめて宇宙史の立場から見るとすれば、自分の人生もまた芸術作品として眺めることができるという意味での芸術」なのである、と鶴見は結論づける。

鶴見は、このように、限界芸術の「研究者」柳田国男、「批評家」柳宗悦、「作家」宮沢賢治について論及する。が、その論及の、いったいどこまでが鶴見自身の「限界芸術論」なのか、あるいはキーパーソン自身の思想なのか、判然としない。明らかなのは、鶴見が、柳田の小祭復興と、柳の工芸家ギルドの試み、そして手工芸的枠組みに批判的であるという点のみである。逆に鶴見が「限界芸術論」的視点から三者のうちに共通して見ているのは、①限界芸術は、一部の文化的エリートが専有する芸術ではなく、名もなき民衆に分有された文化的実践であること。②限界芸術は、日常の生活から乖離し、美術館やコンサートホールでのみ享受されるものではなく、個々人の日々の生活を成り立たせている些細で素朴な、いわば「小さい」遊び・工夫・技にこそあること。③にもかかわらず、限界芸術は、社会の現状を批判し変革する潜在力を併せ持っていること、である。

鶴見の「限界芸術論」は、これらキーパーソンたちへの論及の後、いよいよ彼独自の論を展開していこうとする、まさにその瞬間に途絶してしまう。「次にマス・コミュニケーションと限界芸術、サークルと限界芸術、日本の伝統と限界芸術の三章を書く予定だったが、これ以上書けなくなった」と。実直とはいえ、職業的文筆家としては無責任ともとられかねないこの二行と、申し訳程度にもならない（先に言及した）限界芸術／大衆芸術／純粋芸術の対照表「芸術の体系」を付して、この、限界芸術論であるはずの「芸術の発展」を中途で終えてしまうのである。

「限界芸術論再説」

「芸術の発展」ののち、鶴見の限界芸術論の新たな展開はあるのか。ちくま学芸文庫『限界芸術論』には、この冒頭を飾る論考の後、「黒川涙香」論などの本格的な論文や、様々な大衆芸術に関するエッセイ、コラムなどが続くが、こと限界芸術に関しては、非常に断片的な言及があるのみで、「新たな展開」と言いうるものは一切ない。

しかし、ここで注目すべきは、この文庫版にはなぜか収録されていない「限界芸術論再説」という講演の記録である。(8)

この、一九六七年一〇月（「芸術の発展」の七年後）になされた講演録の冒頭には、（ある意味「再説」にふさわしく）件の表「芸術の体系」がまずは配されている。鶴見は、「現代デザイン講座」の一環として行ったこの講演を、「大衆社会」批判から始める。オルテガの『大衆の反逆』などを引きながら、団地の隣人が殺されても無関係という、砂粒のように互いに無関心な大衆社会では、そもそも民主主義が成り立っていないし、だから大衆は政治を変えることができないという無力感に苛まれている。

そうした大衆社会状況にあって（「デザイン講座」であるがゆえであろう）、鶴見は、個人が「自分でデザインできるものは何か」と問う。そして「非常に小さいところからアプローチする考え方」（ここでも「小さい」がキーワードだ）があり、それが「大衆社会状況のつくり出す無力感に対抗する一つの運動」たりうるのではないか、と問題提起して、いよいよ本格的に「限界芸術論」（再説）に入る。

そこで鶴見は、会津八一という書家を持ち出す。そして会津の書論に出てくる明治時代の書家中林梧竹が、ある寺に泊まった時のエピソードに言及する。中林は、投宿中よく子供相手に浜の砂の上に字を書いていた。なぜ砂の上なのか。会津が察するに（と鶴見が察する）

砂の上に線を引くとね、砂が崩れるでしょ、風に吹かれたりして。その線が非常に丸くなるんですって。自分の書いた個性ってものが消されていくんです。そのことが面白いんですよ。偶然の状態と自分の力とがからんで、砂が自分の個性を消して何とも言えないものになる。つまり、個性の脱却というのが自分の臭みを脱するという作用をして、その面白みのために、悟竹《ママ》は砂に書いたんだというんですけどね。このあたりには老人の楽しみってものの極意が出てきている気がする。そのなかに、本当の意味でのものをつくる喜びがある。

なぜ、鶴見はこの会津によるエピソードを出したのか。それは、砂の上に字を書くという行為は、どんな条件でも「自分がデザインできる生活の領域」であり、が、その「小さな」デザインは、砂の上にとどまらず、自分が書く手紙、自分の住む家の設え、自分の身に纏う服など、生活のあらゆる領域に浸透していくだろう。それこそが、限界芸術なのだと説くのである。

鶴見は、自分がいつ「限界芸術」という考え方を思いついたのか、と振り返る。それは、従軍時に「去年生まれたタコ八」という替歌（「去年生まれたタコ八は／弾に当って名誉の戦士／タコの遺骨はいつ帰る／骨がないから帰れない／タコのかあさん悲しかろ」）を聞いた時だと言う。軍隊という極限的状況の最中でも、「人間の譲り渡すことのできない最後のもの」、最低限の「自由」として芸術を欲する。それをまざまざと体験したのが、この替歌だと言う。さらに彼は付け加える。限界芸術は、純粋芸術や大衆芸術よりはるか昔から（洞窟壁画時代から）存在する最古の最も根源的な芸術であり、それはつまるところ「自分の人生にもっているビジョンをどういうふうに表現するか」という問題であり、それこそが、この大衆社会状況にあって、自由の、デザイン可能な領域である、と力説する。

そして限界芸術は、そうした生活のデザインを通した「小さな」政治性を発揮する行為であるとともに、自然と、宇宙と溶け合い、喜びを分かち合うような宇宙論的ふるまいでもある。

アメリカインド人《ママ》の自然宗教のなかにも日本人の神道のなかにもそれがある。その修業のなかにね。空が笑いかけているような感じ、牛も馬も友だちだと感じる一体感のなかに、生きていくことの秘密がある。そして、宇宙のダンスにわれわれが参加することのなかに喜びがあり、自分が個として滅びることが別に何でもなくなってくる。それが生きていることの目的ではないか。

そして最後に鶴見は、限界芸術の視点から、日本文化の特徴と可能性を称揚する。元々江戸時代に欧米諸国より識字率が高く、知的であった大衆は、驚くべきバラエティの限界芸術を作り出し楽しんだ（先の限界芸術の一覧表に見られるように）。その伝統に接続しつつ、現代においても、知的大衆の創造力を開発することこそ、肝要なのだと「再説」を締めくくる。

GEIDOは限界芸術か

ここまで、「芸術の発展」そして「限界芸術論再説」を通して、鶴見の限界芸術論の概要を見てきた。

ここで改めて問いたい。GEIDOは限界芸術なのか、と。たとえば、鶴見に限界芸術を着想させた替歌「去年生まれたタコ八」。それは「替歌」であるがゆえに、元歌（ちなみに高峰三枝子が歌った「湖畔の宿」）を「再デザイン」した歌といえよう。

先に私は藝術2・0あるいはGEIDOの秘鑰の一つは、「熱いクリエーションによる冷たいクリエーションの再デザイン化」にあると述べた。はたして、「去年生まれたタコ八」は、

GEIDO的再デザイン化なのか。そこには、歌うことそれ自体への「原点回帰」という冷たいクリエーションのベクトルと、それを再デザインする現代的な「OSとしてのアート」という熱いクリエーションのベクトルとの、逆説的でダイナミックな弁証法があるのだろうか。それが「なかなかの傑作」であり、「戦争中、それを唱うのは相当な勇気がいる」としても、少なくとも私には、この替歌の中に件の弁証法のダイナミズムが感じられない。

先に『藝術2・0』を振り返り要約しつつ見たように、GEIDO的再デザイン化は、単なる原作の翻案やパロディではなく、「いびつなV」、すなわち「有・生」の世界から「無・死」への「参入」と、そこから「有・生」への「還帰」という実存的ドラマとして演じられる創造行為であった。確かに軍隊は、主体たちが「剥き出しの生」（アガンベン）に晒され生き延びなくてはならない極限的状況であろう。そこで「相当な勇気」をもって唄われたであろう替歌に、そのような実存的ドラマがあったのかどうか。少なくとも鶴見が伝える歌詞を読んだだけでは、私にはその強度が伝わってこない。（でも、もしかすると、そうした強度を、パフォームされた現場で感じたからこそ、鶴見は「限界芸術」を思い立ったのかもしれないが、事の真相は、鶴見に尋ねられない今となっては闇の中だ。）

では、鶴見が「再説」で挙げるもう一つの限界芸術の例、会津八一が語るところの中林梧竹の砂上の書はどうであろう。砂の上に字を書いていく。が、風が吹き、砂が流れ、線が、字が崩れていき、やがては消えていく。吹く風の、流れる砂の「偶然」が、字の、そして字を書く主体の「個性」をかき消していく。その様を面白がる書家。ここにはまさに、久松真一が茶道そして藝道一般に見た「無相の自己」が現在しているのではないか。その「老人の楽しみってものの極意」とは、まさに藝道でいうところの「離格」の境地なのではないか。「無作の作」の「軽み」。確かに、中林（そしてそれを伝える会津）は、藝道の「名人」、すなわち実存的Vを修行し、書「道」を究め、今や「遊ぶ」境地にある者だろう。

そして、限界芸術の「作家」、宮沢賢治。彼もまた、おそらくは彼独自の法華経の修行を通して、Vを生き、冷たいクリエーションたる農、あるいは学びを、当時の熱いクリエーション（肥料設計、音楽、文学など）により再デザインした藝術家2・0あるいはGEIDO-KAの先駆者の一人と言えるだろう。

そう、鶴見の限界芸術の中には、確かに藝道ないしGEIDOと思しき実践が含まれている。しかし、同時に、「芸術の体系」にリストアップされた限界芸術の諸例を見ると、そこには到底藝道ないしGEIDOと呼びえないような事項も含まれている。通常実存的Vを伴わないであろう子供や大人の遊び・仕草（拍手、竹馬、まりつき、積木、鼻唄、双六など）、通常は慣習的で儀礼的なコミュニケーション行為（会議、見合、墓まいりなど）、あるいはこれまた通常は慣行的な文化行為（盆おどり、かざり、はなお、早口言葉、アダナ、羽子板、年賀状など）が、藝道的ないしGEIDO的実践とともに、混在しているのである。その混在がまた、限界芸術という、当時も今も独創的かもしれない概念の捉えどころのなさ、「（純粋）芸術」にとって「マージナル」なものを寄せ集めたがゆえの、この概念自体の「マージナル」性をもたらしてしまったのではないか。そうであるがゆえに、その「独創性」にもかかわらず、長年、少なくとも美術

（批評）界では黙殺されつづけたのではないか。

確かに、翻ってみれば、まりつきや鼻唄、会議や見合、早口言葉や年賀状なども、やりようによって、やる主体のありようによっては、実存的Vの「道」ないし「DO」として為されうる可能性を秘めている、と言えないこともない。しかし、少なくとも鶴見の限界芸術論は、そうした可能性を探究していない。それらの行為は、単に通常の慣行としてのみ取り上げられているにとどまる。

だから、中林や会津のような書、あるいは宮沢の文学・行動には、大衆社会状況を変革する「（再）デザイン」の力が蔵されているのかもしれないが、これらの慣行的限界芸術には、そのような力を期待できないとみるしかないだろう。

「サークル」論の可能性と限界

ところで、私は先に、「芸術の発展」は、第四章にあたる「限界芸術の創作」（宮沢賢治論）の後、突如途絶する、と書いた。そして、鶴見の目算では、その後「マス・コミュニケーションと限界芸術」、「サークルと限界芸術」、「日本の伝統と限界芸術」の三章を書く予定だったが、それは実ることなく、ただ七年後、先に検討したばかりの「限界芸術論再説」という講演録を残すのみとなった。

だが、限界芸術論（の一章）ではないが、鶴見には少なくとも「サークル」に関する文章がいくつかある。それらを検討しつつ、以下、私なりに鶴見の「サークル」論・思想の（限界芸術としての）可能性と限界を考えてみたい。そしてさらに、その「サークル」論・思想がはたして、藝術2・0ないしGEIDOの（「いびつなV」と並ぶもう一つの）秘鑰、すなわち「いびつな〇（サークル）」に通底するのかどうか、探っていきたい。

まず、一九七六年初出の「なぜサークルを研究するか(9)」。第一節「サークルとは何か」で、その問いに答えて、鶴見は、なぜなら、戦後三〇年を経た今こそ、これまでに固まりつつある日本の思想表現の方法（論壇史・学問史・運動史）とは異なる思想史の方法を、サークル研究を通して試みたいからだと述べる。

ところで、鶴見によると、日本で初めて蔵原惟人が一九三一年『ナップ』誌上で、ソヴィエト・ロシアの用語例に倣って「サークル」という言葉を、革命思想を大衆の中に生み出していく文化運動の小単位という意味で使ったと言う。しかしその後、元来の革命思想的色合いが脱色され、顔見知りの仲間が自発的に行う文化活動くらいの意味しかもたなくなった。そんな脱政治化し脱思想化したかに見える有象無象の、場合によっては際物趣味的ですらある無数のサークルを研究して、いったいどんな思想史的意義があるのか。鶴見はこう答える。

サークルには、光頭会とか、愛猫家の会とか、へんなもののように見えるものもあるけれども、千年の眼をもってすれば、それらのいくらかひねこびた現在形をとおして、日常生活の小さな物をいかして自在な生き方を演じようとする市井人の志をうかがうことができよう。一つ一つのサークルは、ひしゃげた小宇宙なるままに、当事者それぞれの、生き方への願いをうつしている。

市井人の「ひしゃげた小宇宙」としてのサークル。ここに、私たちはすでに、藝術2・0あるいはGEIDOの内に見出したもう一つの実存的・社会的形象「いびつな○」をはたして見透すことができるのか。鶴見の限界芸術論的に換言すれば、サークルははたして、（慣行的でない）限界芸術として大衆社会状況を変革する力をもちうるのか。

第二節「サークルの持つ意味」において、鶴見はその可能性を探っていく。まず、サークルの根本的特色は「つきあい」である。そのつきあいとは、仲間たちが自発的に間欠的に何度も会い、時間が自然に成熟するのを待つような性格のつきあいである。そしてそうしたつきあいの途上で、「自我のくみかえ」が起こる。自分の考えが他人の考えと交流し増殖し創造性を発揮し、先んじる者と遅れてくる者の力が合体して新たな力を生み出す。そして、その力は、（ヤマギシカイなどの例外を除き[10]）通常のサークルでは、理念的純粋化に抗する形で働き、だからこそサークルはサークルとして長続きする、と鶴見は論じる。

鶴見はその後、いくつかの具体的なサークルを例にとり、その「力」を検証した後、第三節「サークルに何ができないか」で、サークルの問題点・限界を指摘する。

鶴見は、吉本隆明や花田清輝によるサークル（論）批判を部分的に認めながらも、サークルの（他の政治運動にない）独自の活力は「書かれた理論のせまさをつきぬけて、縦横にうごきまわる精神のための社会的空間を用意すること」だと言う。しかしまた、サークル運動は「社会変革のプログラムを構想し育てる段階の小集団の形にはなり得ても、社会の中にプログラムを実現してゆく実践運動としては不適当である」と、その運動体としての限界も同時に認める。最後に鶴見は、自らの、サークルを一五年も研究してきた（メターサークルとも言うべき）サークルについて自己批判する。一つには、研究対象となったほとんどのサークルは、（文字での記録を残しうる）都市中産階級のそれに限られてしまった点。二つ目には、元来近代的能率化を求めないサークル自体の性格同様、自分たちのサークルの作業もきわめて能率的でなかった点。しかしながら、成果としては、「学問における権威主義からはなれてゆく一種の遠心力」たりえた点を挙げる。

さらに私は、鶴見のサークル思想を、GEIDO論の文脈に引き寄せるため、もう一つの論考「サークルと学問」(1)、特にそこで言及されている『山脈《やまなみ》』というサークルについて検討してみたい。

『山脈』は、第二次世界大戦敗戦から二年後の一九四七年長野県で創刊。以後（鶴見の執筆当時まで少なくとも）一五年つづいていた雑誌である。サークルとして『山脈』には、当初からプログラムらしきものが乏しい。わずかに「《山脈の会》は、日本の底辺の生活と思想を掘りおこして、それを記録します」とあるだけだ。

鶴見はそこで、「底辺」とは何か、と問う。しかし、『山脈』自体はそれを定義していない。鶴見は推測する。一つは、階級構造としての底辺。もう一つは、「意識のもっとも深い言いあらわしにくい部分」としての底辺、と。そして、特にこの後者の底辺こそ、多くのものにとって「戦争体験」ではなかったのかと問う。

鶴見は、大竹勉というメンバーの寄稿を取り上げ、そこに語られた、昭和二〇年八月一五日の記憶（「天皇に対し自分が如何に忠臣であるかを仕立てよう」とし、切腹の茶番劇さえした、自分の心の奥底にしまい込んでいた、いわば恥ずべき記憶）を改めて掘り起こし、自分のために書き残し、人とも共有する、この「底辺」を探り記す行為に、（一神教的神のいない）日本人らしい宗教性すら感じとれると言う。

この、個人による「底辺」の探索と記録、そのメンバー間の共有。そこに、私たちは、やはり戦争体験から生まれた替歌「去年生まれたタコ八」には（少なくとも私には）見透せなかった、「いびつなＶ」の実存的軌跡のある種の形を看取することができるだろう。しかも、この「いびつなＶ」たちが、自発的に誌上で集うサークルには、明確な目的すらなく、だからこそ、参加する者は、自分で目的と仕事を作らなくてはならないのだ。鶴見は、メンバー三人の言葉を引く。

「やはりなにか規定がないと、困りますね。山脈の目的はなにか、ときかれるたびに弱ってしまう。」（中島博昭）「私も人にすすめる時、仕方ないので、ただ、読んでください。これを三年間くりかえしてきたんです。でも、けっこう、会員になってくれる人がおりましたけど。」（明石和子）〔…〕「自分で目的と仕事と位置をきめてください。山脈は加入するのでなく、自分

でつくるのです。あなたが参加したあとで、組織や目的ができるのです。」（岡本新）

これらの言葉を読んだとき、私はまるで自分が語っているかのような既視感に捕らわれた。そう、自分はよく、自らが立ち上げと運営に携わっていた「三田の家」（『藝術2・0』第五章で論じた）について、人に説明しようとする時、同様の言辞を発していたのだ。

私が、そして共に活動する者たちが、来訪者に「三田の家とはどんな所ですか？」と尋ねられる時、私たちは現場にいながら、いつも答えに窮してしまうのです。立ち尽くしてしまうのです。相手によって、状況によって、様々に言葉を変え、意味づけを試みようとするのですが、三田の家は、いつも、指先から空しく零れ落ちていく。やるせなく、「こんなところです」と、その空虚を指し示すことしかできません。(12)

この、いずれにもなりうるが、いずれでもない「無目的な」場所。この「創造的なあわい」に関わる人は、自らがこの場所の使い方を発明し、自らの役割を発明しなくてはならなかった。この、大都市の只中の「空き地」、社会の「空隙」の文化的・社会的〝創造力〟を、私は『藝術2・0』で、田辺元によるマラルメの『双賽一擲』論とジャック・デリダの歓待論や民主主義論に事寄せて、まさぐってみたのだった。鶴見が紹介する『山脈』の相貌以外知らない私には、はたしてこのサークルがGEIDO的実践、すなわちいびつなVたちが集ういびつな○であったかどうか確言できない。しかし、この「底辺」へ／からの探索を分有しあった「無目的な」サークルは、少なくとも限界芸術として、たとえ「小さい」運動体であったとしても、当時の大衆社会状況を変革しないまでも、それに抵抗する力には十分なりえていたのではなかったか。

ところが、鶴見のサークル論全体を見たときには、私は、彼の限界芸術論を見たときと同様の、理論的・思想的困惑を覚えざるをえない。限界芸術論において、実存的掘り下げに裏打ちされた実践とそうでない慣例的行為が混在していたように、サークル論においても、『山脈』のような「底辺」を探究するサークルがある一方、それこそいたって「趣味」的でお茶飲み話程度しかなされないであろうサークルが混在している。この「混在」自体が、もしかすると鶴見の（限界芸術論同様）サークル論の「魅力」なのかもしれないが、私たちのGEIDO的視点（いびつなVといびつな○）から見たときには、そこに理論的・思想的曖昧さが看取されることを否定できないのである。

たとえば「食べる」ことをめぐって——「食べる」ことは芸術か

ところで、鶴見は「芸術の発展」において、芸術とは「美的経験を直接的につくり出す記号」であると定義し、「美的経験」とは、広義では（労働して食費を稼ぐという間接価値的経験に比して）たとえば「食べる」という直接価値的経験、すなわちそれ自身において価値のある経験であるとしていた。そして、その広義の美的経験の内、「高まって行く」ものこそ、狭義の美的経験であり、その最たるものが「芸術」であると論じていた。翻ると、「食べる」ことは、鶴見によると（広義の）美的経験ではあるが、狭義の美的経験、ましてや「（限界）芸術」ではないことになる。なぜか。それは、「高まって行かない」美的経験だから。では「高まって行く」とはどういうことだろうか。それは、「尺度」があること、そして日常からの「脱出性」があることだと言っていた。

私は、以下、この「食べる」という（鶴見によると）「尺度」がなく、日常からの「脱出性」がないゆえに狭義の美的経験ではなく、ましてや（限界）芸術ではないとされている経験・行為が、狭義の美的経験、（限界）芸術どころか、それらを突き抜けて、GEIDOにすらなりうることを、自らの体験を踏まえながら論じていきたい。

確かに、「食べる」ことは、ある人たちにとってはあまりに日常的な、生物的必要を満たすだけの（せいぜい「おいしい」、「まずい」程度の評価しか伴わない）慣行として、（鶴見の説くところには反するが）広義の美的経験、すなわちそれ自身において価値のある経験ですらないであろう。では、いわゆる「グルメ」たちにとってはどうか。彼らにとっては、少なくとも広義の美的経験、いや、ミシュランのガイドによる「尺度」を参照し、日常から「脱出」する美味を堪能できるがゆえに、狭義の美的経験であるとすら言えるだろう。いや、グルメによっては、自分を「専門的享受者」とみなし、食を「（純粋）芸術」とすら宣う輩もいよう。

だがはたして、彼らは本当に「食べている」のだろうか。「食べる」ことそれ自体を経験しているのだろうか。「食べる」経験をいわば〝裸形〟で体験しているのだろうか。もしかすると、グルメガイドの「尺度」や評価を前もって刷り込まれ、さらに料理や食材に関する前意識的・無意識的な、様々な文化的・社会的・歴史的記号化・情報化によって味覚や意識がすでに構造化され条件づけられた状態で、食べ味わっているにすぎないのではないか。自分が「食べる」、「味わう」ことそれ自体が、常にすでに無意識的に「食べさせられて」いる、「味わわされて」いるにすぎないのではないか。

ところが、私たちは、ある技を用いることにより、そうした構造化・条件づけを超えて、「食べる」ことの〝裸形〟に立ち会うことができる。その技こそ、瞑想である。

食べる瞑想

「食べる瞑想」。それを初めて体験したのは、十数年前、フランスはボルドー近郊にある「プラム・ヴィレッジ」であった。ヴェトナムの禅僧ティク・ナット・ハンが、一九八二年、亡命先のフランスで開いた禅のコミュニティである。私はそこに一週間ほど滞在したが、そこにはおよそ「禅宗」らしからぬ大らかさ、カジュアルさが満ちていた。世界中から私のようなヴィジターが短・中期滞在する一方、（少なくとも当時は）一五〇人余りの出家僧が修行に励んでいた。しかし、見ていると、その僧たちも修行の合間に僧衣のままでピンポンやバスケットボールに興じている！　また、週に一日、修行も作業も特段ない「Lazy Day（怠ける日）」まで設けられているのだ！

そんなマルチカルチュラルでカジュアルなコミュニティといえど、生活する一瞬一瞬、生きる一挙手一投足に「気づき」、瞑想の機会とする「マインドフルネス」の教えが貫かれている。もちろん、坐る瞑想＝坐禅もあるが、歩く、横たわる、作業する、そして入浴したり用を足したりするときも、気づきつづけ、マインドフルでいることが求められる。その中に「食べる瞑想」もあった。

食事は、基本的に食堂で供される。ヴェトナム風の精進料理だ。各自ビュッフェから好みのものをとり、好みの席につくが、最初の二〇分間は無言で、食べることそれ自体に気づきつづけながら食べる。「Noble Silence（聖なる沈黙）」。二〇分経つと鐘が鳴り、その後は普通に会話しながら食べてもいいし、沈黙を守りつづけてもいい。

「食べる瞑想」の間、何が起きるか。もちろん個人差があるだろうが、私の場合は、「食べる」ことそれ自体の〝裸形〟が立ち現れることを経験した。口の中で食べ物を咀嚼するという行為が、五感（そして体内感覚）に開かれた交響曲のように、千変万化する曼陀羅のように繰り広げられていった。それはまた、食材と私との一期一会の出来事、「縁起」にまざまざと気づく機会でもある。今地球上で存在するはずの無数のリンゴのうち、なぜかこの一つのリンゴが、これまた無数にいるはずの人間のうちこの私の前の皿に乗り、それを私が食するという、この「奇跡」的な出逢い。その唯一無二の出来事の「ありがたさ」をも体感できる、それはまことに特異な縁起の機会であった。[13]

現代思想の授業と「苺のメディテーション」

以来私は、プラム・ヴィレッジを去った後も、特に一人で食する時などに、この「食べる瞑想」を密かに実践している。(もちろん「食べる」だけでなく、「坐る」、「歩く」、「横たわる」などもだが。)私はまた、大学の様々な授業に瞑想を導入し、新しい学びの在り方を模索していた。その一つに、「食べる瞑想」を取り入れた現代思想の授業があった。(ガイダンスの後の)実質的な初回の授業で、「現代思想」の初学者たちを相手に「思想とは何か?」を頭だけでなく身体でも会得してもらうために、(可愛らしく題して)「苺のメディテーション」というワークを行っていた。

どのようにその授業=ワークは進むのか。まず、配った紙に学生たちがふだん「苺」について抱いているイメージを言葉で書いてもらう。大方の学生は「赤い」、「甘ずっぱい」、「かわいい」、「ショートケーキ」などといった言葉を書く。次に、こちらで用意した苺を一個ずつ取ってもらい、目の前の紙皿の上に置いてもらう。そして実際にその場で苺を食べてもらうのだが、食べる時次の三つのことに注意しながら食べてくださいと言う。①食べることそのものに精神を集中する。②五感(+体内感覚)を全開にする。③自分のペースでゆっくり食べる。そして食べる前に心を落ち着けてもらうために、数分目をつむって、呼吸に集中しながら、いわゆる瞑想をしてもらう。

瞑想を終え、目を開け、目の前の苺を食べる。食べ方は人それぞれ。口に入れる前にじっと見つめる人、目をつむり香りを嗅ぐ人、やにわに齧りつく人、ヘタを取る人、取らない人、少しずつ齧る人、一個丸ごと頬張る人…。そうして各自各様に食べた後、食べながら感じたこと、体験したことを、あえて言葉で（先ほど「イメージ」を書いてもらった紙の裏面に）書いてもらう。書き方、書く量は自由で、（「作品」ではないので）完成させる必要はない。

ある程度書けたら、今度は三～四人の小グループに分かれてもらい、以下の作業をしてもらう。①各自書いたもの（食べながら感じたこと）を読みあう・聴きあう。②最初に書いた苺についてのイメージと、実際食べて体験したこととの違い・落差について話しあう。③各自感じたことの共通点・相違点について話しあう。④苺を食べる体験を言葉にする時の難しさあるいは（人によっては）容易さについて話しあう。

この小グループでの話しあい・聴きあいの後、いよいよこのワークをめぐる「考察」の時間に入る。三つのトピック、すなわち「現実」「他者性」「言語」という切り口から体験を考察していく。

①現実――多くの人において、苺についての「イメージ」と、実際瞑想的に食べて体験したことの間に、大きな違い・落差があったことと思う。ふだん何気なく苺を食べている時には感じられなかった微細な様子を感じ、苺の知らなかった相貌を知った人がほとんどだと思う。ふだん食べている時に感じ抱いている印象（「赤い」、「かわいい」など）も「現実」だし、今瞑想

的に食べ体験したことも「現実」である。いったいどちらが本当の「現実」なのか？もしかすると、私たちは日頃、自分が苺を食べていると思いながら、実は自分の属する社会や文化が「苺」に付与するイメージ・記号、〝記号としての苺〟を「消費」しているにすぎないのではないか。しかも、その事態は「苺」に限らず、もしかすると自分が「現実」として認識していると思い込んでいる「世界」（の内にあるあらゆる事象）、「他者」（家族や友人など）、そして「自分」自身もまた、そうした〝記号〟としての世界、他者、自分にすぎないのかもしれない。

②他者性——各自、一個の苺という同じ物を食べた。しかし、小グループで互いに書いたことを聴きあってわかったように、人それぞれ感じたことには共通点もあったかもしれないが、相違点、場合によっては非常に異なった体験が記されていたのではないか。粒々とした種の違和感にこだわった人、香りのディテール・豊饒さを堪能した人、翳った断面の視覚的な表情に惹きつけられた人、果肉や種の食感や喉越しに心を研ぎ澄ました人、味わいの特徴・変化に心を奪われた人、ほとんど何も特別なことを感じなかった人…。

同じ一個の苺を食べながら、人によってこれだけ異なったことを感じ、体験している。そしてふだん、例えば自宅の食卓であるいはレストランで、同じ料理に舌鼓を打ちながら「おいしい！」と同じ言葉を発しているが、実はその時も、各自の体験の内では、今回苺を食べた時と同じように非常に異なった出来事が起きているのではないか。にもかかわらず、「おいしい！」という同じ一言で、それらの異なった体験が起きていないかのようにある意味暴力的に要約し、互いに満足しているにすぎないのではないか。「他者」とは本当は、決して「自分」とは同じ体験には還元できない、「自分」には不可知の、ブラックボックスのような存在なのではないか。

③言語――多くの人にとって、苺を食べた時に感じた微細な感覚を言葉で表現することは難しかったのではないか。言葉が、感じたことに追いつかない、あるいは感じたことが言葉からすり抜けていくような感じを覚えたのではないか。でも、それは、言葉というものの本性上、仕方のない事態でもある。なぜなら言語とは、世界で起こっている出来事、事象を「一般化」し「伝達」する記号・メディアであるからだ。たとえば、この教室に「十人の男がいて、八人の女がいる」と言語化してみる。それを、ここにいない人に伝える時、この「十人の男がいて八人の女がいる」ことだけは伝わるが、それ以外の詳細は一切伝わらない。一般化された情報以外の特異な事象は、言語の内に絡めとられない。だからこそ、苺を食べた時も、その体験の特異性を言語で表現し難かったのではないか。

ところが、言語は、通常の用いられ方では「一般化」することしかできないが、ある特殊な用いられ方をする時、特異な体験を表すという「奇跡」を起こすことができる。それこそが「文学」だ。通常とは違う言葉の特異な組み合わせが、奇跡的に、事象の特異性と響き合う、それが「詩」であり「文学」なのだ。

「苺のメディテーション」における体験を、このように考察してきたが（もちろん実際の授業では私が一方的に話すのではなく、学生たちに問いかける形でだが）、そもそもこの授業の本題は「思想とは何か?」であった。改めて、思想とは何か?――（思想家により色々な定義がありうるが）私はとりあえずこう言おう。それは「自分と世界との関係の自明性を疑い、今ここに在ることへの気づきを限りなく深める思考・精神の探究」である、と。この「思想」を、単に頭だけでなく体でも会得してもらいたいがために、「苺のメディテーション」というかわいらしいワークをやってもらった次第である。私たちは、メディテーションにより「今ここに在ることへの気づき」を深め、「自分と世界との関係の自明性」すなわち「現実」を疑い、その体験を言語化することによって「思考」し、他者とともに「精神的に探究」していった。「思想とは何か?」が各自の腑に落ちてくれたら、嬉しい限りである。そして、私の「現代思想」の授業では、今回だけでなく、毎回現代思想の基本的なトピックを単に頭だけで理解するのではなく、体でも会得してもらえるよう努めるつもりである、と言って、この授業＝ワークを終える。

GEIDOとしての学びへ

ところで、そもそも私はなぜ、瞑想を授業に取り入れたのか。それは、瞑想という行（為）によって「学び」を再デザインしたかったからだ。「学び」という、もしかすると人類とともに古い「冷たいクリエーション」を、瞑想という、まさに「いびつなＶ」の軌跡を辿る実存的気づきの力によって「変革」したかったからに他ならない。

しかし本来、瞑想もまた、学びとは違った位相で、古来の「冷たいクリエーション」、人類による心身の大いなる冒険だと言えるだろう。私はたとえば、本格的な坐禅を教室に持ち込み、学びを変えることもできたであろう。現に私は、仏教や神道の瞑想の専門家たちと、そうした実験授業を試みたこともある。他方で、そうした実験をしながら、大学は禅堂ではない、坐禅や瞑想を本格的に究める場ではない、そうしたければ禅寺や瞑想センターに行けば済む話である、という自覚ももっていた。

私はむしろ、自らが学んだ現代に生きる様々な瞑想法（マインドフルネスからヴィパッサナーに至るまで）を自分なりに編集し直し、しかも「現代思想」という私が別に学んだ、もう一つの精神的探究法にそれを接続しつつ、自分なりの「小さな物語」＝「OSとしてのアート」を意識的・無意識的に編み上げながら、その「熱いクリエーション」を、（少なくとも当時は）旧態依然たる大学の学びという「冷たいクリエーション」にインストールし、再デザインし、学びの新しい形を模索しようとしたのではなかったか。それはあたかも（おこがましいかもしれないが）、宮沢賢治が、法華経的修行と、当時の思想、文学、音楽、農学などとを再編集し、その「小さな物語」＝「熱いクリエーション」を、農学校の学びに差し入れ、生徒たちとともに、新しい学びの冒険と悦びを作り出したことにも似た所業だったのかもしれない。

「食べる」という行為は、前言したように、人によっては、鶴見のいう「広義の美的経験」

にすらならない行為であろう。ある意味「有」の世界に埋没した行為といえるだろう。しかし、そうした生物的ともいえる慣行ですら、そこに瞑想という心身の技を差し挟むことによって、全く違った感覚的な、場合によっては実存的な気づきに満ちた行為になりうるのだ。現に、「現代思想」の授業を受けた学生たちの多くが、「食べる」ことに関し、眼から鱗の体験をし、授業後も時折個人的に「食べる瞑想」を実践しているという。

確かにその瞑想は、本格的な修行に比べれば、いたって浅く、いわば「V」の入り口でしかない。が、そうであっても、それが私の「小さな物語」=「熱いクリエーション」として再編集され、「学び」の現場に接続されて再デザインする力となる時、その新たな学びの創造は、一種のGEIDOになると言えるのではないか。私はそうしたGEIDOとしての学びを、「食べる瞑想」だけでなく、「歩く瞑想」「横たわる瞑想」「座る瞑想」と変奏しながら探究していくとともに、学びのコンテンツも「現代思想」だけでなく、「文学」や「美術史」、さらには「入試」まで(!)をも編み込みながら、特異に展開していった。

鶴見の限界芸術論は、確かに、いわゆる通常の「芸術論」や「芸術学」が取りこぼし、理論的に射程にすら入れない、「小さな」技、遊びまでを、あえて「(限界)芸術」と名づけることで、「芸術論・芸術学」に穴を穿ったといえよう。しかし、それは、一つの「概念」として見た時、(前回見た)書家の会津八一や中林梧竹の実存的修行に裏打ちされた藝道的実践、あるいは『山脈《やまなみ》』のような「底辺」的体験を分有しあうサークルの試みを含み込むとともに、おそらくはおよそそうした実存的気づきや探究とは無縁な、それこそ「有」の世界に埋没しきった慣行的な遊びや趣味的な集まりまでを内包していた。その「混在」こそが、従来の「芸術論（学）」に飽き足らない人たちにとっては、限界芸術論の〃魅力〃を醸し出していたのかもしれない。が、その「混在」は同時に、概念としての〃粗さ〃を露呈し、「限界芸術」を概念なき概念と化したのではなかったか。その概念的〃粗さ〃が、「限界芸術 Marginal Art」論自体の理論的・思想的マージナル性＝限界をも生み出したのではなかったか。

第3章　GEIDOは民藝ではない

二つの美、二つの真理――柳宗悦の民藝とハイデガーの芸術作品

私は、「はじめに」で、新型コロナウイルスに対する各国首脳の、そしてガイアの脅威に対する思想家ブルーノ・ラトゥールの「戦争」論的言説を問い糺しながら、以下のように述べた。――人間は、自然と「戦う」、「やるかやられるか」といった敵対関係だけでなく、同時に「生かし生かされる」互恵的関係性をも紡ぐことができる。「異なるものたち」を招じ入れるGEIDO-KAたちの「歓待」は、だから今こそ、自らの生存を賭しつつも、あえて「人間ならざるものたち」、「ガイア」との共‐創造に向けて生態学的に転回していなくてはならない。

その、人類と自然との共‐創造の可能性に向けて、ここでさらなる思想的補助線を引いてみ

たい。柳宗悦の「民藝」である。

民藝、そして柳宗悦に関しては、これまで膨大な言辞が、礼賛・批判入り混じり、費やされてきた。(1) ここでは（本論が民藝研究ないし柳宗悦研究でないため）GEIDO論の文脈に本質的に関わる範囲内でその思想を最小限におさらいしつつ、むしろGEIDO論の生態学的転回の射程をさらに押し広げうるその思想的潜在力（と同時に限界）を探査してみたい。

改めて「民藝」とは？

「民藝」――それは「民」衆的工「藝」の略、柳と同胞らが作った造語であり、貧しき名も無き無数の工人たちが無心に作り、それをやはり貧しき民衆たちが日々の倹しい生活の中で触れ用いた雑器、「下手物《げてもの》」を総称した言葉・概念である。それは、労苦に満ちた生活を陰から支える「伴侶」たるがゆえに、分厚で頑丈で健全たるを旨とするが、汗や垢にまみれた手、体に使い込まれるほどに、仄かな無言の美を湛えはじめる、そうした主の「用」に奉仕する道具たちを愛でる言葉でもある。しかし、私たち、現今の日本人は、「西洋」伝来の二つの「術」、すなわちもう一つの美の術たる「美術」、そしてもう一つの技の術たる「(機械) 技術」が社会そして生活に蔓延《はびこ》っていき、それへの信にかぶれていくうちに、いつしか民藝の美、ありがたさ、技と知恵の伝承を見失ってしまった。だからこそ、今私たち、民藝の同人たちは、手工藝の息吹を賦活させ、民衆の生活にその美を取り戻さなくてはならない。

美術は理想に迫れば迫るほど美しく、工藝は現実に交われば交わるほど美しい。美術は偉大であればあるほど、高く遠く仰ぐべきものであろう。近づき難い尊厳さがそこにあるではないか。人々はそれらのものを壁に掲げて、高き位に置く。だが工藝の世界はそうではない。吾々に近づけば近づくほどその美は温かい。日々共に暮す身であるから、離れ難いのが性情である。高く位するのではなく、近く親しむのである。かくて親しさが工藝の美の心情である。(2)

私たちは機械生産が商業主義の犠牲になって、粗悪なものを産みつつある事を熟知しています。生産に対する動機の不純や、その無理な制度や、機械の未熟や、様々な原因のために、作品が歪められているのです。それに労働は工場において虐げられ、仕事は無味なものに陥っています。〔…〕それに都会文明の誘引は強く、地方の文化は日に崩されて、作る物は一様になり、単調になって来ました。かかる冷たい今日の工場が、民藝の正当な発育に不向きな事は自明なのです。現在の組織と機械と労働とは、誠実な器物を産むには適しないのです。(3)

柳の民藝思想は、西洋近代の創造した二つの主要な「術」、「美術」と「(機械)技術」を徹底的に批判し、それへのアンチテーゼとして民藝を称揚するが故に、いたって反近代的な思想である。それはまた、ジョン・ラスキンやウィリアム・モリスの美学・社会思想を批判的に継承しつつ、中世のギルドの復活を標榜するがゆえに、懐古主義的様相をも呈する。だが、柳は、民藝が決して単なる過去の反復であってはならないと言う。

ですが作る物は、単に過去の反復ではいけないのです。最近における生活様式の変化は新しい器物を要求します。実用品を作る事が民藝の趣意である限り、現代の器物へと進展せねばならないのです。(4)

だが、現今の一般的な美意識の低下は職人たちにも及び、何が正しく美しい作物かを見失っている。そうであるがゆえに、彼らに「正しさ」と「美しさ」の標準を指導する個人作家の協力が不可避とされる。ちょうど教団において僧侶が平信徒を導くように、民藝の運動は「協団」をなして、個人作家が職人たちを導いていく。そんな相愛による団結のみが、運動を手堅く推進していく。

芸術作品か道具か？――ハイデガーにおける「真理」の在りか

ここで私は、やや唐突に、柳と、同い歳のハイデガー（共に一八八九年生まれ）を比較してみたい。二人は、道具と芸術作品に関して、そしてそれらをめぐる人間と自然の関係に関して、いたって対照的な、しかしその対照性自体が我々にとって大きな示唆に富む思想を各々展開した。(5)

まず改めてハイデガーから。『芸術作品の根源』によれば、芸術作品の作品たる所以は、何よりも「世界と大地との間の闘争を闘わせること」にある。このとき、「世界」とは、作品が開き立てる人間の世界であり、「大地」とは、作品がそうして世界を開き立てることによって、現れてこさせる、がしかし現れてきつつ－保蔵するもの、自然の自己－閉鎖するものである。「芸術作品の根源」、すなわち世界と大地との闘争、「空け開けと伏蔵との原闘争」を、ハイデガーは「真理」と呼ぶ。だから、芸術作品においては何よりもこの「闘争」としての「真理」が生起する。彼が「芸術作品」として引き合いに出す古代ギリシャの神殿、ゴッホの絵画などにおいて、まさにこの闘争＝真理が生起するのだ。

ここで私たちは、柳の民藝思想との比較においてとりわけハイデガーの「大地」と言う概念――概念としてはいたって把握しがたいいわば概念なき概念とでも言うべきものを注視したい。ハイデガーは、「大地」を、より理解しやすい「素材」という概念から、しかも芸術作品と道具におけるそれの在りようを対比しつつ論じる。

石は、道具、たとえば斧の製造においては、消費され、使い果たされてしまう。石は有用性のうちに消滅する。素材は、それが道具の道具存在のなかに埋没して抵抗がなくなればなくなるほど、それだけ優れているのであり適材となる。それに対して、神殿－作品は、一つの世界を開けて立てることによって、素材を消滅させず、むしろまず第一に、しかも作品の世界という開けたところのなかで、素材を現れてくる〔hervorkommen〕ようにさせる。すなわち、岩は担うことと安らうこととに至り、そしてそのようにしてはじめて岩となる。金属は閃《ひらめ》きと煌《きら》めきとに至り、色彩は光輝に至り、音は鳴り響くに至り、語は言うことに至る。これらすべてが現れてくるのである。[6]

素材＝大地は、道具の有用性のうちでは消滅するが、作品のうちでは、それとして現れ、安らい、あるいは閃き、鳴り響く。大地は「本質的に自己‐閉鎖するもの」であるが、それは「画一的で硬直した、覆われたままにとどまることではなく、それはそれ自体を単純な諸様式と諸形態とにおける汲み尽くせない充実へと展開する」のである。

ところで、ハイデガーは、『芸術作品の根源』の第三部「真理と芸術」において、作品は創作する者たちを必要としているとともに、「見守る者」たちも必要とすると言う。[7]「見守る」ことは何か。それは「作品の真理に慣れ親しみ精通して」いる知、すなわち（ハイデガー本人のように）哲学的思考により真理に至りつく術を心得ている知である。だから、そうした「見守る」知を有しないまま、ただ鑑賞する、いわんや「〔作品の〕不‐気味で途方も‐ないものへの衝撃が、通俗的なものと鑑定家的なるものとの内で受け流されるやいなや、作品のまわりにはすでに芸術ビジネスが始まる。」こうした「見守る」術を知らない鑑賞には、決して作品の真理は明かされないのである。

したがって、作品の真理、大地と世界の闘争は、しかるべき哲学的思考にのみ開かれるのであり、「大地」は、そうした思考の接近を阻む絶対的〈外部〉が自己閉鎖する「閃き」として、思考の臨界が体験する宿命の謂いに他ならない。

道具においては、真理は生起しない、とハイデガーは断言する。「道具を製造することは直接的には真理の生起の実現では断じてない。」[8] ところで、ハイデガーは、道具の道具たるものを明らかにするため（それとの対比で作品の作品たるものを明らかにするため）、一足の靴を、だがなぜか、ゴッホが描いた絵画の靴を取り上げる。理由は、道具の道具たるものを探求する措置として今必要なのは（なぜか）「哲学的な理論」ではなく「直接的な叙述」であるからして、「絵画的な描写で足りる」と言うのだ（!?）。そして彼は「叙述＝描写」する。[9]

靴という道具の履き広げられた内側の暗い開口部からは、労働の歩みの辛苦が屹立している。靴という道具のがっしりとして堅牢な重さの内には、荒々しい風が吹き抜ける畑地のはるか遠くまで伸びるつねに真っ直ぐな畝々を横切って行く、ゆっくりとした歩みの粘り強さが積み重ねられている。革の上には土地の湿気と濃厚なものとが留まっている。靴底の下には暮れ行く夕べを通り抜けて行く野路の寂しさがただよっている。靴という道具の内にたゆたっているのは、大地の寡黙な呼びかけであり、熟した穀物を大地が静かに贈ることであり、冬の畑地の荒れ果てた休閑地における大地の説き明かされざる自己拒絶である。この道具を貫いているのは、泣きごとを言わずにパンの確保を案ずることであり、困難をまたも切り抜けた言葉にならない喜びであり、出産が近づくときのおののきであり、死があたりに差し迫るときの戦慄である。この道具は大地〔Erde〕に帰属し、農婦の世界〔Welt〕の内で守られる。このような守られた帰属からこの道具そのものが生じ、それ自体の内に安らう〔Insichruhen〕ようになるのである。

ハイデガーは、この、道具が有用性にありながら道具の本質的な存在の内に「安らう」ことを「信頼性〔Verläßlichkeit〕」と名づけ、この信頼性の力によって農婦は「この道具によって大地の寡黙な呼びかけの内に放ち入れられており、この道具の信頼性の力によって彼女は自分の世界を確信するのである」。この「大地」と「世界」の間に安らい、道具の本質的存在と言われる「信頼性」とは何なのか。その「信頼性」において何が生起しているのか。「真理」が生起している、とハイデガーは言う。「何がここで生起している〔geschehen〕のか。作品において〔im Werk〕何が活動している〔am Werk sein〕のか。ヴァン・ゴッホの絵画は、道具、すなわち一足の農夫靴《ママ》が真理において〔im Wahrheit〕それであるものの開示である。」

ゴッホが描く絵画の道具において生起する「真理」

ゴッホ『一足の靴』（ヴァン・ゴッホ美術館）

とは、「作品」における真理なのか、「道具」における真理なのか。ハイデガーは、この「道具」と「作品」の巧妙なすり替え、しかも自身十分に自覚的なすり替え（「道具の道具存在は見出された。しかし、それはどのようにしてか。現実に眼の前にある何らかの靴という道具を記述し説明することによるのではない。〔…〕ただわれわれがヴァン・ゴッホの絵画の前に赴いたことによる。」）によって、道具の道具的なるものから作品の作品的なるものへ、そのまた逆へと意図的にたゆたいながら、芸術作品と道具の「根源」を曖昧なまま宙吊りにしてしまう。そして、約二〇年後の「技術とは何だろうか」という有名な講演では、「〔道具を含めた〕技術とは、顕現させるあり方の一つです。技術が本質を発揮している領域とは、顕現させることと隠れなき真相、アレーテイア、真理が生起する領域なのです(10)」とまで断言するに至る。いったい「真理」はどこにあるのか。

拙論はハイデガー研究ではないので、これ以上の深掘りはやめることにしよう。いずれにしても確かに言えることは、作品にしろ道具にしろ、それを「見守る」術を心得た知、すなわち「哲学」的思考が施される限りにおいて、初めてその知＝思考に「真理」がもたらされる、ということである。そして「大地」もまた、その知＝思考への絶対的〈外部〉の「閃き」として現れると同時に自己閉鎖する、ということである。

民藝――もう一つの美、もう一つの真理

ところで、ハイデガーは、道具は使い古され、使い減らされることにより、その「信頼性」を消失し、「退屈で押しつけがましい習慣性」を帯び、「いまやわずかにむきだしの有用性」だけが目立つようになると言う。(11) つまり、道具からは、芸術作品の真理＝闘争に見紛う真理＝「信頼性」が、道具として用いられれば用いられるほど失われ、有用性と習慣性という形骸に堕する、ということだ。（ここでは、使い減らされつくしたゴッホの描く靴＝道具の「信頼性」はあえて問わないことにしよう。）

ところが、同い歳の極東に生まれ育った柳宗悦は、このハイデガーの議論を知ってか知らでか（おそらく知らなかったであろう）、道具という存在に全く別の美・真理を、その直観の力で見出していた。

彼ら〔器たち〕は勤め働く身であるから、貧しく着、慎ましく暮している。しかしそこには満足が見える。彼らはいつも健やかに朝な夕なを迎えるではないか。顧みられない個所で、無造作に扱われながら、なおも無心に素朴に暮している。動じない美があるではないか。わずかの接触で戦《おのの》くほどの繊細さにも、心を誘う美しさがある。しかし強き打撃に、なおも動ぜぬ姿には、それにも増して驚くべき美しさが見える。しかもその美しさは日毎《ひごと》に加わるではないか。用いずば器は美しくならない。器は用いられて美しく、美しくなるが故に人は更にそれを用いる。(12)

道具は使い古されるほど、美を増す。用即美――民藝の有名なテーゼの一つである。ところで、この「美」はどこから持ち来されるのであろうか。それは「自然からの恩寵」である。

正しい工藝は天然の上に休む。ここに天然とは工藝が常に要求する資材の謂である。よき材料に依らずして、よき工藝の美はあり得ない。そうしてよき材料とは天然の与うる材料との義である。人は工藝において材料を選ぶというよりも、材料が工藝を選ぶとこそ云わねばならぬ。自然の守護を受けずして工藝の美はあり得ない。器は作るというよりもむしろ与えらるるというべきである。〔…〕美は人為の作業ではなく、自然からの恩寵である。(13)

「自然への全き帰依」、「まかせてくれ、頼ってくれ」といつでも囁いている自然に任せ切った時、美しい器が自ずから生まれてくる。「創造は自然の働き」である。その「働き」を、無学の工人たちが無心に受け入れる時、器は自ずから成る。この、工人たちの無心＝自然への帰依こそが、彼らの「全き自由」となる。

美は自然を征御する時にあるのではなく、自然に忠順なる時にあるのである。自然に自己を投げるとは、自然の自由に自己を活かす意である。創造はその結果であって、自己を自然の前に主張するからではない。自然の愛を受ける器を、美しき器と云うのである。(14)

民藝において、美・真理は、世界と大地、人間と自然との「闘争」に生起するのではない。人間は、工人は、その作業の果てしない反復により、無心・無我の境地に入る、すなわち人間としての世界の「開かれ」を限りなく減じていくことにより、素材へと、自然へと、大地へと心身を委ね、任せきり、合一していく。その合一の秘儀から、美が、真理が、器が、自ずから生み出されてくる。が、無心で無学で無自覚な工人たちは、己が手の内で、美が、真理が生まれていることに気づいていない。彼らは、生業《なりわい》だから、これをせずば明日の飯にありつけないがゆえに、毎日毎日、毎年毎年繰り返してきた作業をただ今日も繰り返しているにすぎない。
では、誰が、彼らの無自覚に生み出す美・真理をそれとして見、認知するのか。それは（ハイデガーの作品を「見守る者」＝哲学的思考をする者とはまた別な）〝もう一人の〟「見守る者」、（芸術作品ではなく）民藝の美・真理を、その「直観」で見抜き、それに感嘆しうる者、すなわち柳本人のような選ばれし目利きでなくてはならない。

純に見る事を「直観する」というが、直観はその文字が示す通り、見る眼と見られる物との間に仲介場を置かず、じかに見る事、直ちに見る事であるが、この簡単なことがなかなか出来ぬ。多くは色眼鏡をかけて見てしまう。あるいは概念の物指を出して計ったりする。ただ見ればよいのに、いろいろの考えを持出して見る。〔…〕眼と物との間に介在するものが在る。これでは直観にならぬ。直観は即今に見ることである。(15)

知的概念による思考、すなわち「哲学」的思考は、だから「直観」ではありえない。思考する限り、哲学する限り（芸術作品の美・真理は把捉できるかもしれないが）、民藝の美・真理は決して明かされない、体験されないであろう。「直観」は、概念・論理といった「色眼鏡」をいっさい断ち、直《じか》に、直《ただ》ちに、物を観じる=感じること、「見る眼と見られる物とが一つになる事」[16]に他ならない。作る者=工人たちも、無心になり、自然と合一するが、見る者も「直観」により合一するのだ。

柳が直観する民藝の美・真理、ハイデガーが思考する芸術作品の美・真理。はたして世には、二つの美・真理が在るのだろうか。

美の宗教へ

ところが柳は、晩年、さらに自らの民藝の美を超えるとも言いうる第三の美の境地、もはや「美」とすら言いえないかもしれない境地へと至りつく。例えば、柳の名文の中でも最も誉れ高い「美の法門」（柳がこれを講演した時、棟方志功が感動のあまり感涙にむせて柳に抱きついたという）を見てみよう。[17]

柳は、これまで、民藝の美を、美術による人為の美（柳にとっての「醜」）や機械技術により粗製濫造される製品の「醜」に比して、称揚していた。しかし、そうした自らの思想・美学をも自己否定するかのように、「美醜の二相」は「仮相」であり、現世=二元の国の出来事であり、人間の造作にすぎないと断じる。「実相」は、美醜を超えた「一相」即ち「無相」であり、仏の国においては美醜の二相がない、とする。仏は、凡てのものを美しさで迎え、誰が何を作ろうと、本来は凡てが美しい、真の美しさは「無」である、とさえ言い及ぶ。浄土には、争う二がなく、美醜がなく、「凡ての者、凡ての物が救われている」。人が美しいものを作るのではなく、「仏自らが美しく作っている」。「美しさとは仏が仏に成ること」、と浄土の美を讃えるのである。

「本来あるがままのものが美なのである。」はたしてこれは「美」なのだろうか。柳があれほど批判した「美術」や「機械技術」もまた、それが「あるがまま」なら、浄土の美たりうるのだろうか。柳は、真の他力門、例えば一遍の説いた念仏門は、信と不信によらず、不信な者も不信のままに往生すると言うが、同様に、「醜い」物も「醜い」ままにすでに「美しい」のであろうか、「仏の美しさ」を湛えているのであろうか。然り、と「美の法門」の柳は強く首肯するようにみえる。

しかし、これでは、翻ってみるに、現世＝二元の国の現状、美醜を含めたあらゆる二元の争いを全面的に肯定することにならないか。美醜どころか、世界と大地との「闘争」、人間と自然との「戦争」、人間と人間との「戦争」すら、「あるがまま」ですでに「救われている」、往生している、ということにならないか。ここには、ある種の「宗教」の危険性（柳の場合は「美の宗教」）――念仏や（一遍の場合なら）踊躍《ゆやく》念仏など、心身的かつ集団的な興奮の強拍・強迫的反復による超感覚的トランス＝法悦の孕む危険性が潜んでいるのではないか。それとも、この法悦・法門の内に実は、柳が観じた「あるがまま」の美以外の可能性、私たちにGEIDOの未知の局面を開いてくれるかもしれない可能性が宿されているとでもいうのだろうか。

『南無阿弥陀仏』

『美の法門』（一九四八年講演、翌年上梓）から三年後、柳は、その美の宗教のさらなる思想的探索を、浄土門の中に展開していく。それが『南無阿弥陀仏』である。

なぜ、浄土門なのか。なぜ、南無阿弥陀仏なのか。その由縁を、柳は「趣旨」で述べる。(18)「南無阿弥陀仏」こそ、「人類の思想史における最も驚くべき出来事の一つ」であり、「人間が考え得た宗教思想の一つの極致」であると絶賛する。浄土門こそ、この念仏の一門・一道こそ、(自力の難行に耐ええないであろう) 一般の民衆にとって「絶大な恩寵」だからだ。しかし、と柳は付言する。浄土門＝他力門に心惹かれるのは、聖道門＝自力門を否定したいからではない。世間ではとかく、両門の優劣を論じたり、両門が争いあったりもするが、所詮それは初歩的なことにすぎず、自分はむしろ両門が、同じ頂きを目指す二つの道であると観じる。浄土門は、主に法然、親鸞、一遍によって深められたが、自分は三者を「一者の内面的発展のそれぞれの過程」において見たい。が、なかんずく、これまで他の二者に比べて、研究において不遇にあった一遍こそが、浄土門を究竟《くきょう》にまで導き、彼において「自力他力の二門が邂逅」し、「自他一如の境」に至りつくのである。

柳はこう「趣旨」で、自分がことさら浄土門、南無阿弥陀仏に惹かれた由縁を述べる。私は、柳の晩年の傑作と名高いこの宗教思想論の全貌について論及したい心持ちも強く感じるが、ここではあえてGEIDO論をさらに先鋭に繰り広げたいがゆえに、柳によれば浄土門の究竟を極めたという一遍の宗教的・思想的ラディカリズムに照準したい。

念仏と民藝——人と品の浄土へ

一遍の浄土門としての究竟、ラディカリズムは奈辺にあるのか。柳によれば、一遍が一切のものを捨て、一切を六字＝南無阿弥陀仏そのものにした点にある。「念仏の一門は一遍に来て、その最後の花を美しく開いた。彼は念仏の意義を究竟《くきょう》の点まで高めた。あるいは浄《きよ》めたといってもよく、深めたといってもよい。念仏独一の法門に達した。独一であって、これ以上行き得ぬ境地にまで念仏の意味を押し進めた。そうして一切のものを捨棄して、六字のみを活かした。否、一切を六字そのものになした。[19]」法然においては「私たちが阿弥陀へ帰入」し、親鸞においては「阿弥陀が帰せよと私たちに命じる」のに対し、一遍は「私たちと阿弥陀とを不二《ふに》の境に見る」。故に、一遍においては、人が仏に念仏するのでもなく、また仏が人に念仏を求めるのでもなく、「念仏が自ら念仏している」のである。[20] この、人も仏も消え、ただ念仏の反復、永劫回帰のみが響き渡る境域こそ、「浄土」であり「極楽」である。一遍のラディカリズムは、この「念仏至上主義」とも「念仏原理主義」とも言いうる絶対の境地を究めることにあった。

だが、なぜ浄土門なのか、なぜ南無阿弥陀仏なのか、なぜ一遍なのか。実は、柳にはこれを問い論ずべき、もう一つ別の狙いがあった。民藝、その理想郷である「美の浄土」を思想的・宗教的に裏打ちするという狙いである。

『美の法門』は、私たちが「美の王国」を作らねばならないと説いていた。そのためには、民衆が念仏により救われるのと同様に、彼らが用いる品物においてもまた「衆生済度が果たされねばならぬ[21]」。片田舎に住みながら念仏のおかげで篤く安心を得ている信者「妙好人」と同様に、民藝の品々もまた「妙好品」とでも呼んでしかるべきではないか。念仏の反復が凡夫たちをして自己を離れさせ、浄土に赴かせるように、やはり凡夫たる工人たちもまた手と心の反復により自己を離れ往生する、と同時に彼らの手の内で生まれる品物もまた浄土へと誘《いざな》われる。民藝の「他力美」。民藝は、こうして思想的・宗教的に浄土門に裏打ちされ、人と品ともに往生する「美の浄土」の降臨に浸される。『美の法門』でも説かれた美醜未生の国である。

「たとひわれ、仏を得たらんに、国の中の人天、形色《けいしょく》同じからずして、好醜あらば、正覚《しょうがく》をとらじ」〔『大無量寿経』の四十八大願のうちの第四願〕。

これは「無有好醜」(好醜有ることなし)の願と呼ばれるもの、念仏の宗門において、まだこの願の意義を取り上げたものを見ないが、しかしこれこそは美の法門の依って立つべき経文だといえよう。好醜とは美醜の別のことであって、この差別の残る所に仏の国はないことを告げる。善悪、凡愚の差別の彼岸に念仏の一門が立つなら、同じく美醜の彼岸に藝術の浄土があるべきである。一切の真に美しい作物はまがいもなくこの真理を示すものといえる。醜に対する美は、未《いま》だ充分に美だとはいえぬ。この第四願はまさしく美醜以前、美醜未生を報らせようとするのである。この願以上に、藝術の浄土を説くわけにゆくまい。その美の浄土があれば「無有好醜」でなければならぬ。

仏は「凡てのものを美しさで迎える」。誰が何を作ろうと「本来は凡て美しくなるように出来ている」。仏の国=浄土では、「何処にも争う二がない」、「凡ての者、凡ての物が、救われている」。そこでは人が美しいものを作るのではなく、「仏自らが美しく作っている」。「美しさとは仏が仏に成ること」である。そして「本来あるがままのものが美」（傍点筆者）なのである。[22]

この、柳の言う「あるがまま」とはどういう意味か、どういう事態か。柳には「あるがまま」としてどのような情景が観じられていたのか。「実は彼岸が此岸に在るのである。此岸を離れて彼岸はないのである。彼岸こそ此岸の本体なのである。[23]」

此岸=彼岸。念仏が念仏となり、民藝が民藝となり、仏が仏となるまでに、往生し成仏し悟ったかもしれぬ柳にとっては、此岸にして彼岸、「ありのまま」がすべて「美しい」と映じていた、のかもしれない。来る日も来る日も念仏に明け暮れ、民藝に明け暮れ、自らが仏となった、いや仏が仏となった境地においては、確かにそうなのかもしれない。[24]この時、「あるがまま」は、すべての物、すべての者それぞれの特異性のきらめきなのだろうか。それとも、そうした特異性が一様に中性化された茫漠たる広がりなのだろうか。仮に前者だとして、はたして柳以外のすべての者も、その境地にありつづけられるのだろうか。念仏と民藝に明け暮れ、浄土へと成仏しつづけられるのだろうか。その通りだ、いや少なくともそうあるべきだ、と柳は言っているように見える。しかし、そうあるべきだとしても、彼以外の多くの者は、仮相たる現世に舞い戻ってしまうだろう。それどころか、念仏も唱えず、民藝も愛でず、日々を過ごす輩がほとんどではなかろうか。そうした時、成仏した者＝柳は、そのもう一つの「あるがまま」に何をなしうるのか。もちろん、念仏を唱えよ、民藝を愛でよ、と説きつづけるだろう。実際、柳の生涯とは、そうしたものだった。昏き者たち、己れの手の内で「美」を生みつつも、それを知らぬ者たち。己れの心の内に仏を宿しつつも、それに気づかぬ者たち。だからこそ、「明るい」者が、美と仏を「直観」しうる者が、彼らを手招きし、無明から美と仏の光明へと導かなくてはならないのだろう。

しかし、もう一つの「あるがまま」は在りつづける。柳亡き後も、在りつづける。いや、ますます幅をきかせ、地球上を覆い、人々の心、体の微細な襞にまで浸透しつづけているようにみえる。この「あるがまま」がやがて、にもかかわらず、もう一つの、真の（？）「あるがまま」へと、浄土へと、極楽へと転成するには、今なお念仏を唱え、民藝を愛でるしかないのだろうか。

踊躍念仏——一遍のラディカリズム

ところで、念仏と並んで一遍の行の根幹にあるにもかかわらず、なぜか奇妙なことに柳が『南無阿弥陀仏』で全く触れなかったものがある。「踊り」、「踊躍《ゆやく》」である。「踊躍念仏」、通称「踊り念仏」。「念仏が念仏する」という他力道の究竟とともに、一遍の遊行のオリジナリティを構成するもう一つの契機、「踊躍」。一遍にあって、それが「念仏」と絶えずカップリングされているがゆえに、柳が『南無阿弥陀仏』で、それに全く言及していないのは、甚だ奇妙だ。なぜなのか。もしかすると、その極限的な「猥雑さ」が、柳の美学、「美の浄土」には相応しくなかったからかもしれない。

念仏する時は、頭を振り肩を揺《ゆ》りて踊る事、野馬《やば》の如し。騒がしき事、山猿に異ならず。男女根を隠す事なく、食物を摑〔み〕食ひ、不当を好む有様、併《あわ》せて、畜生道《ちくしょうどう》の業因《ごういん》と見る。(25)

それは、即興的トランス、集団的エクスタシーを惹起

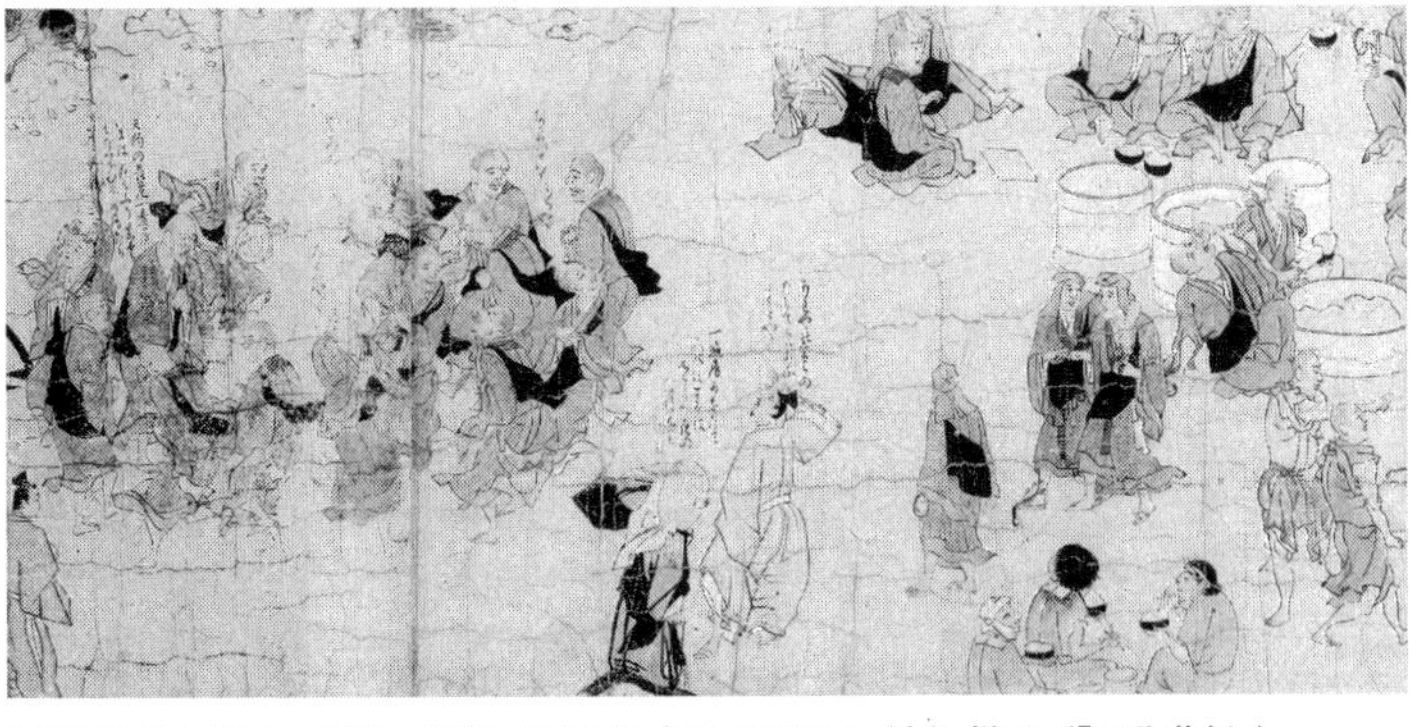

「食物を摑み食ひ」(右)、「頭を振り肩を揺りて踊る」(左)様子(『天狗草紙』)

する乱舞。時衆たちが念仏を唱えながら鉦《しょう》や鈸《はち》を叩き、群がり来る民を煽り立て、そのアナーキーな法悦を伝染させ、ともに浄土へと連れ去る。しかも、煽られ、興奮しすぎた者たちは、男女問わず己れの陰部を曝け出し、野山の獣同然の風情。確かに、その「野性」は、柳の美意識には似つかわしくなかったのかもしれない。

私は、ここで柳から離れ、この踊躍念仏に放たれる「野性」にこそ注目したい。

詩人、思想家であり、かつ自身が浄土宗の住職でもある守中高明は、その『他力の哲学』において、まさに踊躍念仏を、現代思想、なかんずくジル・ドゥルーズとフェリックス・ガタリの思想を援用しつつ、考究している(26)。

守中は、踊躍念仏の原理を「来たるべき人民集団」というアクチュアルでアクティヴィスト的な実践として捉える。そのアクティヴィズムはまず、(あらゆる社会的価値観も含め)全てを捨てたからこそ可能な、絶対的特異者たちの「平等」、すなわちあらゆる「異類異形」な者(動物の殺害を生業とする者からハンセン病者に至るまで)を「ともがら」として受け入れることにあった。それは、当時の「穢れた」非人たちを差別する社会構造へのラディカルで革命的な異議申し立てであった。

この集団の中では、彼ら/彼女らはそのそれぞれの「此性」において、すなわち、相対的比較考量を可能にするようなどんな共約可能性からも離れたその存在の絶対的単独性において平等なのであり、たがいになに一つ共通のものを持たないまま、しかしその差異の数々が産み出す普遍性の地平においてたがいに平等なのである。いかなる社会的属性もその価値を無化され、裸形の声たちだけが響き合う集団編成……(27)。

守中の一遍論のキーワードの一つは「此性《これせい》」だ。この聞き慣れない言葉は、中世の神学者ヨハネス・ドゥンス・スコトゥスの概念を現代的に敷衍したドゥルーズとガタリが『千のプラトー』で理論的に変奏していった特異な言葉である。

人称や主体、あるいは事物や実体の個体化とはまったく違った個体化の様態がある。われわれはこれを指して〈此性〉heccéité と呼ぶことにする。ある季節、ある冬、ある夏、ある時刻、ある日付などは、事物や主体がもつ個体性とは違った、しかしそれなりに完全な、何一つ欠けるところのない個体性をそなえている。この場合すべては分子間や微粒子間における運動と静止の関係であり、また触発し触発される（情動をおよぼし情動を受けとめる）能力であるという意味で、こういったものは〈此性〉なのである(28)。

衆生の「此性」が響き合う集団編成——守中は、一遍の踊躍念仏をそう捉える。この、絶対的特異性たちが交響し、渦巻く「平等」なるエクスタシーの力能・強度。これこそが、社会の差別的構造を解体し、民衆をその「イデオロギー的主体形成作用から解放」した、一遍の政治的ラディカリズムであった(29)。しかも、そのラディカリズム＝平等は、人間のみならず、「山河草木」、「ふく風たつ浪」にまで及ぶ。

かやうに打あげ打あげとなふれば、仏もなく我もなく、まして此内に兎角《とかく》の道理もなし。善悪の境界、皆浄土なり。外に求《もとむ》べからず、厭《いとう》べからず。よろづ生《いき》としいけるもの、山河草木、ふく風たつ浪の音までも、念仏ならずといふことなし。人ばかり超世の願に預《あずかる》にあらず。[30]

すべての人間のみならず、あらゆる生きとし生けるもの（「ガイア」！）までが念仏なのであり、成仏すると言う。一遍の踊躍念仏はまさに生態学的に転回すらしていたラディカリズムでもあった。

動物への、分子への生成変化

ここで私は、この一遍のラディカリズムをさらにラディカルに、アナーキーに、「野性」的に追究してみたい。この裸形の声と踊躍が響き合い、拍動しあっていた集団編成の中では、いかなる情動、強度が渦巻いていたのか。その情動に、強度に天才的に同期し、しかもそれを特異な言語の奔流へと刻みつづけるアナーキズム研究者がいる。栗原康である。

一遍がうりゃあといってはやくたたくと、うたもおどりもスピードをあげる。もっともっととおおきくたたくと、声と身体もおおきくはねる。もっとはやく、もっとたかく、もっとおおきく。さけんでうたって、おどってはねろ。そうやって、一遍が時衆をあおりまくっていると、念仏房ともうひとりのお坊さんも、お椀と棒切れをとってきて、輪のまんなかにはいり、ホラッホラッと、そいつをガンガンとたたきはじめた。もっとはげしく、もっと乱雑に。もっとくるしめ、もっとくるしめ、死ね、死ね、死ね。フオオオオオッ、エクスタシー、エクスタシー!! 一遍たちは未知の領域にふみこんでいった。人間の限界の、限界の、さらに限界をこえて、ありえないようなうごきをみせはじめた。まるで痙攣でもおこしているかのように、ブルブルブルッと猛烈ないきおいで体をゆさぶり、フオオオッ、フオオオオオオッっと奇声をはっしながら、あらあらしくとびはねた。ひとにも物にもバシバシとぶつかり、スッころんでもすぐまた起きあがる。足が擦りきれ、血液がふきだしてもかまいやしない。まるで獣だ、野蛮人だ。ここまでくると身分の上下も、キレイもキタナイも、男も女も関係ない。およそ、これが人間だとおもいこんできた身体の感覚が、かんぜんになくなるまで、自分を燃やして、燃やして、燃やしつくす。いま死ぬぞ、いま死ぬぞ、いま死ぬぞ。体が念仏にかわっていく。どんどん、どんどんかるくなる。まだまだいける、まだうごける。いくらはねても、つかれやしない、その力、無尽蔵だ。ああ、これが仏の力を生きるということか。生きて、生きて、生きて。生きて、生きて、往きまくれ。おまえのいのちは、生きるためにながれている。なんでもできる、なんにでもなれる、なにをやっても死ぬ気がしない。あばよ、人間、なんまいだ。気分はエクスタシー![31]

どうだろうか。私たちは、柳の「美の浄土」からはるかに遠い世界、リアリティに放たれていないだろうか。この「リアリティ」はしかし、栗原の特異な感性と想像力が発明したアナーキズムの「物語」ではない、と私は確信する。自らの経験から、そう確信する。

しかし、自らの経験、と言っても、私には踊躍念仏の経験はない。が、ある種の踊り・ダンスの経験がある。

私は以前、一〇年間ほど、勅使川原三郎率いるダンスカンパニーKARASのワークショップに毎週通っていた。一九九〇年代前半、社会的にも、芸術界でもまだ「ワークショップ」と言う語が珍しかった時代、まともに踊った経験もなく、ましてや持病の喘息を抱えていた私でも辛うじて通うことができる場であった。それまではとかく頭でっかちであった私はそこで、人生が、自分の身体がコペルニクス的に転回する体験を数々したが、本論の文脈に限っても、以下のような貴重な「発見」をした。

私が学びえたかぎり、勅使川原のダンス哲学には二つの核心がある。「脱力」と「呼吸」である。[32] 彼のダンス・メソッドは、おそらくクラシック・バレエからヨガ、舞踏などに至るまで古今東西の多様な身体技法がオリジナルに組み合わされたもので、それらを駆使して身体の「脱力」が図られる。その要諦は、身体の「初期化」だ。私たちの身体は、「人間」として、そして（私の場合なら）「日本人」として生き、動けるように、出生直後から多様なプログラムをインストールされる。そうしてインストールされたプログラムに従って、私たちは歩き、座り、走り、あるいは服を着、食べ、話し、寝る。だが、勅使川原によると、身体がプログラム通りに作動しているかぎり、それはダンスにはならない。ではどうするか。身体から可能なかぎりのプログラムをアンインストールする、身体を「初期化」する。それこそ、ドゥルーズとガタリの用語を使えば（勅使川原は使っていなかったと思うが）「器官化」された（すなわちプログラムされた）身体を「器官なき身体」に差し戻すのだ。

身体を「脱力」する、「脱器官化」するための実際の方法、ワークにどんなものがあったか。二十数年後の今もはやすべてを想起できない。が、踊躍念仏に絡めて印象的に思い出されてくるワークがいくつかある。例えば「限界」を超えてゆっくり、あるいは速く身体を動かすワーク、いや「動かす」という意識的コントロールの「限界」を突き破るほどに、ゆっくりあるいは速く動くような身体に「なる」ワークがあった。例えば、床に横たわった状態から一時間くらいかけて、可能なかぎりゆっくりと、いや「可能なかぎり」を超えてゆっくりと立っていく。誰でもやってみればわかるが、一時間かけて「ゆっくり」と立ち上がることがいかに身体を「限界」の淵にさらすか、全身の筋肉と筋（すじ）が悲鳴をあげるか。そして対照的に、限界を超えて速く動かす＝動く。例えば、手を振る、足を振る。しかし、自分が意識する「限界」＝一〇〇％を超えて、一五〇％、二〇〇％速く、手足が文字通りバラバラに吹き飛ぶように速く振る。もはや「自分」が「振る」のでなく、（念仏が念仏するではないが）「振るが振る」とでもいった意識と身体の臨界の彼方に、手が足が振られていく（「人間の限界の、限界の、さらに限界をこえて、ありえないようなうごきをみせはじめた。まるで痙攣でもおこしているかのように、ブルブルブルッと猛烈ないきおいで体をゆさぶり……」)。そんな「脱力」、「脱器官化」のワークを多様に、身体のあらゆる部位に施しながら、身体はやがて「初期化」していく。そうして「人間」としてインストールされたプログラムをアンインストールされた「器官なき身体」となって、初めて踊りが、ダンスが立ち上がってくる(「およそ、これが人間だとおもいこんできた身体の感覚が、かんぜんになくなるまで、自分を燃やして、燃やして、燃やしつくす。いま死ぬぞ、いま死ぬぞ、いま死ぬぞ。体が念仏にかわっていく。どんどん、どんどんかるくなる。まだまだいける、まだうごける。いくらはねても、つかれやしない、その力、無尽蔵だ」)。

では、その初期化された身体から踊り・ダンスを起動する契機は何か。「呼吸」である。身体から「人間」のプログラムを抜かれても、「呼吸」だけは続いている。この生命体としてのプログラムだけは、生きつづけるかぎり、取り除くことはできない。その作動しつづける呼吸に身体を澄まし、それが身体に何を望んでいるかを聴きとる。聴きとりながら、それが望むように、身体が自然と動き出す。その動き出した身体の中を、吸う息が、吐く息が、流れ、満たし、あるいは立ち去り、また舞い戻る。そうして徐々に、呼吸と身体が相まって、「踊り」が、「ダンス」が立ち上がり、繰り広がり、空間をそよがせ、他の「踊り」たちに呼応し、裏切り、けしかけながら、次々と、目くるめく展開をみせていく。そうして、脱器官化、脱「人間」化した身体/呼吸の展開のうちに、「動物たち」が、他の生き物たちが目覚めてくる。身体の奥深く、あるいは細胞の記憶に眠っていた、牛が、トカゲが、鳥が、虫が、アメーバーが蘇る。私は、牛となって歩み、トカゲとなって這いずり、鳥となって飛び、虫となって貼りつき、アメーバーとなって泳ぐ。

ほんらい、ひとはなんにだってなれるんだ。その身体のつかいかたは、無限の可能性にひらかれている。それが仏になるということだ。もっと遊べ、もっとおどれ、もっとさわげ。子ども、子ども、子ども!! 馬、馬、馬!! 猿、猿、猿!! 畜生だ、畜生になれ、畜生になっちまえ。どんどんいけ、どんどん往け。とにかくはねろ、なむあみだぶつ。(33)

私は動物に「なる」。動物への「生成変化」。「此性」と並んで、ドゥルーズとガタリの思想のキーワードの一つだ。例えばある種の作家たちは、自らの書く行為の中で、様々な動物になる、生成変化すると、ドゥルーズとガタリは言う。「作家がれっきとした魔術師たりうるのは、書くことが一個の生成変化であり、ねずみへの生成変化、昆虫への生成変化、狼への生成変化など、作家への生成変化とは異なる不可思議な生成変化が書く行為を貫いているからだ。(34)」

ところが、ドゥルーズとガタリによれば、この動物への生成変化は、「女性への生成変化」、「子供への生成変化」同様、生成変化の「中間地帯」の切片なのだと言う。では、この「中間地帯」の向こうには何があるのか。「元素」への、「細胞」への、「分子状態」への、「知覚しえぬもの」への生成変化がひかえているのだ。ドゥルーズとガタリは、ある種のSF小説、ある種の音楽、ある種の麻薬などが、その分子状態への、知覚しえぬものへの生成変化をもたらすと言う。

ドゥルーズとガタリにつづけて言おう。一遍の踊躍念仏もまた、「動物＝中間地帯」を突き抜けて、分子状態へと、知覚しえぬものへと生成変化していたのではなかったか。それに完全に同期した栗原の分子的アナーキズムが見事に描き出したように。

私もまた、ダンスにおいて、この分子状態への、知覚しえぬものへの生成変化を体験していた。ダンスは、少なくとも勅使川原によるダンスは、「脱器官化」、「初期化」された身体からしか生まれえない、と私は述べたが、それは、脳による四肢の「中央集権的」操作からも脱することを意味する。では、その時、ダンスはどのように生まれるのか、身体は動いていくのか。もちろん、その中心的契機は「呼吸」だが、同時に全身のいたるところに、細胞の一つ一つに「小さい脳」、分子的神経節とでも言うべきものが分散し、それらが「感じ」「考え」、今ここでまさに「自然」で「必然」的な動きを生み出していく。あるいは、身体の〈外〉では、他のダンサーたちが時に即興的に踊っているが、二〇人、三〇人が同時に踊っていても、まず衝突することはない。身体の〈内〉で、「小さい脳」たちが今ここで「自然」かつ「必然」的な動きを生み出している、その「分子状態」が、他のダンサーたちの〈内〉でも同時に生じていて、それらが「自然」かつ「必然」的に同期し、「知覚しえない」ムーヴメントの即興的交響体を刻々と生成していたのではなかっただろうか。

瞑想——地球とのダンス

ここで再び、柳に戻ろう。『南無阿弥陀仏』で柳は、世間ではとかく浄土門と聖道門の優劣を論じたりするが、それは初歩的なことにすぎず、両門は行の在り方こそ違えど、所詮同じ一つの頂きを目指す二つの道にすぎない、と述べていた。さらに彼は、その二つの道と頂きを「円」に譬え、浄土門は円を西から登るが、聖道門は東から登る、その違いにすぎないと言う。が、行の中身はいたって対照的だ。聖道門（＝自力道・難行道）は、「己の大を覚る道」であり、智者・強者・天才の辿る道であるのに対し、浄土門（＝他力道・易行道）は、「己の小を省みる道」であり、「小さく哀れな人間がくぐる門」であると、比較する。[35]

私は先に、浄土門の究竟たる一遍の遊行＝踊躍念仏において、動物への、さらには分子状態への生成変化を、栗原の「野性」味溢れるテキストとともに（そして自らのダンス体験を元に）探索してみたが、では、翻って、聖道門＝自力道においては、そうした生成変化が起きるのか起きないのか、と自問してみると、（これまた自分の体験を踏まえて）「起きる」と確言したい。確かに「人間」の限界を越えるまでに躍動・乱舞する踊躍念仏に比して、例えば坐禅は「止」、しかも究極的な「止」を観ずる行ではなかったか。しかし、前著『藝術2・0』で論究した禅僧藤田一照がいみじくも坐禅は「重力とのダンス」だと喝破していたように、[36]実は絶対的「止」を求める行の中にも、限りなく微細な動きが無数に生じているのだ、いや完璧な「止」を求める行だからこそ、「止」以外の森羅万象の「動」が、諸行の「無常」が観じられるのだ。

まじめに瞑想をつづけてゆくと、やがて感覚の質が変化する段階に入る。全身に均一で微細な感覚があらわれ、それがものすごいスピードで生まれては消えてゆくのである。このとき意識はうわべのかたまりをつらぬいて、それを構成している背後の現象を感じ取っている。万物を構成する微粒子のうごきを感知している。微粒子はひっきりなしに生まれては消え、その無常性をまざまざと体験するのである。からだのどこを観察しても微粒子が振動している。血液、骨、固体の部分、液体の部分、気体の部分、醜いところ、美しいところ、どこを観察しても波動の集まりだけを感じる。もうからだの各部を区別できない。識別したり命名したりするプロセスも止まる。このとき、自分自身のなかで、たえず流動し、生まれては消える物質の究極の真理を体験するのである。(37)

私もまた、瞑想の深まりとともに、この「微粒子」の波動を感じる。この「微粒子」をパーリ語で「カラーパ」と言うが、仏教、少なくともテーラワーダ派の仏教は、この無数のカラーパの生滅が身体を生み出していると捉える。

からだはカラーパという原子より小さな微粒子からできている。カラーパは一瞬一瞬とてつもないスピードで生まれては消える。その変化のなかで無限の組み合わせが生じ、物質の基本要素たる、質量、粘性、温度、運動を現象化する。それが、からだのなかでありとあらゆる感覚を引き起こすのである。(38)

いったい、この「カラーパ」、身体の「微粒子」は何なのだろう。私は（自らの限られた体験と知識に基いてではあるが）、それは、（少なくともその一部は）生命体を駆動している生体エネルギー、ATP（アデノシン三リン酸）が発するエネルギーなのではないかと思っている。（このエネルギーを、ある種の東洋的思想圏・宗教圏では「気」と呼んだりしているのではないか。）

私は『藝術2・0』で、小倉ヒラクの『発酵文化人類学』について（多大なインスピレーションを受けつつ）論じたが、小倉は「発酵」という現象が、植物の光合成や動物の呼吸と並ぶ、生物によるエネルギー獲得の「第三の道」だと説いていた。そして微生物を含めた全生物は、発酵でも活躍するエネルギー発生装置ATPが生みだすエネルギーによってまさに「生きて」いる。このATPが生むエネルギーの生態系における循環こそ、まさしく地球の「生命の環」なのであり、そのエネルギーの「ギフトエコノミー」が、微生物、植物、動物、人間の間を縦横無尽に駆け巡ることによって「ガイア」が作り出されているのだ。

この、細胞レベルでATPが生みだすエネルギー、電子の流れを、瞑想者は、その行の深まりとともに感じ、「観」ているのではないか。それを仏教は「カラーパ」と呼んでみたのではなかろうか、と今のところ、私のごく限られた経験と知識の中で、自らに問うているのである。（ぜひ私より多くの経験と知識をお持ちの方からご教示いただきたい。）

こうして、瞑想もまた、全き「止」を求めつつ、いや「止」となるからこそ、地球上の生きとし生けるものたちと「ダンス」することができる、生命の諸行無常なるパフォーマンスの舞台となることができるのだ。

純粋で真剣な「遊び」——山河草木とともに

ところで、柳は、聖道門も浄土門も、東と西の違い、行の中身の違いはあれど、同じ「頂き」を目指す、と言っていた。この「頂き」とは何なのか。もちろん、「悟り」、「解脱」、「涅槃」などと呼ばれているものであろう。この仏教の「ゼロポイント」について、鋭利な言語をもって論じきった著作がある。魚川祐司『仏教思想のゼロポイント——「悟り」とは何か』である。[39]

魚川は、ミャンマーで学んだ教理と経験を縦横無尽に使いこなしつつ、「ゼロポイント」に迫る。[40] 彼によると、「悟り」、「解脱」、「涅槃」などと呼ばれる境地は、決して思考や学問だけで得られるものではなく、修行の深まりにおける決定的で明白な実存の転換がもたらす「行道の完成」であると言う。

分別の相である「物語の世界」は、そもそもその形成の時点で、対象への貪欲と瞋恚を巻き込んで成立している。つまり、凡夫にとって「事実」であり「現実」である「世界」というのは、最初から欲望によって織り上げられているということだ。

そのような「世界」を終わらせるためには、単に内面に現象してくる個々の煩悩に気づいていて、それを「堰き止める」だけではとても足りない。「世界の終わり」に到達するためには、その成立の根源にある「煩悩の流れ」そのものを「塞ぐ」こと、即ち、それを根絶することが必要とされるわけである。

解脱知見を得る者は、だから渇愛の「完全かつ決定的な滅尽」を達成した者である。その滅尽によって開かれる涅槃は、無常な諸行の生成消滅が「寂滅」(静止)した、不生不滅の境地である。そう、魚川は確言する。

しかし、魚川の論がさらに興味深いのは、以下の点だ。魚川は、ゴータマ・ブッダは、解脱した後、「なぜ死ななかったのか」と問う。「なぜ彼は悟後にそのまま死ぬのではなく、解脱の楽を独り味わうことに安住せずに、そのような『物語の世界』への再度の介入、即ち、衆生に対する仏教の宣布をはじめたのか。」そして、その問い——ブッダに限らず、覚者すべてに共通するであろう根源的な問いへの答えとして、魚川は、「死ぬ」あるいは解脱の境に留まりつづけるか、それとも「物語の世界」に再度介入し、利他行へと踏み出すかは「自由な選択」の問題である、と結論づける。

こうしたことからわかるのは、覚者が慈悲の利他行へと踏み出して、「物語の世界」への再度の関与を行うかどうか、そして、それをいかに・どの程度のレベルで行うかということは、基本的に「自由な選択」の問題であるということである。独覚のように、解脱してもその境地を他者に開示しない者もいれば、ゴータマ・ブッダのように、機根のある衆生にだけ教えようと考える者もいる。あるいは、『十地経』の菩薩のように、一切衆生を一人残らず、救いきろうと決意する者もいる。

そして、利他行を「自由に選択」した覚者にとって、「物語の世界」は、解脱の風光から反照されることによって、純粋に「楽しむ」ことのできる世界、純粋だが真剣に「遊ぶ」ことのできる世界となる。彼らの「利他行」は、だから、倫理的に意味があるから、社会的に必要だから行われるものではない。「ただ助ける」、すなわち意味も必要もなくただ「遊び」として「助ける」ことである。

「ただ助ける」というのは、解脱者たちには行為の対象である衆生に対する執著がなく、「物語の世界」を実体視してもいないがゆえに、それは意味も利益も必要もなく、「ただ行われる」ということ。したがって、それは「遊び」である。そのように「遊び」として「ただ助ける」ということが、捨の態度を根底に有しながら慈・悲・喜の実践を行うということの内実なのであり、それがいわゆる「優しさ」と「慈悲」との違いであるということは、既に述べたとおりである。

さらに魚川は、仏教の多様性――欧米の地にまで根付き、極東の地にまでも禅から浄土までの多様性を生み出した原因の一つが、この「遊び」としての「物語の世界」への参与の「自由裁量」にこそあるのではないか、と指摘している。[41]

そう、涅槃の境で独り坐りつづけてもいい、それこそ死ぬまで坐りつづけてもいい（即身成仏！）。あるいは、そこから翻って、衆生へと振り返り、あえて「物語の世界」へと入りなおす、しかしあくまで離見しつつ、彼らとともに坐ってもいいし、念仏を唱えてもいいし、踊ってもいいだろう。あるいは、「仏教」を出て、私のように、共にイチゴを食べてもいいし、自前の「家」で学びを「乱交・乱投」しあってもいいだろう。[42]そう、「いびつなV」たちの「いびつな〇」は、まことに多様なのだ。その「〇」の歓待は、さらに「人間ならざるもの」、「山河草木」にまで及びもするだろう。生態学的に転回もするだろう。木とともに突然変異する桶をあつらえたり（中川周士[43]）、微生物とともに発酵食品を再デザインしたり（小倉ヒラク[44]）、あるいは鴨川の畔で「ふく風たつ浪の音」とともに茶を点て供することもできるだろう（陶々舎[45]）。

一遍の「遊行」もまた、こうした多様な「遊び」の一つ、だが限りなくラディカルな「遊び」の一つだったのだ。

第4章　人類は「日本人」として生き延びない
――アガンベン／ハイデガーの人類学機械をめぐって

人類は「日本人」として生き延びる？

人類と新型コロナウイルスとの「戦争」（マクロン仏大統領初めとした各国首脳）、人類とガイアとの「戦争」（ブルーノ・ラトゥール）。この、人間と「人間ならざるもの」（通常「自然」と呼ばれるもの）との関係性を「戦争」と形容するしかない気構えに、私は曰く言い難い違和感を覚えると、「はじめに」で書いた。

しかしどうやら、この人間と自然との「戦争」は、新型コロナウイルスやガイアの脅威に直面した現在の人間たちに固有な捉え方ではなく、少なくとも「西洋」世界においては古代より歴史を貫通し、現代でも最重要な「政治闘争」らしいのだ。「現代の文化にあって、あらゆる他の闘争を左右するような決定的な政治闘争こそ、人間の動物性と人間性のあいだの闘争である。すなわち、西洋の政治学は、その起源からして同時に、生政治学なのである。[1]」

イタリアの思想家ジョルジョ・アガンベンは『開かれ——人間と動物』において、この西洋世界にあって決定的に重要な「政治闘争」について、アリストテレスからハイデガーまで追跡しつつ、その政治学的・存在論的意義を描き出している。（我々は、この著作の全体的論旨からいって、「動物」を「自然」の換喩と捉えて不都合はなかろう。）

しかし、彼がまず最初に注目するのは、人間の「頭」をめぐる二つの謎めいた形象、「動物人」と「無頭人」——頭が動物として描かれている人間と、頭のない裸体の人間である。

ミラノのアンブロジアーナ図書館に保管されている一三世紀のヘブライ語聖書。そこに描かれている細密画の一つは、最後の審判の日における義人たちのメシア的宴を表しているが、彼らの頭がなぜか鷲や牛や獅子などの頭部になっているのである。人類の歴史を締めくくる時に臨んで、完全な人間性を体現するはずの義人たちの頭部がなぜ動物として描かれているのか。その謎にとりあえず答えぬまま、アガンベンは次の形象に移行する。

パリの国立図書館である日、ジョルジュ・バタイユは、動物の頭部をもつアルコンというグノーシス派の低次霊的存在たちを刻み付けた沈み彫りに衝撃を受ける。そしてその六年後、その名も『アセファル（無頭人）』という雑誌を創刊し、その表紙をアンドレ・マッソン描くところの、頭のない裸体の人間像で飾る。が、同誌の三／四月号では、同じ裸の人物が今度は牡牛のいかめしい頭部を抱えている。アガンベンは、この「頭」をめぐる〝揺らぎ〟に、当時のバタイユが抱えていたある思想的・実存的アポリアの証言を見る。

　バタイユと、その（ヘーゲル哲学の）「師」アレクサンドル・コジェーヴ。その一筋縄でいかぬ（少なくとも前者にとっては）捻れた師弟関係の内に、アガンベンはアポリアの淵源を探る。

　バタイユは、コジェーヴのヘーゲルについての講義に出席していた。その講義の中心テーマの一つが、歴史の終焉、そして歴史以後の世界で人間と自然が呈する姿の問題であった。コジェーヴは、（その有名な講義への注釈で）歴史の終焉において〈人間〉は消滅するが、その「消滅」は生物学的終末を意味するのではなく、〈人間〉が〈自然〉と一致する「動物」として生きつづけることを意味すると言う。その「動物的」な生とは、あらゆる〈人間〉的〈活動〉の終焉後、「それ以外のものすべて、いいかえれば、芸術、愛、遊びなど、要するに人間を幸福にするものすべては、際限なく継続していくのである。(2)」

　この人間が動物となって生き延びるという歴史の「残余」について、バタイユは思想的・実存的に合点がいかなかった。彼が「哄笑」や「恍惚」や「奢侈」などに求めた「死を前にしての歓喜」は、至高なる「無頭性」であり、断じて動物的なものではなかった。

　彼はコジェーヴに宛てた書簡の中で、自らを「用途なき否定性」と定義し、その「私の生である開いた傷口――はそれ自体で、閉じたヘーゲル体系への反駁となっている(3)」と記す。

　バタイユにとって、歴史・人間の終焉以後、生きつづける「残余」は「用途なき否定性」としてであり、その仄暗いエピローグの中で、至高性を体現する賢人たちは、動物の頭部をもつのではなく、あくまで「無頭人《アセファル》」なのである。

コジェーヴはその後、研究教育活動の傍ら、フランス政府高官となり、外交交渉などのため、世界各地を旅する。そしてアメリカ流の生活様式の中に、「歴史以後の時代に特有の生活類型」、すなわち人間の動物性への回帰を目の当たりにする。[4]

さらにコジェーヴは、一九五九年に日本に旅行したことにより、歴史以後の人類の在り方・生き方にさらに興味深い見方をもつようになる。

彼によれば、歴史以後の日本の文明は、アメリカ合衆国のそれとは正反対の道を歩んだ。「日本においては、『自然的』もしくは『動物的』な所与を否定するさまざまな規律を、生のままの〈スノビスム〉が生み出していた」。日本人は、完全に「形式化された価値」、『人間的』な内容をまるで欠いた価値」に基づいて、現に生きている。彼らは、この「純粋なスノビスムによって、まったく無償の自殺に踏み切ること」さえできるのだ。[5] そして、歴史以後の時代は、西洋人が「日本化する」過程となる。人類は今後「日本人」として生き延びることにより、決定的な絶滅を免れるだろう。

このコジェーヴの予見が当たっているかどうか。そもそも、コジェーヴは「日本的スノビスム」で何を意味しようとしたのか。

アガンベンは、「人間」は、「『人間化した』動物性とその動物性のなかで受肉する人間性」とがたえず切断しあう「弁証法的緊張の場」だと言う。言い換えれば、「人間が否定的活動をつうじて自己自身の動物性を支配し、必要とあらば、それを破壊することによってのみ、人間は人間的たりうるのである。[6]」

この、自らの内なる動物性＝自然との「戦争」としての「人間」。（またもや「戦争」だ。）そして、その「人間」＝歴史の終焉。この展望の中で、はたしてコジェーヴの予見（人類の「日本人」化）は、いかなる意味を持つのか。アガンベンは、この著で答えを見出せるのだろうか。結論を先取りすれば、アガンベンは、答えを見出せないどころか、あたかも問いそのものを忘れたかのように、この著を終えてしまうだろう。

以上の、「動物人」と「無頭人」、そしてそれらの内に歴史の終焉以後の人類の生の在り処を問うコジェーヴとバタイユの捻れた師弟関係をめぐる「プロローグ」を終えた後、アガンベンは、「人間」を作り出す「弁証法的緊張の場」、すなわち彼言うところの「人類学機械」が（少なくとも「西洋」の）知的歴史においてどのように作動してきたかを、アリストテレス、トマス・アクィナスから、リンネを経て、ユクスキュルの「環世界」論に至るまで考察していく。そして、ユクスキュルに大いに触発され、改めて現存在の根本構造を動物に対して位置づけ直そうとしたハイデガーにおいて、人類学機械がどのように存在論的に、そして政治学的に作動するかを詳細にみていく。

人間の「開かれ」

アガンベンは、ハイデガーの中で「人類学機械」がどのように作動し、「人間創世」が行われるか、すなわち「人間」の世界が「開かれる」かを、特に『形而上学の根本概念』という講義録の読解を通して明らかにしていく。

この（ユクスキュルの環世界論の影響を色濃く帯びた）講義におけるハイデガーの焦眉の課題とは、「動物の『世界の窮乏（Weltarmut）』と『世界を形成する（weltbildend）』人間との関係をつうじて、現存在《ダーザイン》——世界内存在——という根本構造そのものを動物に対して位置づけることなのであり、そうすることで、人間の登場とともに生物のうちに現われる開示《アペルトゥーラ》の根源と意味を探究すること」[7]である。

動物の「世界の窮乏」とは、いかなる事態か。それは、動物の「放心」、すなわち動物とその「抑止解除するもの」との関係を規定する、動物に固有な存在様態である[8]。例えばユクスキュルの有名なダニの例をとろう。視覚も聴覚も味覚もないダニは、いかにして、木の枝で獲物（哺乳動物）を待ち伏せ、その上に落下し、生き血を吸うに至るのか。ダニの環世界を構成する要素（ユクスキュルのいう「意味の担い手」ないし「知覚標識の担い手」、ハイデガーのいう「抑止解除するもの」）は三つしかない。①哺乳類の汗に含まれる酪酸の匂い。②哺乳類の血液と同じ三七度の温度。③哺乳類に特有な体皮の類型。この三つの要素以外のものは、ダニの環世界には存在していない。その「世界の窮乏」の中で、ダニはひたすら、たまたま哺乳動物が通りかかるのを「待つ」。そして、知覚標識を感受するや否や抑止は解除され、あわよくば獲物の上に落下するのである。知覚標識に抑止解除されたダニは、「〜に夢中になっている」あるいは「放心している」、とハイデガーは表現する。この「夢中」になり「放心」している時、ダニは「〜」に関係し、ある種の「開示性」を示しているが、それは「露顕なき開示」、すなわち「〜」はある種の仕方で「開かれて」いるが、(人間に対するように)存在者として、「露顕して」はいない、と説く。[9]

もちろん、この「世界の窮乏」、「放心」は、ダニに特殊なものではなく、動物全般に固有な存在様態である。ただし、各々の動物の環世界は、その動物に特有な要素、「抑止解除するもの」で構成されている。

ところで、ハイデガーによれば(ここが彼の人類学機械のいわば原動機だ)この動物の「放心」と、人間の倦怠、なかんずく「深き倦怠」は、「酷似」していると言う。「深き倦怠」とは何か。それには二つの構造的契機がある。一つ目は、空無への放置。ハイデガーは、片田舎の駅で長な時間列車に待ちくたびれるときの、うんざりするような退屈を例にとる。このやるせない空虚な時間に何が起きているのか。この空虚の中で、諸事物は存在しているが、「われわれに差し出されるべき何ものをももっていない」にもかかわらず、「われわれは、われわれを退屈させるものに釘づけにされ足止めされてしまう」。[10] 倦怠において、人間=現存在は、「全体としての存在者」、しかし同時に「全体において拒まれて」もいる存在者に直面し、引き渡されている。[11] この「露顕されざるもののうちに曝される」という点において、動物の「放心」と人間の「倦怠」は「酷似」する、とハイデガー/アガンベンは主張する。

「深き倦怠」の第二の構造的契機は、「宙づりのままに保持されてある」ことである。倦怠においては、現存在はあらゆる可能性を宿しているが、その可能性は不活性のまま滞留している。特定の具体的な可能性すべてを宙づりにする中で、根源的な可能態が露わになっている。が、

それは、あらゆる可能性が宙づりになっているがゆえに、否定の可能態、「無能性」とも言いえる。(12)

結局、倦怠のうちで問題となっているのは、「人類創世、つまり生きた人間が現－存在〔そこに－あること〕となること」に他ならない。人間の「世界」が「開かれる」ことに他ならない。そしてこの「世界」の「開かれ」は、畢竟、「無化」である、とハイデガー／アガンベンは述べる。「存在は、その根源以来、無に横切られており、開かれは元をただせば無化なのである。というのも、世界が人間に対して開かれるのは、生物とその抑止解除するものとの関係を遮断し無化するかぎりにおいてだからである。(13)」

したがって、動物の「放心」と人間の「倦怠」との「酷似」は、所詮「酷似」に過ぎないだろう。ハイデガー自身言うように、「両者のあいだには、いかなる媒介によっても乗り越えられない深淵が横たわっている(14)」と言わざるをえない。それどころか、人間は、自らの「世界」を「開く」ために、動物たちとの関係を遮断し無化し、そして動物たちを含めた「大地」と闘い、いや、闘わなくてはならないだろう。こうして我々は、この講義録における人間と動物の関係から、『芸術作品の根源』における「世界」と「大地」との「闘争」へと送られる。

芸術作品は、「〈自己の内に自己を閉ざすもの〉としての大地を、〔世界の〕開かれのうちにもたらす」。世界と大地は、開示と閉塞として、「相反する対立〔…〕ひとつの闘争」であるが、それらはまた分割しえないものであり、非隠匿性と隠匿性の弁証法を形作り、それこそがハイデガーにおいて「真理」という存在論的パラダイムを構成するとともに、「闘争」として根源的な政治的パラダイムをも構成するのである。[15]
人類学機械は、ハイデガーの中でこのように作動し、人間の世界を「創世」していた、とアガンベンは見る。そして、その機械は、限りなく緻密な存在論的機械であると同時に、限りなく峻厳な政治的機械でもあった。アガンベンによれば、ハイデガーは結局「人類学機械が、人間と動物、開かれと開かれざるものとのあいだの闘争をたえず裁決し再編することによって、ひとつの人民にとっての歴史や命運をいまだなお生み出すことができると信じた最後の人物」[16]であり、最後の哲学者であった。

地中海的・弁証法的無為

そして、この著の「エピローグ」。主要登場人物は、ベンヤミンとティツィアーノ。アガンベンによれば、人間と自然との関係において、ベンヤミンは、人類学機械を全く念頭においていない、と言う。ベンヤミンにあって、自然は至福の原型であり、己れ自身へと送り返された自然、「救出された夜」だと言う。そして、その「夜＝至福」は、「おそらくわれわれがまだ呼ぶべき名をもっていない動物でも人間でもないようなもの」、すなわち性的充足のうちに見出される、とベンヤミン／アガンベンは捉える。[17]
さらにアガンベンは、ティツィアーノの『ニュンフと牧童』における、二人の「絡み合いつつも離れた」特異な関係を取り上げ、（ここでもベンヤミンの「救われた夜」同様）彼らが「動物的でも人間的でもない新たな至福の生」を享受し、「自然と智慧、隠蔽と露顕の彼岸にある、ひとつの至高の段階」へと到達しようとしていると言う。そして彼らは、性的充足のうちに「完全に無活動となった人間本性」たる「無為」に思いを凝らすと言う。[18]

すぐれて「地中海的」とでも形容したくなるような快楽主義的な生／性の技法＝無技。歴史の終焉以後、人類はこのどこまでも享楽主義的な無為のうちに生き延びていくのだろうか。最後にアガンベンは、人類学機械とは異なる弁証法を作動させ、「人間」と「動物」をともに止揚する「大いなる無知」に、人類の救いなき救いを希求する。

われわれの人間概念を左右する機械を機能させないようにするということは〔…〕人間と動物を――人間のうちで分割する断絶《イアト》を見せてやることなのであり、この空虚に身を曝すこと、つまり、宙づりの宙づり、人間と動物の無為《シャバト》に身を曝すことにほかならない。〔…〕アンブロジアーナ図書館の細密画に描かれた、動物の頭部をもつ義人たちが呈していたのは、人間と動物の関係の新たな傾向ではない。むしろそれは、人間と動物のいずれをも存在外へと存在せしめ、本来的に救うことのできない存在のうちで救済を果たす「大いなる無知」の形象なのである。[19]

地中海的弁証法（？）の無為にして無知。――これが、コジェーヴの問い（歴史の終焉以後人類は「日本的スノビスム」を生きるのか？）への、アガンベンの間接的な答えなのだろうか。

「エピローグ」において、アガンベンはこの問いを呼び起こさぬまま論を終えてしまうがゆえに、我々にはその真意を知る由もない。

しかし我々は、アガンベンとは別様に、コジェーヴの問いをあえて真に受けて、その問いをさらに深めていきたい。その問いが、我々の言うGEIDOといかに交錯するのか否かを見極めていきたい。

脱「哲学」、脱「人間」化としての瞑想

人間と自然。「戦う」、「やるかやられるか」以外に、どんな関係が可能なのだろうか。我々は、瞑想に、その答えへのヒントを見出せるだろう。(なお、ここでの瞑想には「坐禅」も含む。)

瞑想とは何だろうか。通常人が抱くであろう峻厳で神秘的なイメージとは裏腹に、それはいたってシンプルな行い、いや行いとも言えないような行いである。瞑想とは、単に「今ここに在る」ことを感じつづけることである。こう言うとすぐに以下のような反論が来よう。「でも、人はいつだって今ここにいるじゃないですか。」でも、本当にそうだろうか。あなたは「今ここに在る」ことを本当に感じつづけているだろうか。例えば、何かを考えてはいないだろうか。何かを思いだしてはいないだろうか。何かを案じてはいないだろうか。スマホやパソコンで何かを見てはいないだろうか。誰かと何かについてお喋りしてはいないだろうか。これらの「何

か」はすべて「今ここにはない」何か、過去へと未来へと、あるいは言葉やメディアの向こう側にある何か。その「今ここにない何か」へと、私たちの心・意識はたえず逸らされている。「今ここ」を立ち去り、あらぬ何かへと移送されてしまっている。が、私たちは通常その「立ち去り」、「移送」をそれとして気づかず、あたかも「今ここに」いるかのように錯覚している。瞑想は、その心・意識の「立ち去り」、「移送」が起こらないよう、たいていはごく単純な作法・技を用いて（呼吸に集中する、一点に集中するなど）、「今ここ」を感じつづけられるようにする営みである。

そんなごくシンプルな行いとも言えない行いだが、実際行なってみると、かなり難しい。呼吸に集中し、今ここを感じつづけようと思っても、心はいつの間にかふらふらと今ここにはない「何か」へと逸らされている。何かを思い出したり、案じたり、雑念が沸き、あるいは眠気が襲う。でも、ある種の導きを受けると、徐々に「逸らし」、「移送」が減り、今ここを感じつづけることに集中できるようになっていく。

こんな瞑想を、先のアガンベン／ハイデガー的人類学機械の文脈に差し戻してみよう。先に私たちは、「深き倦怠」において問題となっているのは、人間の「世界」が「開かれ」ること、「人類創世、つまり生きた人間が現‐存在〔そこに‐あること〕となること」とみた。瞑想もまた、この「現‐存在」、「今ここに在る」ことから出発する。しかし、出発点は同じでも、哲学と瞑想とでは、進む方向が真逆なのだ。

哲学は、「今ここに在る」ことから出発し、その「世界」の「開かれ」がいかなる構造で成り立ち、いかなる次序で展開していくか、その諸契機を弁別し、「思考」する。それに対し、瞑想は、「今ここに在る」ことから出発するが、「思考」しない。「今ここに在る」ことについて「思考」し、その構造的諸契機を弁別していくこと自体が、「今ここに在る」ことからの「逸らし」、「移送」と捉え、他の想念・雑念同様、心の夾雑物としてそこからむしろ心を解くことを狙う。「今ここに在る」ことについて「思考」するのではなく、「今ここに在る」ことそのものをひたすら感じ・観じつづけることに徹するのである。

前著『藝術2・0』で、私は「藝術家2・0」ないし「GEIDO-KA」の一人として禅僧藤田一照を取り上げ、その坐禅の原理性と革命性について論じた。藤田は、その坐禅論『現代坐禅講義』をなんとパスカルの『パンセ』からの引用で始めていた。「人間の不幸というものは、みなただ一つのこと、すなわち、部屋の中に静かに休んでいられないことから起こる[20]」。

そして藤田は、「部屋の中に安静にしていること」を「くつろぐ」という言葉で置き換え、今度はイギリスの詩人ジョン・キーツの「ネガティブ・ケイパビリティ（Negative Capability）」という、逆説的な響きをもつ造語をもちだし、「くつろぎ力」とは、「わたしが〜する」という積極的・能動的力ではなく、「〜をやめる、しない」という消極的・受動的力ではないかと述べていた。そして坐禅は、純粋なネガティブ・ケイパビリティ、「くつろぎの純粋なかたち」であると明言し、しかも、それは元々道元が説いていた坐禅の真髄（「安楽の法門」「帰家穏坐」）ですらあると説いていた。

ネガティブ・ケイパビリティ。この語は、アガンベン／ハイデガーの人類学機械のある部品に共鳴しないだろうか。そう「無能性」。

「深き倦怠」の第二の構造的契機は、「宙づりのままに保持されてある」ことである。倦怠においては、現存在はあらゆる可能性を宿しているが、その可能性は不活性のまま滞留している。特定の具体的な可能性すべてを宙づりにする中で、根源的な可能態が露わになっている。が、それは、あらゆる可能性が宙づりになっているがゆえに、否定の可能態、「無能性」とも言いえる。

あらゆる可能性がそこから展開し、人間の「世界」が形作られていくであろう、根源的可能態＝無能性。「純粋なくつろぎのかたち」、純粋なネガティブ・ケイパビリティである坐禅・瞑想は、しかし、その可能性への展開へと「開かれ」つづけていくのではなく、逆にその無能性＝ネガティブ・ケイパビリティの内に留まりつづける。「今ここに在る」「開かれ」の内にひたすら留まりつづけ、「開かれ」がそれ自体のうちに深まり、深まるとともに「開かれ」が徐々にその内へと閉じられ、その閉じられの向こうから今度は今まで頑なに閉じていたもの、隠蔽性・閉塞としての「大地＝自然」が開き始め、湧き出てきて、その圧倒的押し寄せがやがて閉じられゆく「開かれ」を飲み込んでしまう。〈自己の内に自己を閉ざすもの〉としての「大地」に対して（「闘争」して）「開かれ」る「世界」が「人間」だとすれば（そしてそれを「思考」するのが「哲学」だとすれば）、瞑想はだから、脱「人間」化、脱「人類学機械」、脱「哲学」であり、「大地」への、「自然」への、「動物」への変成《へんじょう》、なることに他ならない。

仏の行は、尽大地とおなじくおこなひ、尽衆生ともにおこなふ。もし尽一切にあらぬは、いまだ仏の行にてはなし。

（道元『正法眼蔵』「唯仏与仏」）

仏の行としての坐禅は、だから大地の尽くと、生きとし生けるものの尽くと「おなじく」「ともに」行われる。それは、尽一切になること、森羅万象の縁起の尽くを廻る生命エネルギー＝気の波動となる、しかも「なり」ながら「なる」ことそのものを観じつづける、どこまでも観じつづけることである。

自然に、対し、抗し、闘争し、思考する時、それは「大地」、〈自己の内に自己を閉ざすもの〉、絶対的な閉塞としての「大地」としてしか現れないだろう。しかし、「思考」するのではなく、それと「おなじく」、「ともに」行う時、すなわち瞑想する時、それは、絶対的閉塞どころか、生命の喧騒で満ち満ちたもの、無数の生き物たちの環世界が不協和なまま交響するものとして「開かれる」。その尽一切の開かれのうちに「やすらぎ」、「なり／観じ」つづけることこそ、瞑想の真髄に他ならない。

苺を瞑想する

私は、第2章で、鶴見俊輔の「限界芸術」論の批判的読解の一環として、「食べる瞑想」、「苺のメディテーション」を取り上げた。「食べる」という、鶴見によれば、（限界）芸術などの狭義の美的経験ではないが、少なくとも広義の美的経験ではある行為が、瞑想という行いの仕様によっては、狭義の美的経験すら超えて、一つの実存的出来事にすらなりえることを語った。

私たちが、日常、苺を食べる時大概、苺を食べているようでいながら、実は「赤い」「かわいい」「甘酸っぱい」「ショートケーキ」などの先験的意味づけ・価値付与の凝集体、一つの文化的記号として「消費」しているにすぎない。（それはもちろん苺に限らず、未知の食べ物以外の大方の食べ物について言えよう。）瞑想状態に入り、食べると、その「消費」的「現実」が崩れ、もう一つの〝現実〟がまざまざと現出してくることに驚愕する。その驚愕を、私は、学生たちに一つの「学び」として提供していた。

私たちは、また、ハイデガー／アガンベンにならって、「大地」の一部として、存在者として、苺を「思考」、「哲学」することもできる。その時、苺は、他の「大地」の諸存在者同様、「思考」による「世界」の「開かれ」に対して、頑なに閉じたものとして、〈自己の内に自己を閉ざすもの〉として、隠蔽性としてしか、自らを現さないだろう。

しかし、私たちは、苺を「思考」するだけでなく、「瞑想」することもできる。苺を食べることそのものを瞑想することもできる。

庭の畑から苺を一粒取ってくる。白い小さな皿に載せる。しばし目を閉じ、心身を落ち着ける。目を開き、目の前の苺を手に取る。鼻に近づけ、香りを嗅ぐ。かすかに爽やかな甘い香りが鼻腔に染みる。少し離して、つぶさに見る。全体にほんのりと赤みを帯びているが、先端部はまだ仄白い。へたのやや薄茶がかった緑色とのコントラストが鮮やかだ。おもむろに口の中に入れ、果肉に歯を立て、半分ほど噛み切る。途端、いとも芳しい汁が口内に沁み渡り、無数の細胞が歓喜する。が、噛み始めると、粒がぷちぷちと無粋な響きで割って入る。しかし、芳しい潤いは、それをも包み込むように、口の中いっぱいに、喉のうちへと、そして終いには胃の中へと、沁み渡っていく…。

苺を瞑想する時、私は苺に「なる」。瞑想の中で、苺はかくも「開かれ」、押し寄せ、心身に沁み渡り、文字通り私の一部と「なる」。私は、苺の命に恵まれる。生かされる。太陽の光が、雨水が、空気が、土が、土や空気の中にいる微生物たちが、辺りを飛び交う虫や鳥たちが、そして、苗を植えた私が、共に働きあって、共演して、育んだ、一粒の苺。その恵みに助けられ、培われ、今ここに私は在る、生きる。尽大地、尽衆生、尽一切の縁起に生かされて、生きる。人間と自然、世界と大地は、闘いあうだけでなく、生かし生かされあうこともできるのだ。

GEIDO論の生態学的転回

GEIDOとは、この、人間と自然の共－創造、生かしあいではないのか。ただし、GEIDO-KAは、単なる「エコロジスト」ではない。彼（女）は、この「共－創造」、「生かしあい」を、彼（女）にしか備わっていない特異な「ＯＳとしてのアート＝小さな物語」と、やはりそこにしかない特異な環世界たち、そしてそこで育まれてきた「冷たいクリエーション」とが共に創りあう「サムシング・スペシャル」（小倉ヒラク[21]）として、この世にもたらすのだ。

GEIDO-KAたちは皆、まずは、めくるめく表象や記号の眩暈に満ち満ちた「浮世」に嫌気がさし、各々独自の（外的・内的な）旅に出る。やがて、運命に導かれるように、ある土地に辿り着き、そこに固有の冷たいクリエーションに出会う。それは、瞑想であったり、発酵であったり、あるいは工芸、茶道であったりするだろう。彼（女）たちは、修業・修行に打ち込む。先人たちが代々築き上げ磨き上げてきた「型」を倣い・習い、己れの心身に馴染ませ、沁み渡らせる。そうしてついには、その業・行の「原点」、ゼロポイントにまで赴き、その極点で、満腔を開き、大地の、生き物たちの声を聴き、対話し、環世界たちの気配・息遣いを感じとるまでに、自らを澄ましあげる。だが、彼（女）らは、ただ坐り、ただ味噌を作り、ただ木を削り、ただ茶を点てることに満足しない。彼（女）らは、そこに、意識的・無意識的に自らのこれまでの人生・旅で採集し編集し培ってきた独自の熱いクリエーションの「ＯＳ＝物語」、そしてそれを駆動する感性・技をも導き入れ、冷たいクリエーションの型を「破り」、「再デザイン」し、生き物たちとの対話を特異な形で豊かにし、ここにしかない環世界たちと、ここにしかいない私との一期一会によって、「サムシング・スペシャル」な坐禅、味噌、桶、茶を、共に創っていくだろう。

『藝術２・０』において、藝術家２・０たち、「いびつなＶ」たち、GEIDO-KAたちは、各々招じあい、歓待しあって、「いびつな○」を形作りながら、何か神々しいもの――しかし、決して特定の「神」へと物神化されない何か――の到来を、共に待ち、祝っていた。私たちは今や、この歓待を、いびつな○を、さらに明瞭に、「人間ならざるもの」たちへと、ガイアへと開いていかなくてはならない。人間たちの「環世界」を、尽衆生、尽大地の環世界たちへと開いていかなくてはならない。GEIDOを生態学的に転回していかなくてはならない。

もちろん、歓待hostisは「両義的」だ。時には、招かれざる客――主人に病いや死をもたらすかもしれぬ客をも招じ入れてしまうかもしれぬ。微生物たちの働きは、発酵の代わりに腐敗を生み、ガイアは種々なる恵みの代わりに、激烈な台風や大地震、あるいは灼熱、パンデミックとなって、文字通り主人たちに襲いかかるかもしれぬ。

だからいっそう、私たちは、ガイアと「戦う」だけではなく、それと共に生き、生かされる術を発明していかなくてはならない。その「術」を、私たちは改めてGEIDOと呼ぼう。「人間＝歴史の終焉」以後、さらに人類が生きていくとすれば、ガイアの中で「くつろいで」生きていけるとすれば、それは「スノビスム」によってではなく、この術＝GEIDOを究めることによってであろう。

コジェーヴの中でも作動していた「人類学機械」は、おそらくガイアとの「闘争」以外の「内容」を知らなかったがゆえに、ガイアに「なること」に長けていた日本文化の〝もう一つの内容〟がそれとして一切感知できず、日本人たちが、『人間的』な内容をすべて失った価値」、「すっかり形式化された価値」、すなわち「生のままのスノビスム」に基づいて生きているようにしか見えなかったのだ。

第5章　脱風土化するGEIDO——和辻哲郎、クレマン、ベルクをめぐって

前著『藝術2・0』で企てた、これからの人類の創造性をめぐる旅のとりあえずの逗留地であったGEIDOという概念・実践を、さらに概念的に鮮やかに、実践的にラディカルに探究するため、まずは、人によっては近接的な概念・実践と捉えられかねない鶴見俊輔の「限界芸術」、そして柳宗悦の「民藝」にGEIDOを寄り添わせつつ、それらが共鳴する底で、しかし決定的に異和な響きを聴きとってきた。「限界芸術」には確かに中林梧竹の書や『山脈』の活動のように、GEIDOのV的行=遊戯と通底する営みも含まれると同時に、そうした実存的振る舞いとはおそらく無関係と思われる単なる文化的・社会的慣行も一緒くたにされ、図らずも「限界芸術」という概念自体の「限界」もまた露呈していた。

一方、柳の「民藝」は、『南無阿弥陀仏』に見られるように、浄土教的「他力門」を標榜するがゆえに、「自力門」的行道を要諦の一つとするGEIDOとは、一見袂を分かつようでいな

がら、柳自身も畢竟両門が入り口こそ違えど同じ頂き＝成仏を目指すと注記していたように、GEIDOもまた単なる涅槃へと無限に没入する独行ではなく、むしろその「ゼロポイント」から翻り、一度は立ち去った「この世」＝「有」の世界へと還帰しつつ、が離見したまま、それといかに自在に戯れるか、「尽衆生」、「尽一切」との融通無碍なる遊戯＝藝にこそ、もう一つの要諦があったのではなかったか。いびつなVたちによるいびつな○という実存的「遊び場」。

しかし、GEIDOの「遊び」は、結局柳の「民藝」が「美の宗教」――「仏が仏に成る」浄土へと神秘主義的に飛躍するのに対して、逆にそうした美の原理主義を徹底的に嫌う。むしろ、柳の「美の宗教」がおそらくは受け入れがたかったであろう極度に「猥雑」で「野性」的な、一遍の踊躍念仏のアナーキズムに強く共振する。その「動物」への、「分子状態」への生成変化＝「なる」ことに強く誘引される。

しかし、GEIDOは単に「なる」ことにとどまらない。「なり」ながらも「観る」のだ。そして「観」ながら「なる」のだ。限りなく分子状態へと生成変化しながらも、それを観じつづける。それが、GEIDO的行・遊びの真髄である。

GEIDOはだから、哲学や（Artとしての）芸術のようには、「大地」と「闘」わない。「人類学機械」が作動し、「人間」の「世界」が「開かれ」る前に、GEIDOは、その瞑想力によって、「尽大地」へと自らを委ね、森羅万象の環世界の交響に「なり」かつ「観じ」ながら、共に生かしあう、共に創りあう一期一会を寿ぐのである。もちろん、その生態学的に転回した「歓待(hostis)」には、脅威となりうるものも紛れ込もう。が、その脅威に「戦闘」を挑んだり、排斥するのでなく、それとの渡りあいすらも、己の新たな藝＝GEIの発明へと転じうるような実存的・創造的レジリエンスを蔵してもいるのだ。

このGEIDOの生態学的転回の可能性を、さらに深く見極めるために、ここで新たな視点を導入したい。風土論ないし風土学である。

和辻による「風土」

日本で「風土論」といえば、まずは哲学者和辻哲郎のその名も『風土』を嚆矢としよう。彼は、欧州への留学の途次、船上から日々移り変わっていく、陽射しの強さ、湿気の感触、あるいは海原の有り様、風雨の度合いなどを体感しつつ、さらに寄港先の人々の生き様、風俗をつぶさに観察しつつ、その詩的感性と哲学的知性を存分に発揮しながら、何とも叙情的な思索を展開した。

彼は「風土性」という概念を文字通り「発明」した、と言えよう。それは決して「自然環境」ではなく、「主体的な人間存在の表現」であり、「構造契機」であると、まずは「序言」で明言する。

彼がこの「風土性」という概念を発明する契機となったのは、一九二七年ベルリンでハイデガーの『有と時間』（和辻の表記に従う）を読んだことだと言う（またもやハイデガーだ！）。ハイデガーが人間の根源的な存在構造として時間性をかくも徹底的に追究しているにもかかわらず、どうして空間性を同様の重要性をもって論究しないのか。しかもハイデガーは人間存在を主に「個人」の相でのみ見ていて、「個人的・社会的なる二重構造」において見ていない。人間存在の構造は、時間性が空間性と相即する時、そして（その社会的展開である）歴史性と風土性が相即する時、初めて十全に明らかにされるのではないか。そうしたハイデガーへの、そして自身への問題提起が、「風土性」という概念の発明へと、和辻を突き動かしたのである。[1]

では、「風土」とは、具体的にどういう事態か。[2] それは、まずはある土地の気候、気象、地質、地味、地形、景観などの総称と言いえるが、決して単なる「自然現象」ではないと言う。では何か。和辻は「寒さ」を例にとり説明する。「寒さ」とは、「物理的客観としての寒気が、我々の肉体に存する感覚機管を刺激し、そうして心理的主観としての我々がそれを一定の心理状態として経験すること」、ではない。寒さを感じる前に寒気という独立の有を知ることは不可能であり、我々は寒さを感じることにおいて寒気を見出す、と言う。さらに和辻は言い換えて、我々という「主観」、寒気という「客観」を区別すること自体が誤解であり、我々は寒さを感じる時、我々自身はすでに寒さの中へ出ている、と言う。（ハイデガーの「世界-内-存在」ならぬ、「風土-内-存在」であろう。）

しかも、風土において、我々は「我れ」ではなく、あくまで「我々」である。

> 寒さの中に出ているのは単に我れのみではなくして我々である。否、我々であるところの我れ、我れであるところの我々である。「外に出る」ことを根本的規定としているのはかかる我々で

あって単なる我れではない。従って「外に出る」という構造も、寒気というごとき「もの」の中に出るより先に、すでに他の我れの中に出るということにおいて存している。これは志向的関係ではなくして「間柄」である。だから寒さにおいて己れを見いだすのは、根源的には間柄としての我々なのである。

人間の根源的な存在構造は時間性と空間性の相即である。しかし、その相即は「我れ」という個人におけるそれのみならず、その社会的展開である「我々」における歴史性と風土性の相即をも意味する。「従って歴史と離れた風土もなければ風土と離れた歴史もない」のであるところで、和辻の「風土」論が、人間を「歴史－内－存在」と相即する形で「風土－内－存在」と規定するからといって、それは決して単なる「環境決定論」ではない。彼ももちろん、多様な風土的負荷が人間に作用を及ぼすことを認める。

このような風土的負荷は我々の存在の内にきわめて豊富に見いだされる。晴れた日の晴れ晴れしい気持、梅雨の日の鬱陶しい気持、若葉のころの生き生きとした気持、春雨のころのしめやかな気持、夏の朝の清々しい気持、暴風雨の日のすさまじい気持、恐らく我々は、俳諧において季を持つあらゆる言葉をあげても、なおかかる負荷を尽くし得ぬであろう。かくて我々の存在は、無限に豊富な様態をもって風土的に規定せられることになる。

しかし、と和辻は強調する。我々の存在はただ風土的負荷を負うだけでなく、また「自由」でもある。「すでに有ることでありつつあらかじめ有ることであり、負荷されつつ自由である、というところに、我々の存在の歴史性が見られる。」過去の歴史と風土に負荷されつつ、それを未来に向けて作り直していく「自由」をも、我々人間は併せもっていることを力説するのである。

風土の「三つの類型」、そして日本的風土性

こうして、和辻は、この著の第一章にあたる「風土の基礎理論」を元にして、世界の風土を「三つの類型」に分けて論じていく。有名な「モンスーン」、「沙漠」、「牧場」の類型である。風土としての「モンスーン」は、何よりも暑熱と湿気との結合として特徴づけられる。その湿潤は、自然の豊かな実り・恵みをもたらすと同時に、大雨、暴風などの抗い難い脅威ともなりうるがゆえに、住む人々に「自然への対抗」を呼び覚まさない。「モンスーン」的風土に暮らす人間は、したがって、「受容的」であり「忍従的」な特性をもつ。(3)

それに対し、「沙漠」という風土は、その極端な乾燥ゆえに、絶えず人間の生を脅かし、死をもたらしうる力を蔵している。したがって、その風土に暮らす人間は、自然と「対抗的」「戦闘的」関係をとらざるをえず、しかも個人ではその過酷さに太刀打ちできないがゆえに、自然との戦いは「共同態」として行わざるをえず、さらに、たとえば一つの井戸が他の部族の

手に落ちることは即自らの部族の存続の危機を意味するがために、他の部族とも「対抗的・戦闘的」関係をとらざるをえない。「沙漠」で誕生した唯一絶対なる人格神は、この「自然と対抗する人間」の全体性の自覚化であり、人間たちはそれへの絶対的服従を宿命づけられたのであった。(4)

第三の「牧場」は、何よりもヨーロッパの風土であり、乾燥(夏)と湿気(冬)の綜合・弁証法である。その根源はギリシアにあり、陰がなくすべてが露わな「真昼」のごときギリシア的風土が、従順で明朗で合理的な自然という見方を育み、人間による自然の支配と、自然との戦いからの人間の解放を可能にし、ひいては人間活動の激成を可能ならしめた。奴隷のおかげで労働からも解放された市民たちは、何よりも「観る」ことに喜びを覚え、数々の芸術的・知的創造を成し遂げた。純粋な「観」としてのtheoria《テオリア》は、その精髄であろう。

このギリシア的風土性が、古代ローマのポリスの「統一的」巨大化を通して、西欧へと伝播し、元々夏季の乾燥ゆえ雑草が少ない従順な自然の支配を可能ならしめ、しかしながら日光に乏しく雨の多い冬季の「陰鬱」が、内面への沈潜をもたらし、その深みと抽象への傾向が、沙漠=土地からの抽象を特性としたユダヤ教的精神性と共鳴して、人格的な唯一神への信仰を西欧人の心に深く根付かせることになった。(5)

こうして、和辻は、風土の三つの類型を論じた後、モンスーン的風土の特殊形態として、シナと日本を論じる。和辻は、日本的風土の特性をどのように捉えるのか。

日本人も、モンスーン的風土性を共有しているがゆえに、基本的に「受容的」であり「忍従的」である。[6] しかし、そこに、日本列島に固有な地理的・気象的条件が重なることにより、「熱帯的／寒帯的」という二重性格（稲／麦に代表される）と、「季節的・突発的」という二重性格（台風に代表される）が付加される。結果、日本人の性格、存在の仕方が、以下のごとき、複雑に転変する様相を呈することになる。

そこで日本の人間の特殊な存在の仕方は、豊かに流露する感情が変化においてひそかに持久しつつその持久的変化の各瞬間に突発性を含むこと、及びこの活発なる感情が反抗においてあきらめに沈み、突発的な昂揚の裏に俄然たるあきらめの静かさを蔵すること、において規定せられる。それはしめやかな激情、戦闘的な恬淡である。これが日本の国民的性格にほかならない。

その「しめやかな激情」を象徴するものこそ、豪奢なる桜が風に舞い散る様に心震わす情緒であり、「戦闘的な恬淡」の顕著な現れが、闘争における生への執着から生の超越にまで高まる淡白なる自死である。

この「しめやかな激情」と「戦闘的な恬淡」は、男女の恋愛においても典型的に現れる。その極点である「情死」こそ、台風的激情性の只中での静かなあきらめ、生命の否定における恋愛の肯定をしめやかに成就する行いなのである。

（この後、和辻は、恋愛の延長線上に、「しめやかな激情」と「戦闘的な恬淡」の家族的な「間柄」における実現として、日本的「家《うち》」の特殊性を、ヨーロッパとの比較により描き出す。「家の家」としての天皇制＝国家論を含め、微妙な政治思想的問題を孕んだその論もまた興味深いが、ここではGEIDO論の展開をさらに進めるためにその検討は割愛したい。）

私は、先に、フランスのマクロン大統領を初めとした欧米の各国首脳による新型コロナウイルスとの「戦争」というメタファーに、曰く言い難い違和感を覚え、そこから人類と自然との別様の関係の可能性を模索してきた。

和辻による風土の「三つの類型」論、そして日本的風土性の定義からすると、私たちは、ウイルスとの「戦争」、さらにはハイデガーの「大地と世界の闘争」をすら、「沙漠」的風土、そしてそれに精神の深みで共鳴した「牧場」的風土、すなわちヨーロッパ的風土における、人間と自然との「戦闘的・対抗的関係」に帰すことができるのだろうか。そして、それに対する私自身の曰く言い難い違和感を、「日本の国民的性格」、すなわち「しめやかな激情」と「戦闘的な恬淡」による自然との「情死」に起因すると言いうるのだろうか。しかし、和辻自身も言うように、人間は、そうした風土からの「負荷」を被る存在であるとともに、そこから「自由」ともなりえる主体性を兼ね備えた存在なのではないか。ということは、「沙漠」や「牧場」の民も、そして特殊に「モンスーン」的民も、各々がその歴史的負荷とともに風土的負荷を被りつつも、その負荷に抗い、そこから自らを振り解きつつ、新たな歴史と風土を創造する可能性も宿しているのではなかろうか。その可能性の一つが、もしかすると、私がとりあえずGEIDOと呼んでみたいものなのかもしれない。その可能性を探るためにも、私はさらに『風土』の第四章「芸術の風土的性格」を検討してみたい。

幾何学と「気合い」

和辻は、芸術を風土論的視点から考察する。ヨーロッパと日本の芸術を比較し、その風土的異なり方を明らかにしていく。(7)

ヨーロッパの芸術の原理は、何よりも「秩序から美が出る」ことであり、従って美とは「感覚的なるものにおける『論理的なること』の現われ」であり、芸術とは「調和的な世界連関の感覚的現わし」となる。だから、ヨーロッパの芸術家たちは、作品の「まとめかた」において美的形式原理の普遍妥当性を求めた。

しかし、と和辻は念を押す。ヨーロッパの芸術の偉大な源泉の一つ、古代ギリシア芸術は単に模範的な「まとめかた」を追求したわけではなかった。例えばギリシア彫刻の逸品においては、内から盛り上がるいのちの起伏と、シンメトリーや比例との結合こそが、その力強い美を生み出していた。この「内なるものを外にあらわにする」ことこそ、ギリシア彫刻の優れている由縁であった。ところが、古代ローマによるその「うつし」、模造ではこの原理が失われ、シンメトリーや比例という幾何学的形式のみが内なる生命から切り離され、その後特にルネサンスとともに、この数学的側面のみを強調することになり、それが近代ヨーロッパ文化の特殊性を形成した、と和辻は断定する。

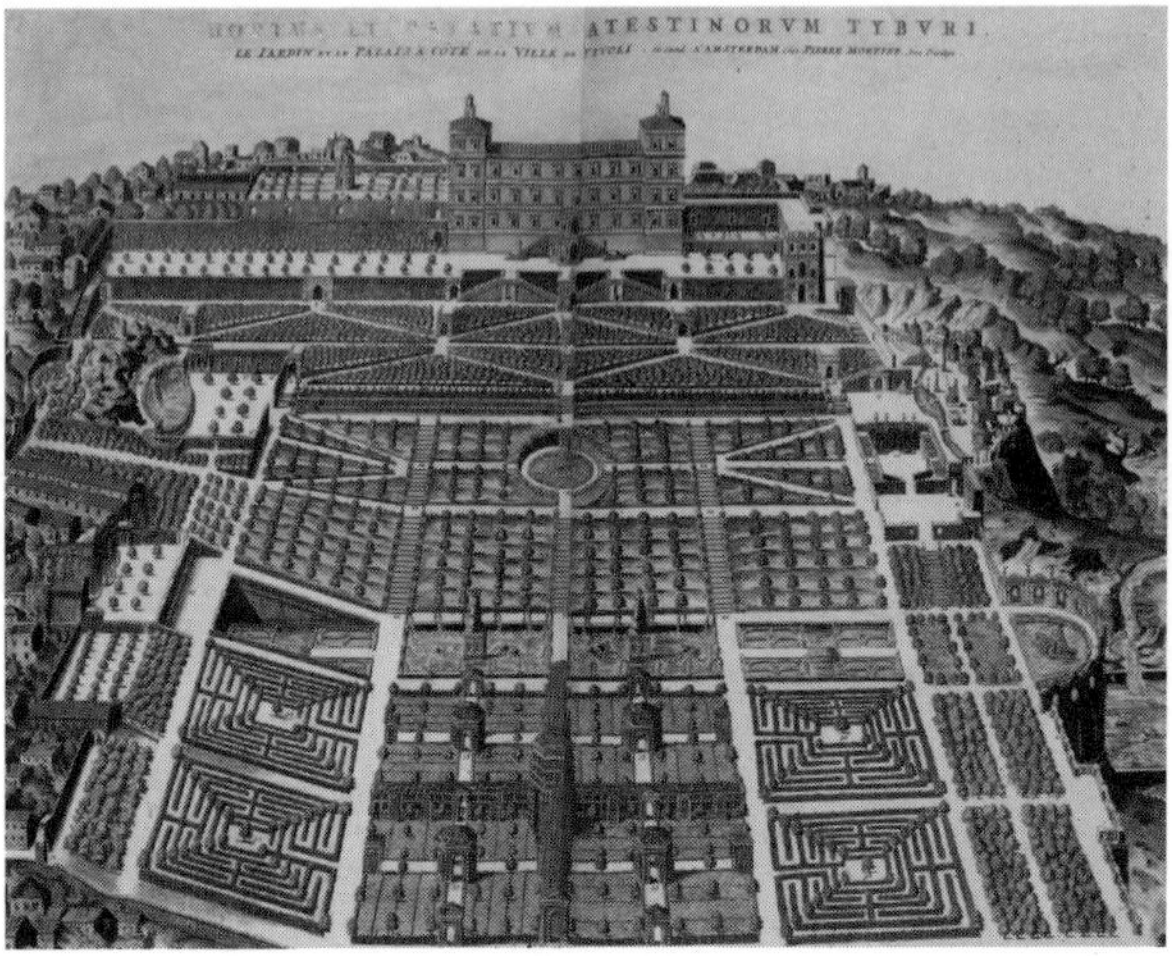

エステ家別荘の庭園（16 世紀の版画）

では、それに比して、東洋の芸術、なかんずく日本の芸術はいかなるものなのか。そこにもある種の「まとまり」はあるが、その規則は明らかに数量的関係ではない。では、何か。

この問いへの橋渡しとして、和辻は「庭園芸術」を例に取る。

ギリシアのポリス、劇場の多くは、美しい見晴らしをもった場所に位置している。そこからしても、ギリシア人たちにとって、風景の美しさが欠くべからざるものだったことがわかる。ただし、彼らは、その風景を「庭園」として理想化しようとしなかった。

ローマ人たちは、古代ギリシアから劇場などの文化を受け継ぎつつも、風景の美を顧みることなく、自然を支配する人工の力に喜びを見出し、それを「庭園」という形に結晶化した。しかし、そこでは、ローマ郊外ティヴオリの有名なエステ家別荘の庭園などに典型的に見られるように、人工的な幾何学的な形が自然の美を殺している、と和辻は診断を下す。

では、それに比して、日本の庭園は如何。それは何よりも、「自然の美の淳化・理想化」である。が、それは単に「自然のまま」ではない。人工を自然に従わしめることこそ、日本の庭園の精髄だと言う。「自然を人工的に秩序立たしめるためには、自然に人工的なるものをかぶせるのではなく、人工を自然に従わしめねばならぬ。人工は自然を看護することによってかえって自然を内から従わしめる。」

和辻は、大徳寺真珠庵方丈の庭などを例にとり、その杉苔の「看護」の様をこう語る。（ちなみに真珠庵は一休の創建、方丈の庭は村田珠光作とされる。）

> しかしこの杉苔は自然のままではこのように一面に生いそろうことのないものである。それはただ看護によって得られた人工的なものにほかならぬ。しかもこのように生《お》いそろうた杉苔は刈りそろえられた芝生のような単純な平面ではない。下より盛り上がって微妙に起伏する柔らかな緑である。その起伏のしかたは人間が左右したのではない自然のままのものであるが、しかし人間はこの自然のままの微妙な起伏が実に美しいものであることを知って、それを看護によって作り出したのである。

そして、この「微妙に起伏する柔らかな緑」を刻む堅い敷石との関係、ある種の「まとま

提供：京都春秋

大徳寺真珠庵方丈の庭

り」は、もちろん幾何学的な比例などではなく、いわば「気合い」とでも言うべきもので達成されている。人と人とが「気が合う」ように、苔と石、石と石との間も「気が合って」いる。この「気合い」によるまとまりこそが、日本の造園術のみならず、芸術全般の規則なき規則を成している、と和辻は見てとるのである。

幾何学的規則によるまとめかた、そして「気合い」によるまとまり。人工による自然の支配と、人工の自然への従属。ヨーロッパの芸術と日本の芸術の風土性は、かくも対照的に異なる。しかし、私たちは先に確認した。人間は、ということはもちろん芸術家もまた、風土的負荷を被りつつも、そこからの「自由」を主体的に求めることができる。私たちは、和辻が船や列車で旅したように、ある風土から別の風土へと旅することができる。そうして、徐々に、あるいは突如として、己れの出自の風土的拘束から「自由」になる。そして、未知の風土を発見する。自然に従順だった者も、自然と闘う術を知る。逆に、自然と闘い支配することしかできなかった者も、自然の懐に身を委ねる喜びを知る。そうした、風土横断的な旅から、それまで本人も、そして誰も知らなかった風景が立ち上がってくるのかもしれない。

第三風景としての新しい庭

「新しい庭は人間なしでつくられるのか?」そう自らに、そして読者に問いかけるフランス人庭師がいる。ジル・クレマン。ローマ人たちの人工の力の美学を継承し、それを「庭」という形でものの見事に花開かせたこの国で、こう問いを発する庭師は、「新しい庭」を、ことももあろうか「荒れ地」から発想する。「荒れ地」こそ、「わたしたちが必要としている新しいページなのではないだろうか?」と。(8)

和辻も説いていたように、ヨーロッパにおいて、庭、庭園は、イタリア式庭園やフランス式庭園を典型とするように、人間による自然の征服の象徴の一つであった。だからフランスのような「文明国」では、放棄された「荒れ地」は、人間＝文明人の「恥」であり、自然に対する「深刻な敗北」を意味した。だが、人間による自然の支配が大きく揺らいでいる今こそ、こうした固定観念を大きく転換して、「荒れ地」――この「滅びゆくこととは無縁であり、生物はそれぞれの場所で一心不乱に生みだし続けていく」土地を、「新しい庭」への実験場としなくてはならない。(9)

しかし、それは「新しい庭」から人間を排除することを意味しない。これまでも植物は、そ

デルボランス島

の種は、風や動物を介して、地球上のいたるところからいたるところへと旅してきた。その惑星規模の混淆、「組み合わせのゲームのなかで、人間という媒介者は最良の切り札」なのだ。だから、「荒れ地」、この「組み合わせゲーム」＝混淆の旅の一中継地を出発点として、庭師は、「植物の自然の流れにしたがい」、「場所に命を吹き込む生物の流れに入り込み」、自然と人間が共に「存在することのある種の幸福」を、「新しい庭」として翻訳する務めを担うのである。[10]

そうした「新しい庭」の実験の一つを、クレマンはフランスのリールで行った。都市の大規模再開発地の只中に、周りを高層ビルに囲まれながら、「デルボランス島」という「荒れ地＝庭」を（自然とともに）作りだした。高さ約七メートルの壁を巡らせたその上部に約二五〇〇㎡の土地が広がるが、そこに登る階段はどこにもない。年二回植生調査のため人が立ち入る以外、誰も入り込むことのできない「庭＝荒れ地」なのである。この人間、文明にとってのあからさまな「恥」を、リール市長は当然のことながら「視覚的汚染」と形容して、撤去を求めた。[11]

それはまさに、クレマンが「第三風景」と名付ける「人間が風景の進化を自然だけにゆだねた空間」を、大都市の只中に設えた「新しい庭」の試みだった。[12] 確かに、この「庭」には人間が立ち入ることはない。その意味では、人間が一切介入しない「ありのままの自然」が展開しているようにみえる。しかし、そこに吹く風、そこを訪れる鳥たち、そしてそれらに運ばれてくる種子たちは、周囲の都市的・建築的コンテキストに必ずや干渉されているはずだ。そもそもこの「手つかずの自然」のような空間を構想し施工したのが、クレマンを始めとした人間たちに他ならない。クレマンは、「生きているもの（vivant）」と、それによって作られる庭をこう捉えている。「わたしが言うところの生きているものとは、多様な自然と数多くの人類を同時に含んでいる。庭は『自然』の創造性に『人間』の技を組み合わせる。[13]」

この「第三風景」としての「新しい庭」は、惑星規模の混淆のネットワークの一中継地である。が、そのネットワークには「最良の切り札」としての人間もまた介在しているがゆえに、（我々がここまで参照してきたクレマンの訳者であり研究者である）山内によれば、そこに「美的次元」や「文化的次元」がもたらされると言う。「惑星規模で撹拌された生態学的な環境のなかにクレマンが見いだすのは、新しい風景なのである。つまり惑星規模の撹拌は、実際の風景をつくりかえることで、生態学的事実と同時に美的次元にも作用している。〈動いている庭〉では、植物は生態学的環境にしたがって移動することで、時間的堆積という感覚できないものを形態として可視化していた。同様に〈惑星の庭〉においても、植物はより遠くへと移動し、あるいは人間によって移送されることで、惑星規模の撹拌という感覚できないものを風景や庭のなかへと、つまりロジェが言う意味での文化的次元へともたらす。[14]」

そしてまた、この「第三風景」としての「新しい庭」は、「準庭園」に留まりつづけることにより、世界の「庭園化」に抵抗し、政治的次元をも切り開くのである。[15]

確かにそうなのかもしれない。しかしながら、思うに、この政治的次元の切り開きも、世界の「庭園化」への抵抗と言う視点からは両義的と言わざるを得ないのではないか。つまり、「準庭園」としての「新しい庭」は、デルボランス島のように、「庭園化」の只中に置かれた場合、それに抗う「抵抗」の仕草を演じうるが、一方そこへと風をもたらし種をもたらした主要因の一つが「庭園化」それ自体であり、さらには資本主義的に高度に発達した交通網やインフラ網でもあるからだ。「美的次元」もだから、少なくともその幾ばくかは資本主義的文明による「庭園化」の美的欲望に負わざるを得ないのではないだろうか。惑星の庭を作り出す地球規模の撹拌はだから、「新気候体制」(ブルーノ・ラトゥール[16])という脅威の幾ばくかをも肯定してしまう危険性を孕んでいるとは言えないか。

人間は松になれるか?

ところで、山内は、その庭師でもある経験に裏打ちされた、庭の松についての興味深い小論を書いている。[17]

伝統的な日本庭園の主要素の一つである、奇妙な形にうねり捩れた老松。山内はなぜ、「自然樹形ではきわめて直線的に伸び、幾何学的に枝葉を展開していく」はずの松がそのような異形を成していくのかを、理論的・体験的に問うていく。

山内は、古来の作庭書を繙きながら、日本の庭園は基本的に海景を見立てていて、奇妙に捩れた老松も、長年強い潮風や荒波を受けながら抗い変形し、辛うじて生き延びてきた松を模し仕立てた姿ではないかと推論する。

こうした野生と仕立てが互いを含みあう相互交雑の過程を考慮に入れるならば、庭の松の姿の念頭に置かれている荒磯の松の姿とは、技術に媒介された人為的野生とでもいうべきものであり、文字通り野生でありながら仕立てられている。他方、荒磯の松の姿の念頭に置かれている庭の松の姿とは、野性的人為とでもいうべきものであり、高度につくり込まれていながら野生のものなのだ。私たちはこうした重層的な相互包摂過程の圧縮体として、奇形化した庭の松に野生を見、奇形化した岸壁の松に仕立てを見る。

この松と庭師の、野生と仕立ての相互交雑・包摂。山内は、その相互作用をさらに深掘りし、奇妙なことを言い出す。

しかしながら仕立てられた松の姿が、海景に点在するいびつな松の姿を畳み込んでいるとすれば、古葉を落として枯枝を折りとり、枝を透かす庭師の技術は、海岸の潮風や塩害、ひいては大波や台風にも見立てることができる。庭師が自然物としての松の本性を別様に展開させ、仕立てていくとき、庭師は松の性質を理解するだけでなく、その性質につき従う必要があるからだ。それゆえ同時に、松は自らに触れる人間の本性を別様に展開させ、自らの植物的性質に巻き込むことで庭師を自然現象に仕立てるだろう。庭師は松を仕立てているようでいて、松に仕立てられもする。

ここで山内は、非常に特殊なことを言っている。おそらくは通常のヨーロッパの庭師には（クレマンはどうだろうか?）到底理解できない、どころか感覚的にも経験不可能であろう、しかし山内を含め日本の多くの庭師にはむしろ自明かもしれない体験、すなわち「松になる」という体験であり技である。松を仕立てる庭師は、自らが仕立てつつも、やがて松をそういう形へとあらしめた松自体の植物としての特性、そして強風や荒波や急崖などの物理的・生物的理《ことわり》へと、巻き込まれ仕立てられて、いつの間にか荒磯に揉まれる松そのものになりきるのではないか。庭師は、松の内在的強度と、それを誘発する環境的交響体へと「生成変化」することで初めて、仕立てられ／仕立てる「共演」としての「庭」が励起してくるのではないか。

そして、この人間の自然への生成変化と自然の人間への生成変化、その目眩《めくるめ》く相互換入は、何も松や庭の仕立てにとどまらず、日本の多くの職人芸や藝道に共通した原理であり動力であろう。それは、「共生」という言葉が通常惹起する何やら予定調和的な関係性ではなく、むしろ一期一会の真剣勝負、しかし決して「戦争」などではない、（和辻の「気合い」ならぬ）「合気」の一番であろう。

風土化から脱風土化へ

フランスの風土学者、オギュスタン・ベルク。彼は『風土学はなぜ　何のために』[18]の中で、自己の学の生成――この（彼によれば）少なくともヨーロッパの「近代」的学問の限界を乗り越える可能性を提示する独創的な学、すなわち「風土学（mésologie）」の生成を、個人史的に振り返っている。

ヨーロッパ的学問の土壌で自己形成したベルクに、その学的方向性を大きく変更させたのは、何よりも日本文化との出会い、なかんずく和辻哲郎の『風土』であった。ベルクは、西田幾多郎など他の（主に京都学派の）哲学をも批判的に読解しつつ、またヤーコブ・フォン・ユクスキュルの「環世界」論やハイデガーの存在論に触発されながら、（歴史性とともに）人間存在の構造契機の一つと彼がみる「風土性」の生成メカニズムを「通態化（trajection）」という新しいコンセプトとして練り上げていった。その最初のステップ・定式化が、r = S/P,「現実（r）は、PとしてのSである」だ。Sは命題における主語（Sujet）、Pはそれについて言明される述語（Prédicat）であり、現実（réalité）がrと小文字なのは、それが近代科学の前提とするような即自としての絶対的実在Réalitéではなく、人間が世界と関わる時につど生起する相対的な現実であるからだ。例えば、私が「これは庭である」と言う。その時、「これ」という主語が意味するものは物理的に存在するが、それは同時に私にとっては、生態的（多くの植物動物が織りなす）、技術的（人間の造園術が作り出す）、そして象徴的（「庭」という言語・概念として規定される）現実＝rとして立ち現れる。このr = S/Pという過程、すなわち現実＝風土が主体sujetと客体objetの間に、「／」としてそれらを横断して生成されてくる過程・メカニズムを「通態(trajet)」ないし「通態化(trajection)」と、ベルクは名づけたのである。

しかも、この風土の生成＝通態化は、一回限りのものではない。次の時代の庭は、この時代の庭を前提として造園されるだろうし、その次の時代の庭も同様であろう。そうした「通態的な連鎖(chaîne trajective)」が庭の「歴史」を作っていくのであり、それはもちろん「庭」に限らず、人間の作り出すあらゆる事象＝風土についても言いうるだろう。それを定式化すれば、((S/P)/P')/P''…となる。

これが、ベルクの把捉した風土性・通態性の最初のステップ・定式化だとすれば、第二のそれは、r = S-I-Pである。第一の定式とどう違うのか。新しい要素Iは「解釈者(Interprète)」である。風土r = S/Pは、その生成に関わる特定の人間＝Iいかんによって、そのつど立ち現れ方を変える、ということである。近代科学は逆に、このIを捨象する、すなわちカッコに入れ、普遍的な虚視点――ブルーノ・ラトゥールが「どこからでもない視点」または「シリウス的視点」と言っていた視点[19]――で置き換え、S-Pという二元論で世界をことごとく解釈しようとした。それに対し、風土学は、解釈者IをS-Pの対から締め出すことで満足する狭い合理主義に代えて、より豊かでより正統的な理性をうちだす。それは、S-I-Pの三つ組を成す具体的な現実を考慮に入れ、実際は「SはIにとってPである」と認識する理性である。風土の具体的現実において、水は単なるH_2Oではけっしてない。水は、エチオピアの農民にとっては恵みの雨、エロー川流域の住民にとっては破滅的な洪水、人がその上で転倒する雨氷、夕空に浮かぶ飛行機の航跡、等々である。すなわち、水（S）は特定の解釈者（I）によって、そのつど何かとして(S/P)、つねに通態化されるものである。[20]

そしてベルクは、近代（科学）が称揚したS-Pという二つ組＝抽象を、緊急にS-I-Pという三つ組に置き換えねばならないと言う。なぜなら、

> 人間主体（I）は、その科学と技術がつくり出した客体的世界から自己を引き離したおかげで、自分自身を抹殺しかねない危機に瀕しているからである。それが実際のところ、人間が自己の風土《エクメーヌ》を支える生命圏を荒廃させながら、行ってきたことなのだ。われらの栄えある人新世《アントロポセン》は、短命に終わりそうだ。というのも、人類の歩みは、地球上で六度目の生命大消滅に赴きそうな勢いだから。[21]

だから、風土学としての最終的な定式は r = S-I-P であり、その通態的連鎖である ((S-I-P)-I'-

P′)-I″-P″)-I‴-P‴…となる。

この定式の連鎖は何を意味するのか。

述語的審級（人間主体、より一般的には生物主体）が、通態化によって、IからI′、I″、I‴等々へと進化し、それにつれて環世界の現実も、S/P, S′/P′, S″/P″, S‴/P‴等々へと進化する、ということを。風土学にとって、そういうことが進化と歴史の根本的論理であり、それは偶然《アザール》と必然を、偶然性《コンタンジャンス》と主体性に置き換えるということである。われわれは、「より秩序立てられた方向（過去）から、より秩序立てられない方向（未来）に向けられた矢」において、地球におけるもっぱら物理的な決定から徐々に進み、生命圏における拡大する自由を経て、風土における人間主体の自由意志に到達する。[22]

この、ベルクの風土学的達成は、まさにヨーロッパの「牧場」的な学的風土による「負荷」を負いながら、日本という「モンスーン」的風土の特殊形態に出会うことにより、半ば「自由」となり、その新たに自己形成したIによって、自らが出来した学的風土を「通態」的に書き換えた結果得られたものに他ならない。だからこそ、その新たな学的風土は、西欧「近代」の科学・哲学が前提する理論的構え（S-P）に対しある種の批判力を蔵することができただろう。しかし、その西洋的二元論の〈脱中心化〉は（訳者の木岡伸夫も言うように[23]）、おそらくはハイデガー（またも！）との学的再会により、Sとしての「大地」とPとしての「世界」との「闘い」へと〈再中心化〉され、西洋形而上学的伝統に再び自らを繋ぎ直した、と言わざるを得ない。

〈再中心化〉において、ベルクの風土学は、少なくとも二つの限界を露呈する。

まず、確かに、最後の通態的連鎖の定式化が示すように、その通態化の歴史は、S-I-Pが常に次代のS'-I'-P'を生み出しつづけることによって限りない「進化」を遂げてきた。そしてベルク自身「最初のSについては何も言えない（なぜなら、Sは定義上、すでにS/Pへと通態化されているからだ）」としながらも、「最初のS」を自己同一的な根源的存在として措定し実体化することをやめない。しかし、先の通態的連鎖を表す定式は、その論理に従う限り、未来へ向かって無限に「進化」していくのと同様、過去に向かってもやはり無限に遡行しうるはずだ。と言うことは、「最初のS」のみならず、「最初のS-I-P」というもの自体が「在る」とも「無い」とも言えないのだ。ベルクが、そこから〈脱中心化〉の契機を得た和辻や西田の哲学は、故にそれを仏教的な「空」と観じた。が、〈再中心化〉したベルクには、それが「神秘的・宗教的跳躍」と見えたのだ[24]。しかし、ベルクの通態的連鎖の論理に忠実に従う限り、逆に「最初のS(-I-P)」を自己同一的な実体と前提してしまうこと自体が、論理的かつ理論的な「跳躍」と言わざるを得ないだろう。

もう一つはなぜ、ベルクには、「最初のS(-I-P)」を「空」と観じること、「有」とも「無」とも断じることなく、その〈あいだ〉の境位をそのままに観じることが「宗教的・神秘的跳躍」としてしか映じなかったのか。それはおそらく、ベルクに坐禅ないし瞑想の経験が少なくとも

「空」を観じるほどにはなかったからではないか。
先に引用した文に続き、ベルクはこう書く。

つづいて、Iの主体性は、連鎖を重ねるごとに、現実へとよりいっそう浸み込んでゆく、ということを。つまり、S/Pの関係よりもS'/P'の関係に、よりいっそう主体性が浸透する。なぜなら、S'はIによるSのPとしての解釈にほかならないからだ。同じ理由から、S'/P'よりもS''/P''に、よりいっそう主体性が浸透する。以下、同様である。いいかえれば、風土はよりいっそう人間的となり、犬の環世界はますます犬的に、猫の環世界はますます猫的になる、等々といった次第で、こうした事実の全体は、いっそう「環境」に還元できなくなる。これによって、各々の環世界・風土には、そこに存在するものが人間主体であれ、人間以外の主体であれ、それぞれに固有の風土性《メディアンス》（環世界性）が生じる。[25]

人間を含めた生物種それぞれは、こうして進化するとともに、ますます「主体性」を浸透させ、固有性を増していくのかもしれない。人間はますます「人間」的に、犬はますます「犬」的に、猫はますます「猫」的になっていくのかもしれない。しかし、少なくとも人間は、こうして「進化」するだけでなく、（第3章で見たように）ある種の行、例えば瞑想や（踊躍）念仏によって、この通態的連鎖を遡行する、「脱通態化」することもできるのだ。そうした行は、（ベルクの定式に則るなら）先代のS-I-Pに「'」を加える行為ではなく、逆に先代の「'」を取り去る行、先代のみならず、行の深まりとともに、先々…代の「′」を次々と取り去り、先々…代のS-I-Pへと限りなく遡行していく身心的プロセスであろう。それは、だから、Iによる「として」＝「／」を次々と脱ぎ捨て、Sを脱風土化＝脱「人間」化していく過程でもある。それはだから、より「人間」でないものに「なる」過程に他ならない。「文明人」が「野生人」へと、「動物」へと、「植物」へと、「分子」へと生成変化していく過程だ。まさに、庭師が松になり「仕立てられ」ていく過程、踊る時衆が畜生になる過程、瞑想する行者がカラーパになる過程だ。私たちが、これまで「分子」から「人間」まで通態化してきた無数の風土を無限に遡り、それらの風土的負荷から次々と「自由」になり、大地へと、ガイアへと、尽一切へと転生していく過程だ。しかも、GEIDOは、ただ生成変化、「なる」だけでなく、「なり」ながら「観る」、「観」ながら「なる」、しかもその「なる／観る」という無限の遡行を、「還帰」しながら軽やかに自在に「遊ぶ」行であり藝＝GEIでもあるのだ。

第6章　GEIDOの「美」学に向けて——九鬼周造をめぐって

ディスタンスの美学

「こちらでお待ちください」、「間隔を空けてお並びください」、「離れて！　2M」といった表示が、人と人とを隔てる「⇔」や床に貼られた靴底のサインとともに、社会のいたるところに氾濫している。

ソーシャル・ディスタンス。

コロナ禍以前は、社会学において、人間同士の物理的ないし空間的距離というよりむしろ社会的な親密さ・疎遠さの度合いを意味していたはずの概念が、この国ではなぜか感染症学的に翻案され、「社会的」というよりむしろ（二メートル以上という）いたって具体的な物理的距離を指し示すようになった（後者は英語でむしろ social *distancing* と呼ばれる）。

もちろん、これらの表示だけではない。マスクやフェイスシールド、あるいはビニールのカーテンやプラスチックのボードで、私たちは無粋にも互いに互いを隔て遠ざけて、他者への社会的不信感を募らせている。そうかと思うと、（ウイルスにとっては人間の「家族」や「恋人」などといった概念は無関係であるにもかかわらず）、一たび自宅の玄関を開ければ（もちろん手洗い・うがいを済ませた後）、もはやマスクをせず、二メートル以上も空けず、いわんやビニールのカーテンやプラスチックのボードで互いに隔てることなく、コロナ禍以前のままに、会話をし、食事をし、日々の営みを送っているだろう。（私もそうだ。ただし自宅でも「ソーシャル・ディスタンス」対策を講じている家族もいるかもしれないが…。）

言わずもがなだが、家族や友人間の「距離」も、国や民族により実に様々だ。この国では、非常に多くの場合（恋人同士の振る舞いや乳幼児・要介護者のケアなどを除くと）、日常の身体的接触は稀だ。それが、たとえばヨーロッパのラテン諸国や中南米などでは、親しい者同士のハグやキスは、それこそ日常茶飯事、コミュニケーションの基本中の基本である。

しかも、日本人は、他者への距離の取り方に一際繊細な感性をもつだけでなく、その取り方自体を一つの美意識にまで、「いき」という美学にまで高めた、と唱えた哲学者がいた。九鬼周造である。彼は、主著の一つ『「いき」の構造』の「序」で、こう書く。「『いき』とは畢竟《ひっきょう》わが民族に独自の『生き』かたの一つではあるまいか。[1]」そして、こう問う。「問題は畢竟《ひっきょう》、意識現象としての『いき』が西洋文化のうちに存在するか否かに帰着する。しからば意識現象としての『いき』を西洋文化のうちに見出すことができるであろうか。」そして、こう結論づける。「『いき』の核心的意味は、その構造がわが民族存在の自己開示として把握されたときに、十全なる会得と理解を得たのである[2]」、と。

八年に及ぶヨーロッパ遊学中に、ハイデガー、ベルクソン、サルトルといった名だたる哲学者に私淑し、帰国後は京都大学で哲学を講じつつ、祇園に通いつめた九鬼にとって「いき」とは何だったのか？「距離」とは、「距離の美学」とは何だったのか？

「いき」の内包的構造と外延的構造

九鬼は、『「いき」の構造』の課題が、「いき」という「現実をありのままに把握すること」、そしてその「味得さるべき体験を論理的に言表すること」にあると言う[3]。そのための次序として、まず「意識現象」としての「いき」を会得し、しかるのちに「いき」の「客観的表現」、すなわち自然形式としての身体的表現と、芸術形式としての表現の理解に進まなくてはならない、と注意する[4]。

さらに、意識現象としての「いき」もまた、その十全なる理解に至るためには、その「意味内容を形成する徴表を内包的に識別」する、しかるのちに「類似の諸意味とこの意味との区別を外延的に明らかに」する、つまりは「いき」の「内包的構造」と「外延的構造」を共に闡明《せんめい》することが肝要だと説く[5]。

まずは、「いき」の核を形成する「内包的構造」から見ていこう。その構造は、三つの徴表から構成されている。媚態・意気（地）・諦めである。

「いき」の内包的構造の基調ともいいうる第一の徴表＝媚態とはいかなる事態か。(6)それは「二元的の自己が自己に対して異性を措定《そてい》し、自己と異性との間に可能的関係を構成する二元的態度」である。が故に、自己と異性が完全なる合一を遂げ、二元的可能性の緊張を失う時、自ずから消滅する類のものである。だから、「距離を出来得る限り接近せしめつつ、距離の差が極限に達せざること」である。媚態の要は、まさに、距離の微分的強度が昂じるエロスである。

そのエロスの強度をさらに精神的に補強するのが、第二の徴表たる「意気」ないし「意気地」である。(7)それは「江戸児《えどっこ》の気概」でもあり「江戸文化の道徳的理想」の反映でもある。それはいわば、武士道の理想の江戸的翻案、「武士は食わねど高楊枝」の溌剌とした心が江戸っ子の「宵越しの銭を持たぬ」という町衆的誇りに翻訳された気構えである。その「意気地」の気構えによって、吉原の遊女もまた「野暮な大尽《だいじん》などは幾度もはねつけ」た。こうして武士道の江戸的に翻案された道徳的理想主義が、媚態のエロスの強度を「霊化」した。

「いき」の第三の徴表は、「諦め」である。(8)「諦め」とは何か。それは何よりも「運命に対する知見に基づいて執着《しゅうじゃく》を離脱した無関心」である。『諦め』したがって『無関心』は、世智辛い、つれない浮世の洗練を経てすっきりと垢抜した心、現実に対する独断的な執着を離れた瀟洒《しょうしゃ》として未練のない恬淡無碍《てんたんむげ》の心」である。それは、この世の「無常」から解脱し、涅槃へと赴こうとする仏教の世界観が反映したものと言えよう。

「いき」の「内包的構造」とは、したがって、媚態という基調を、「意気地」と「諦め」という「民族的、歴史的色彩」が規定した、三契機による三つ巴の構造に他ならない。[9] よって、「意気」を簡潔に定義づければ「垢抜して（諦）、張のある（意気地）、色っぽさ（媚態）」ということになろう。「いき」は、畢竟「実生活に大胆なる括弧を施し、超然として中和の空気を吸いながら、無目的なまた無関心な自律的遊戯」の謂い、ということになる。

次に九鬼は、「いき」の内包的構造から外延的構造の分析に移る。[10] その外延的構造を、「いき」の類義語同士の二項対立的比較から図式的に導出する。「上品／下品」、「派手／地味」、「意気／野暮」、「渋味／甘味」の意味論的比較を、ついには直六面体にまで起こし、「いき」を外延的に位置付けようとする。しかし、正直なところ、この外延的構造の分析・図式化は、内包的構造の闡明が呈する知的・感覚的触診の鮮やかさに比して、元々二項対立的論理・概念化には馴染み難い「いき」及びその類義語の意味論的「あいまいさ」を、無理に技巧的に幾何学的論理・図式に還元しようとする思考の過剰なる「形式主義」を露呈していると言わざるを得ない。（何故、この思考の過剰さが出来したのか、その理由は、先で問うことにしよう）

「いき」の自然的表現と芸術的表現

こうして九鬼は、意識現象としての「いき」を考察したのに続いて、今度は「いき」の「客観的表現」を見ていく。「客観的表現」は、「自然形式としての表現」と「芸術形式としての表現」に分かれる。九鬼はまず、自然形式としての表現から論じていくが、特にその「身体的発表」に注目する。[11]「姿勢を軽く崩すこと」、「うすものを身に纏うこと」、「湯上り姿」、「姿が細つそりして柳腰であること」、「細おもての顔」、「流眄《ながしめ》などの軽微な平衡破却」、「薄化粧」、「略式の髪結い」、「抜き衣紋」、「左褄《ひだりづま》を取ること」、「素足」、「手附」などなど。なぜ、これらの身体的発表が「いき」なのか。それは「一元的平衡を軽妙に打破して二元性を暗示する」からに他ならない。

次に九鬼は、「いき」の「芸術的表現」に移る。[12]彼によると、芸術は「客観的芸術（絵画、彫刻、詩など）と「主観的芸術」（模様、建築、音楽など）に分かれ、前者が「いき」を内容として扱うがゆえにそれを形式として客観化することにさほど関心を払わないのに対して、後者は「いき」を内容として扱う可能性が少ないために、それが形式として鮮やかに現れてくると言う。そこで九鬼は、（特に着物を想定して）模様と色に着目する。

「縞」が、それも「縦縞」が最も「いき」な模様とされる。「縞」の「永遠に動きつつ永遠に交わらざる平行線は、二元性の最も純粋なる視覚的客観化」である。そして横縞よりも縦縞の方がより「いき」であるのは、後者が平行線の二元性をより明瞭に表しているためだと言う。この最も「いき」な模様＝縦縞に比して、様々な縞（碁盤縞、格子縞、放射状の縞など）、様々な模様（曲線を有する模様、絵画的模様など）の「いき度」とでもいうべきものが測られていく。

続いて九鬼は、「いき」な色として灰、茶、青を挙げる。中でも灰色（鼠色）ほど「いき」

に適切な色はないと言う。なぜなら灰色は「諦め」の色に他ならないから。茶色もまた「いき」な色だと言う。それは、「一方に色調の華やかな性質と、他方に飽和度の減少とが、諦めを知る媚態、垢抜けした色気を表現している」から。要するに、「いき」な色とは「華やかな体験に伴う消極的残像」であり、「色に染《そ》みつつ色に泥《なず》まない」、そうした色こそが「いき」な色とされるのである。

続いて九鬼は、他の二つの主観的芸術、すなわち建築と音楽における「いき」を考察する。ここでも、「いき」の形式は二元性を表すものとされるが、茶屋建築以外は深掘りされない。

いずれにしても、見た通り、自然形式としての表現にしろ、芸術形式としての表現にしろ、九鬼による「いき」の「客観的表現」の分析は、いささか体系性を欠き、また哲学的深度にしても、「意識現象」としての「いき」、なかんずくその「内包的構造」の分析に比して、表層を突き抜けていない感が否めない。また、最も力を込めて解析する「身体的発表」や「模様」の縞にしても、須く男性が自らに対して二元的に措定する女性の纏う表現であり形式であり、逆方向のジェンダー的視線における「いき」の表明にはほとんど顧慮が払われていない。そうしたジェンダー的不均衡や論理的断片性・偏向を孕みながらも、九鬼による「いき」の哲学的分析の独創性は、これからGEIDOとの関連性から考察するように、今なお担保されていると、私は看て取っている。

ところで、九鬼自身もまた、違った視点からとはいえ、自らの「いき」の哲学の「限界」に自覚的であった。「媚態」や「意気地」や「諦め」といった「概念的契機の集合としての『いき』と、意味体験としての『いき』との間には、越えることのできない間隙がある」ことを悟っていた。だから例えば、彼がおそらくはヨーロッパ遊学中に体験したように（『「いき」の構造』の第一稿はパリで書かれた）、日本文化に無知な外国人に、「いき」の概念的分析を提示したところで、それはその外国人にとって単なる「機会原因」にすぎず、結局「いき」の意味体験の会得は、その「機会」から出発して彼自身の「内官」による「存在会得」の如何に賭けられていると言わざるを得ないことを認める。[13] とすると、こうした一東洋人による「東洋的」意味体験の、「西洋的」概念による分析は徒労にすぎないのだろうか。否、と九鬼は強調する。「意味体験と概念的認識との間に不可通約的な不尽性の存することを明らかに意識しつつ、しかもなお論理的言表の現勢化を『課題』として『無窮』に追跡するところに、まさに学の意義は存するのである。『いき』の構造の理解もこの意味において意義をもつことを信ずる。」

「いき」から無限へ

九鬼は、『「いき」の構造』の第一稿（『「いき」の本質』）を、ヨーロッパ遊学中、パリで一九二六年一二月には脱稿している。それから二年後の一九二八年八月、フランス・ブルゴーニュ地方の小村ポンティニーで、レイモン・アロン、ウラジーミル・ジャンケレヴィッチ、アレクサンドル・コイレといった気鋭の哲学者・思想家が参集した旬日懇話会（のちのスリジー・ラ・サルの夏季セミナーの前身）において、九鬼は彼らを前に二つの講演を行う機会を得る。懇話会の全体テーマが「詩と哲学」及び「時間と人間：時間の反復」という中、彼は、「時間の観念と東洋における時間の反復」並びに「日本芸術における『無限』の表現」という題目を提示する。

まず、後者から見ていこう。[14]

冒頭に岡倉天心の『東洋の理想』から「日本芸術の歴史はアジアの理想の歴史となっている」という一文を引きつつ、九鬼は、アジアの文明の歩みを条件づけ、その精神的経験、すなわち時間と空間からの解脱の表現を実現したのが、インドの宗教、なかんずく仏教の神秘主義、そして中国の哲学、なかんずく老子学派の汎神論だと言う。日本の芸術の源泉は、両者に加えて、武士道――「絶対精神の崇拝であり、物質的なものの軽視」であり、「〔本居宣長の〕『朝日に匂ふ山桜花』のように生きかつ死ぬ」ことを理想とする武士道の、三者にあると断じる。そして、日本の芸術の支配的傾向は「有限を介して無限を表現する」ことにあると主張する。

その無限の表現の例として、九鬼は日本の絵画と詩歌を取り上げる。絵画における、遠近法などの空間の幾何学的構造の破壊、無限の躍動を捉える線の力動性、黒（陰）と白（陽）の濃淡・諧調などの技法がおしなべて汎神論的理想主義の表現を可能にし、空間からの解脱を実現する。

一方、詩歌においてもまた、短歌や俳句などの短い詩形、五・七音などの非対称的で流動的な形、先取（anticipation）における時間に先行する暗示的表現などにより、「可測的な時間からの解脱という理念」が実現される。そして、日本の詩歌の特徴の最後として、九鬼は「繰り返す時間」を挙げる。古の歌人蟬丸の歌を引く。

これやこの
行くも帰るも
別れては
知るも知らぬも
逢坂の関

九鬼はなぜか（おそらくフランス人の聴衆たちの理解を助けるためか）マルセル・プルーストの「失われた時」と「見出された時」の響きをそこに聴き取りつつ、「逢坂の関」に過去と未来が出会う「無限に充実した現在の時」、回帰する時間を読み取る。そして、彼の眼前にいる聴衆に向かい唐突にこう語りかける。

またそれは、われわれがいまポンティニーのこのサロンで過ごしている時、私が蟬丸の詩句についてあなたがたに語り、われわれがかつてすでにこの同じ時を共に過ごしたことがあったかどうか、そして再びこの時を共に生きようとしているのではないかどうか、――われわれはすでに無限回知り合っていたのではないかどうか、そして再び新たに知り合おうとしているのではないかどうかをまさに自問する時である。

九鬼は、日本の芸術の特徴を改めて要約する。それは何よりも「無限の表現」であり、それは造形芸術における空間からの解脱として実現され、詩歌や音楽においては時間からの解脱として実現される。畢竟、芸術とは、永遠の無限すなわち美を創造することにこそ存する。

「逢坂の関」——別離と邂逅が限りなく繰り返される境。私たちは、「いき」にあって、異性同士、有限の生同士が偶々邂逅し、その隔りを介した惹きつけあいとそれへの抗いあいがエロスの強度を微分的に昂進させる、が、それに執着せず「諦め」の心とともに「無目的なまた無関心な自律的遊び」を見たのだった。「いき」な者とはだから、(九鬼はあえて、これもまたフランス人の聴衆の理解を助けるためだろうか、スタンダールの『恋愛論』の恋愛の四分類を援用しつつ)、amour-passion〔情熱恋愛〕に陶酔するのでなく、「amour-goût〔趣味恋愛〕の淡い空気のうちで蕨を摘んで生きる解脱[15]」に達していなければならなかった。

その「いき」なる解脱は、芸術にあっては、今見たように、絵画における空間からの解脱、詩歌における時間からの解脱に変奏される。ここでは、有限の生同士の邂逅に代わって、有限の線同士、有限の言葉同士が、やはり邂逅しつつ、しかも二元の隔りを際立てつつ、その間《あわい》の強度の亢進の果て、空間から、時間から解脱し、無限へと飛躍していった。

はたして、この「解脱」、無限への飛躍は、九鬼自身の実存によってどのように生きられていたのか、あるいは生きられていなかったのか。そこにこそ、GEIDO の実存的試金石もまた存する、と言えよう。それを検討するためにも、まずはポンティニーでのもう一つの講演、

「時間の観念と東洋における時間の反復」を見ることとしよう。

「東洋」の時間と二つの「解脱」

九鬼は、この講演[16]ののっけから、東洋的時間は「輪廻」の時間、周期的な時間であると宣言し、あたかも目の前の「西洋」の聴衆たちを挑発するかのような直截さを示す。が、すぐさま彼は、その本論に入る前に、まずは時間一般――この哲学的大テーマの一つ――を特徴づける必要があると、おそらくは意図的に短絡する。

「時間とは何か」と問い、「時間は意志に属す」と断言する。なぜなら意志が存在しない限り、時間は存在しないから、と言う。従って意志のないテーブルや椅子にとって時間は存在しない。そして彼は、意志（volonté）を、意識（conscience）に置き換えつつ、時間が存在するのはただ意志＝意識への関係においてのみであると、言い添える。

こうして、時間一般を大胆にもさりげなく規定した後、九鬼は、聴衆にとって同時代の（「西洋の」とはとりあえず明言することなく）時間論をいくつか引き合いに出し、それらが時間を、意志との関係で規定しつつ、「予料」、「系列」、「引き続くべきもの」という、過去から未来へと持続する線的な継起として捉えていることを指摘する。

それらの、聴衆にとって馴染み深い時間概念を前置きした後、九鬼は、東洋においてもまた時間は根本的に意志に属するものとする。が、『シュヴェーターシュヴァタラ・ウパニシャッド』、『バガヴァッド・ギーター』や『ミリンダ王の問い』を引きつつ、その時間はしかし、線的に継起する時間ではなく、「ブラフマンの車輪」であり、「無窮の時間」であり、「閉じている円」の如きもの、すなわち「輪廻」に他ならない、と明言する。

この、聴衆にとってはほとんど馴染みのない時間概念――「無際限の再生」、「意志の永遠の反復」、「時間の終わりなき反復」としての輪廻は、その論理を徹底させるなら、「すべての人間は相互間の具体的関係を保ったまま、状況も具体的全体を伴って、周期的に生成するという観念に到達する。一言でいえば、世界はその同一性の状態を保ったまま周期的に回帰する」という、当時の「西洋」の哲学者・思想家のほとんどが実存的に体験しえないどころか、観念的にも抱懐し難いであろう「もう一つの」時間の像を、九鬼は鮮やかに描き出す。

ただし、その輪廻的時間概念は、例えばピュタゴラス学派の輪廻説や、近くはニーチェの「永劫回帰」の思想として、「西洋」の思想の歴史に傍流ではあるが抱懐されたことが全くないわけではない、と彼が単なる「東洋対西洋」といった素朴な二元論の陥穽に陥っているわけではないことを言外に匂わす。

そして、畢竟「時間」とは、二つの対照的な「エクスタシス（脱自）」の弁証法的統一に他ならないとでもいうように、「西洋」の継起的時間概念と「東洋」の回帰的時間概念の対立を「止揚」する素振りをみせる。一方には、ハイデガーの説くような時間の「存在論的・現象学的」で「水平的」なエクスタシス、他方には輪廻が表すような「形而上学的・神秘主義的」で「垂直的」なエクスタシス。そのいたって対照的なヴェクトルをもつ二つのエクスタシスの

「交差」が、「時間の特有の構造」に他ならない、と九鬼は己れの時間論を纏めあげようとする。

　ところが、九鬼の時間論はそのような弁証法的な居心地の良さでは終わらない。もう一つの「問題」があると言う。時間の「解脱」という問題である。仏教では、意志（九鬼は「欲望」に置き換えてもいいと言う）の内にすべての悪、すべての苦悩の原因があると見る。故に、それらの悪、苦悩から解放され、すなわち「解脱」し、涅槃に至りつくには、ひたすら意志＝欲望を否定する、寂滅しなくてはならない。では、我々はどのようにして意志を否定し、解脱しうるのか。九鬼は、それは「知性」によって、であると言う。

が、さらに、日本においては、仏教の外に、もう一つの「解脱」、いや仏教的解脱を否定しさりながら、時間の〈外〉ではなく、いわば時間の〈内〉で、その永遠の回帰を肯定しきることにより、ある種の道徳的理想を遂げようとした精神の構えがあった。「武士道」である。「武士道は意志の肯定であり、否定の否定であり、ある意味で涅槃の廃棄である。それは自己の固有の完成のみを気にかけるような意志である。それゆえ、仏教にとっては最高の悪であった意志の永遠の繰り返しが、今や最高の善となったのである。」そして、こう宣言する。

> 恐れることなく、雄々しく輪廻に立ち向かおう。「幻滅」（déception）をはっきり意識して完成を追究しよう。永続する時間の中で、ヘーゲルの術語で言えば、無際限（*l'Endlosigkeit*）の中で生きよう。無際限の中に無限（*l'Unendlichkeit dans l'Endlosigkeit, l'infini dans l'indéfini*）を、つまり、終わりのない継起の中に永遠（*l'éternité dans la succession sans fin*）を見出そう。[17]

こうして九鬼は、結局、単に「東洋」の時間、輪廻の時間を提示するにとどまらず、そこからの「解脱」の二つの方法、仏教的解脱と武士道的解脱を指し示しながら、自らの講演の時間をとりあえず締めくくるのである。

「解脱」は「生きられた」のか

そして六日後、九鬼は、先に見たように、「解脱」をさらに変奏する。「芸術」による「解脱」である。日本芸術の源泉は、インドの仏教の神秘主義、中国の老子学派の汎神論、それに武士道であった。それらを精神的な源泉として、日本の芸術は有限を介して無限を表現した。絵画は、その幾何学的構造の破壊、線の躍動、黒白の諧調により、空間から解脱し、詩歌は、短く非対称で暗示的な形により、時間から解脱していった。

私たちは、先に問うた――「はたして、この『解脱』、無限への飛躍は、九鬼自身の実存によってどのように生きられていたのか、あるいは生きられていなかったのか」と。確かに、九鬼は、ヨーロッパ遊学中にも、詩や短歌を作り、この解脱を実存的に「生きて」いたかもしれない。[18] あるいは、彼自身はもはや「武士」ではなかったにせよ、彼の「血」が、武士道を文化的遺伝子として今なお心身に息づかせていたかもしれない。[19] しかし、こと仏教的解脱に関しては、はたして九鬼はどれだけそれを実存的に「生きて」いたのか。解脱、すなわち意志=欲望の否定は、はたして「知性」によって可能なのか。

例えば先に参照した仏教学者、魚川祐司は、自らの行の経験も踏まえて、こう断言していたのではなかったか。解脱は、決定的で明白な実存の転換であり、行道の完成である、そして悟りは決して思考の結果ではない、と。[20]

分別の相である「物語の世界」は、そもそもその形成の時点で、対象への貪欲と瞋恚を巻き込んで成立している。つまり、凡夫にとって「事実」であり「現実」である「世界」というのは、最初から欲望によって織り上げられているということだ。

そのような「世界」を終わらせるためには、単に内面に現象してくる個々の煩悩に気づいていて、それを「堰き止める」だけではとても足りない。「世界の終わり」に到達するためには、その成立の根源にある「煩悩の流れ」そのものを「塞ぐ」こと、即ち、それを根絶することが必要とされるわけである。


解脱はだから、決して思考、「知性」だけによっては成就されない。それはあくまで実存全体を巻き込む「行」によってしか達成されない。我々のGEIDO論の用語＝形象を使えば、実存的Vの掘り下げによってしか成しえないものである。

ところで、九鬼は「いき」においても「解脱」を語っていた。『「いき」』の第三の徴表は『諦め』である。運命に対する知見に基づいて執着《しゅうじゃく》を離脱した無関心である。『いき』は垢抜《あかぬけ》がしていなくてはならぬ。あっさり、すっきり、瀟洒《しょうしゃ》たる心持でなくてはならぬ。この解脱《げだつ》は何によって生じたのであろうか。」[21]先述したように、「いき」の内包的構造は三つの徴表から構成され、第二の徴表「意気地」は武士道の理想主義的道徳に淵源し、第三の徴表「諦め」は、仏教的無常心に由来していた。おそらく、九鬼は、ヨーロッパに渡る前、東京の遊郭で、そして帰国後は祇園で、「いき」を実存的に「生きて」いただろう。（パリなどで彼が目撃した、そして体験したかもしれない、『いき』とは極めて縁遠い」「腰部を左右に振って現実の露骨のうちに演ずる西洋流の媚態[22]」が、九鬼に反動としてもしかすると「いき」について改めて哲学的に反省せしめる由縁を与えたのかもしれない。）

だからこそ、九鬼は「いき」を、少なくとも色恋における「いき」を、「実生活に大胆なる括弧を施し、超然として中和の空気を吸いながら、無目的なまた無関心な自律的遊戯」と捉えた境地にあったのだろう。異性との隔たり、ディスタンス、「いき」の内に、実存的Vを生き、無限へと跳躍していたのかもしれない。「いき」もまた、GEIDO的「遊び」たりえるのかもしれない。

偶然と美——形而上学的官能と偶然性

『「いき」の構造』の出版から五年後（一九三五年）、九鬼周造はもう一つの主著——それまでの哲学的思考の集大成ともいうべき『偶然性の問題』を出版する。[23]その「結論」部分で、九鬼は改めて偶然性の「根源的意味」を問い、「一者としての必然性に対する他者の措定」と規定し、さらには「偶然性は『この場所』『この瞬間』における独立なる二元の邂逅として尖端の危《あやう》きに立って辺際なき無に臨むものである」としている。[24] 私たちはここに、「いき」の内包的構造を構成する「第一の徴表」であり「基調」でもあった「媚態」の定義の余響を聴くこともできよう。「媚態とは、一元的の自己が自己に対して異性を措定し、自己と異性との間に可能的関係を構成する二元的態度である。[25]」

しかし、この相似にはまた、決定的に異なる要素・概念が挿し入れられてもいる。二元の「可能的」関係が、二元の邂逅それ自体の「偶然性」となり、しかもその「尖端」は（「いき」には明示的に言及されていなかった）「無」に臨んでいると言う。自己に対する異性との二元的可能性＝官能の強度が哲学的に純化され、エロスの境位から「形而上学」的理知の極限へと、「無」との臨界へと自らを抽象した、その限界的思惟の痕跡が、この『偶然性の問題』という異形なる哲学書の正体とは言えないか。が、このどこまでも「いき」な哲学者は、そうした理知の極限にあっても、いわば「形而上学的官能」とでもいうべきものの強度に思考を張り詰めているのだ。「可能性の追求にのみ心を砕く者は、単に『欠如』として概念的に無を知る場合が多いであろう。それに反して偶然性を目撃する官能を有つ者は無を原的に直観するのである。[26]」

私たちは、以下、この形而上学的官能が目撃する偶然性、そしてそれが直観する無を、共に目撃し直観していきたい。そして、最終的には、その目撃、直観の先に、いかなる「美」が立ち現れてくるのか、目睹《もくと》してみたい。

三つの必然、三つの偶然

改めて、偶然性とは何だろうか。九鬼とともに問い直してみたい。

『偶然性の問題』の「序説　一　偶然性と形而上学」の冒頭で、九鬼はこう宣言する。「偶然性とは必然性の否定である。」そして続ける。「必然とは必ず然《し》か有ることを意味している。すなわち、存在が何らかの意味で自己のうちに根拠を有《も》っていることである。偶然とは偶々《たまたま》然か有るの意で、存在が自己のうちに十分の根拠を有っていないことである。すなわち、否定を含んだ存在、無いことのできる存在である。」言い換えると、偶然は「有と無との接触面に介在する極限的存在である。有が無に根ざしている状態、無が有を侵している形象である。」[27]

ところで、形而上学の核心とは何か。それは「存在を超えて無に行くこと」であると、九鬼は言う。なぜなら「真の存在」は非存在すなわち無との関係においてのみ根本的問題となるからだと言う。従って「形而上学の問題とする存在は、非存在すなわち無に包まれた存在である」[28]ということになる。

こう九鬼は、偶然性と形而上学の関係を詳らかにした後、続けて偶然性が「否定する」必然性とはそもそも何なのか、と問い直す。それは「自己のうちに存在の理由を有し、与えられた自己が与えられたままの自己を保持すること」、すなわち一言で言えば「自己同一性」だと言う。そして必然性は三つの様態、(一) 概念性、(二) 理由性、(三) 全体性において認められ、言い換えると (一) 概念と徴表との関係、(二) 理由と帰結との関係、(三) 全体と部分との関係に関して把握され、各々を (一) 定言的必然、(二) 仮説的必然、(三) 離接的必然と名づける。そして、そうした必然性を否定する偶然をも、その三様態に対応して、(一) 定言的偶然、(二) 仮説的偶然、(三) 離接的偶然と分類する。いったいどういうことだろうか。順を追って、しかし最終的には、本論＝GEIDO論の文脈にとって最重要な離接的偶然に焦点を当て、検討していこう。

まず (一) 定言的必然／偶然とは何か。それは (先に註(23)で言及した博士論文「偶然性」の表現を借りて)「論理的必然／偶然」と言い換えた方がわかりやすいかもしれない。九鬼は、例えばクローバーの葉を例にとる——私たちは「クローバー」という概念を持っている。そしてクローバーの葉が「三葉」であるということは、概念にとって本質的徴表の一つである。よって、「クローバー」という概念と「三葉」という徴表は「同一性」において捉えられる限り、「必然的」な関係にあるとみなすことができる。ところが、「四葉」であるということは、「クローバー」という概念にとって可能的ではあるが例外的であり、従って概念との同一性を欠く非本質的徴表にすぎないが故に、「偶然性」とみなすことができる。こうした事態が、定言的 (論理的) 必然／偶然である。

では次に、仮説的必然／偶然とは何か。これもまた、前述の博士論文の用語「経験的必然／偶然」の方がわかりやすいかもしれない。

まず、仮説的（経験的）必然とは何か。ここでもクローバーを例に取ろう。先に、定言的（論理的）な様態では、「クローバー」と「四葉」は偶然的な関係にあると言った。が、その関係が偶然的であるのは、「クローバー」という一般的な概念に対して「四葉」という徴表が思惟された場合である。ところが、「この目の前にあるクローバー」が「四葉」であるということは必然的である。なぜなら、「このクローバー」が「四葉」であることには、「栄養の状態か、気候の影響か、創傷の刺激か、何らかの原因がなくてはならぬ[29]」からである。これが、仮説的（経験的）必然である。

　では、仮説的偶然とはいかなる事態か。三つの偶然のうち、この偶然が我々にとって最も身近でわかりやすいものかもしれない。九鬼は持ち前の分類癖でこの偶然もさらに細かく下分類し、対応する諸例を挙げているが、ここではこの偶然の本質だけをつかんでおけば、事足りるだろう。私自身の卑近な、しかし誠に不思議なエピソードを例にとりみていこう。

　私は、八年前に京都に越してきた。最初の三年は、左京区の、銀閣寺と法然院と哲学の道のちょうど中間あたりに住んでいた。（たまたまだろうが、法然院には九鬼の墓がある。）ある朝、私は普段通り、銀閣寺山門と法然院山門を結ぶ小道に設置されたゴミ捨て場に、ゴミを出しに行った。すると、向こうから見知った顔の人物が手を振っているではないか。何と、私が横浜で以前勤めていた大学の元同僚だった。不思議だったのは、彼が私を訪ねに来た訳ではなく、私が京都に越したことは知っていても京都のどこに住んでいるかは知らなかったこと。そして、たまたま京都大学である学会のために京都に来て、ついでに恩師の墓が法然院にあることを思い出し、学会に行く前にお参りしようと思いたったことだった。私の方は私の方で、もちろん彼が学会のために京都に来ていることなどつゆ知らず、ましてや彼の恩師の墓が法然院にあることなど知る由もなかった。しかも、もし彼が一、二分でも早くないし遅く道を通り過ぎていたら、私と出会うことはなかったろうし、私にしてももし一、二分早くないし遅くゴミを出しに行っていたら、彼と出会うことはなかっただろう。

こうした互いに独立し無関係だった二つの因果系列がたまたま邂逅し、突如として関係が生起してしまうこと、それが仮説的（経験的）偶然である。

では、三番目の離接的（先述の博士論文の用語では「形而上的」）偶然とはいかなるものか。ここから我々は、GEIDOと偶然性をめぐる探究の本題に入っていく。

九鬼はまず、離接的偶然とは、全体と部分との関係だとする。全体は全体として完結している限りにおいて自己同一であり必然性をもっている。それに比して、部分は、全体のもつ自己同一性を欠き、ある部分（＝離接肢）はそれ自らの内に他の部分（＝離接肢）でもありえる可能性を宿しているが故に、偶然的である。この、全体に対する部分の関係を、九鬼は離接的偶然と呼ぶ。例えば九鬼は「水」を例に取る。水は、液体か、個体か、気体である。「水」という全体に対して、その部分である「液体」、「個体」、「気体」はいずれも他の部分でありうる可能性を有しているがために、偶然的である。その、全体に対する部分の関係が、離接的偶然である、と説明する。

では、なぜ、この離接的偶然は、「形而上的」偶然でもあるのか。ここで、九鬼の偶然論の究竟ともいうべき「原始偶然」という命題が現れる。「原始偶然」とは何か。シェリングから借用したこの形而上的概念を、九鬼は二つの互いに絡まり合う位相――実存的位相と理念的位相とで変奏する。

まず、前者の位相で変奏する前に、九鬼は、可能性／必然性／偶然性と時間性との関係を闡明する。「未だ展開しない形態において、未来における展開が『あらかじめ』先取されているものであるから、可能性を未来的というのである。『既に』展開した形態において、過去における展開の経歴が回顧されているから、必然性を過去的というのである。」こうして、可能性の時間性としての未来、必然性の時間性としての過去の狭間にあって、「いま」、現在こそがすぐれて偶然性の時間性であるとされる。そして、「原始偶然」はまさに「『いま』の瞬間に偶然する現在性に存する」と言われる。(30)

「いまここ」に実存する主体は、未来にむけて無限にある離接肢の中からただ一つの離接肢へと自らを脱自しなくてはならない。その脱自は、当の主体が現在から未来へと見れば、無限の可能性のうちの一つの可能性と映り、逆に過去へと振り返れば、こうなるべくしてなった、つまり必然的な展開と映る。しかし、脱自しつつある現在にあっては、ちょうど無限の目をもつ骰子を投じるように、ある目＝離接肢が出ることは、純粋な偶然に他ならない。この、実存の現在に進行する骰子の一振りこそ、「原始偶然」、その少なくとも実存的様態に他ならない。九鬼はさらに、この原始偶然と現在性、そして可能性・未来／必然性・過去との関係を、実存の「視線」ないし「視角」の問題として捉え返す。

> 現在において現実としての偶然を正視することが根源的一次的の原始的事実である。次で二次的に未来への動向として未来的な可能を斜視し、過去よりの存続として過去的な必然を斜視する場合が考えられるのである。換言すれば可能性および必然性は自己の時間性格そのものによって、単に斜視的により目撃され得ないものである。正視され得る様相は一点において現在する偶然性だけしかない[31]。

九鬼はこう言いたいのだ。実存が「いま」、現在体験するのは、「原始偶然」だけだ。すなわち、無数の離接肢の中から偶々一つの離接肢に脱自するその「原始的事実」をしか実存はいま「正視」、体験できない。その「根源的一次的」事実を、脱自する主体が自らの意識の反省＝二重化により未来的に「斜視」する時、それは「可能性」として映じ、逆に過去的に「斜視」する時、それは「必然性」として映じる。そして、それら未来的可能性と過去的必然性は、現在的偶然性、すなわち根源的一次的事実・体験から視る時、あくまでその体験の直接性から離れた「二次的」で間接的な様態にすぎない。

偶然性が必然性の否定として、または可能性の相関者として規定されるのは体験の直接性を既に離脱した論理の領域においてである。体験の直接性にあっては、偶然は、正視態として、直態として、現在に位置を有つ限り、時間性的優位を占めたものである。また瞬間としての永遠の現在の鼓動にほかならないものである。(32)

以上が、九鬼の考える原始偶然の「実存的」様相である。では、他方の「理念的」様相はいかなるものだろうか。それは「形而上的絶対者」の様相である。

賽の目のごとくに投げ出された離接肢の一つが実存の全幅をゆり動かしながら実存の中核へ体得されるのが運命である。離接肢は離接的諸可能性の全体を予想している。しかるに諸可能性の全体ということは窮極的には形而上的絶対者の概念へ導く。絶対者は絶対者なるがゆえに絶対的に一と考えられる。また絶対的に一なるがゆえに絶対的に必然と思惟される。この絶対的必然を形而上的必然と呼ぶことができる。(33)

原始偶然を「実存」の視点から、すなわち無数の離接肢＝賽の目のうちの一つの目の視点から捉えた場合が先述の「実存的」様相だとすれば、今度は同じ事態を無数の離接肢＝賽の目全体の視点へと超越し、「理念」的に飛躍して見た場合、この「形而上的必然・絶対者」という

「概念」が「思惟」される。いまこの瞬間、世界の骰子は転がっている。無数の目からどの目が出るかは全くの偶然だ。それを「部分＝実存」の、生ける、「体験」する視点から見る時、それは先ほどの様相を呈した「原始偶然」と映り、それを「全体」の超越的視点から見る時、それは「形而上的必然・絶対者」から産み落とされる、「墜落」する「他在」としての「世界の端初」と映るのだ。「絶対的形而上的必然は絶対者の即自態である。原始偶然は絶対者の中にある他在である。絶対的形而上的必然を神的実在と考え、原始偶然を世界の端初または墜落(Zufall = Abfall) と考えることの可能性もここに起因している。[34]」

　こうして、「いまここ」での世界の創成、無数の目をもつ骰子の一振りは、九鬼によって実存的にまた理念的に、すなわち「形而上的」に捉えられる。しかし、その「原始偶然」が「在る」のは、「いまここ」という限りなく薄く脆く危うい切っ先なのであり、その周りには全方位的に、もはや「在る」ことが「無い」ことが、そして未だ「在る」ことが「無い」ことが、すなわち「無」が無限に広がっているのだ。「偶然性は『この場所』『この瞬間』における独立なる二元の邂逅として先端の危《あやう》きに立って辺際なき無に臨むものである。[35]」私が元同僚と、九鬼の墓のある法然院のほど近くで邂逅した時、その邂逅がいまここに「在る」偶然以外、あらゆる未来と過去は、未だ無く、そしてすでに無かったのだ。

偶然と芸術、そして藝道と美のありか

九鬼の偶然論は、こうして、三つの偶然（定言的・仮説的・離接的）を詳らかにし深掘りした末、原始偶然という究竟に行き着き、無際限な無に臨む危うい切っ先で、宇宙と己れとがもろとも偶々生成しゆく「いま」を「正視」しつづける。だが実は、その原始偶然を正視するのは、哲学者だけではない。芸術家もまた、別様に、それを「美」として直観するのである。

九鬼はまず、芸術の中でも「文学」から入っていく。彼は、「文学が偶然を尊重するのは主として驚異の情緒に基いている(36)」とする。そして中でも、詩における音の邂逅、すなわち「押韻」に注目する。ポール・ヴァレリーを引きながら、詩が「言語の偶然（運）の純粋なる体系」であり、押韻にこそ「哲学的な美」が看取されることに全面的に同意する。「偶然ほど尖端的な果無《はか》い壊れやすいものはない。そこにまた偶然の美しさがある。偶然性を音と音との目くばせ、言葉と言葉との行きずりとして詩の形式の中へ取入れることは、生の鼓動を詩に象徴化することを意味している(37)。」

先に原始偶然は「瞬間としての永遠の現在の鼓動」とも言われていた。詩は、その「音と音との目くばせ」、押韻の偶然的な戯れによって、原始偶然、この宇宙と実存との現在的生成の「鼓動」を象徴化する。なかんずく「天才」とは、「原始偶然の偶然性を反映して自己の制作に驚異の眼をみはる者」の別名に他ならない。そして天才は、その「絶対的自発性」によりあら

ゆる必然性から「自由」になる者の謂でもある。「また芸術における自由は、一切の必然性からの自由である。芸術にあっては絶対的自発性が突如として現じ、忽然として消えるところにいわゆる霊感と冒険の偶然性があるのである。[38]」

我々は先に、九鬼がポンティニーで行った講演の一つ、「日本芸術における『無限』の表現」において、日本芸術の最も優れた特徴たる「無限の表現」が、絵画における空間からの解脱、そして詩歌・音楽における時間からの解脱にあることを見た。その講演（一九二九年）から七年後（実質的には前述の博士論文「偶然性」が一九三二年に提出されているので三年後）、この無限への「解脱」が、原始偶然が一切の必然性の果てに打ち開く「永遠の現在」への「自由」へと哲学的に深化されていることを目撃する。そして、蝉丸の例の歌。

これやこの
行くも帰るも
別れては
知るも知らぬも
逢坂の関

逢坂の関。この「関」こそ、原始偶然が、形而上学として、押韻として、そして「いき」として生起する、無（限）への切っ先ではなかったのか。私は先に、このように書いた。

「逢坂の関」――別離と邂逅が限りなく繰り返される境。私たちは、「いき」にあって、異性同士、有限の生同士が偶々邂逅し、その隔りを介した惹きつけあいとそれへの抗いあいがエロスの強度を微分的に昂進させる、が、それに執着せず「諦め」の心とともに「無目的なまた無関心な自律的遊び」を見たのだった。「いき」な者とはだから、〔…〕「amour-goût〔趣味恋愛〕の淡い空気のうちで蕨を摘んで生きる解脱」に達していなければならなかった。

その「いき」なる解脱は、芸術にあっては、今見たように、絵画における空間からの解脱、詩歌における時間からの解脱に変奏される。ここでは、有限の生同士の邂逅に代わって、有限の線同士、有限の言葉同士が、やはり邂逅しつつ、しかも二元の隔りを際立てつつ、その間《あわい》の強度の亢進の果て、空間から、時間から解脱し、無限へと飛躍していった。

このエロスの、芸術の、形而上学の骰子が転がる「逢坂の関」。無数の目をもつ骰子が転がりゆく原始偶然の、この深淵が、無限の無に臨んでいる。その「関」の「直視」こそが芸術なのか。その「直視」の彼方に広がる無限こそ「美」なのか。しかし、九鬼自身が説くように、「哲学」もまた、その「関」を「直視」できるのではなかったか。「哲学」と「芸術」ははたして一なるものの別名なのか。否、と少なくとも私は言おう。

私は先に、このようにも問うた。「はたして、この『解脱』、無限への飛躍は、九鬼自身の実存によってどのように生きられていたのか、あるいは生きられていなかったのか。」そして

「解脱、意志＝欲望の否定は、はたして『知性』によって可能なのか」と。そして私は、この問題を徹底的に考究した仏教学者魚川祐司の解脱・涅槃論を援用しつつ、解脱は決して「知性」ないし「思考」で達しうるものではなく、あくまで徹底的な実存的行でしか成就しえないものであることを確認した。

だから、解脱、この原始偶然の「直視」のみならず「体験」は、決して「知性」、哲学的思考のみでは（たとえ理念的に「理解」できたとしても）「体得」できないものなのだ。九鬼の「原始偶然」論は、故に、あくまで「理念的」なもの、「形而上学的」なものに留まっていると言わざるをえないだろう。それは、おそらく半ばしか（エロス的な「いき」ないし押韻の戯れとしてしか）実存的に「生きられて」いなかったのではあるまいか。それは、実存的官能により「生きられ」尽くしたものではなく、「形而上的官能」でしか生きられなかったものではないのか。だからこそ、逆説的に、九鬼は、（原始）偶然という、本来「知性」を超越したものに、あれだけ過剰な理念的「分類」と「図式」を張り巡らさざるをえなかったのではないか。

では一方、芸術ははたして解脱を「生き」尽くすことができるのか。少なくとも、九鬼が空間・時間からの解脱を論じている芸術、すなわち「日本芸術」、すなわち「藝道」は、それを「生きる」ことができると、言いうるだろう。

前著『藝術2・0』で、「茶道の哲学」を唱える哲学者久松真一がハイデガーとの対話に臨みながら指摘していたように、ヨーロッパの芸術、特に抽象芸術が「根源（＝無）への参入」の道に留まっているのに対し、日本の藝道は「根源（＝無）からの還帰」の藝である。したがって、我々の用語＝形象でいう「いびつなV」、すなわち当の主体に特異な、無への実存的行を経た後、無から還帰し、有＝世界と改めて戯れる藝こそが、藝道であると論じた。つまり、各々特異な仕方で解脱を生きることこそが、藝道の実存的核心であることを論じた。

では、その藝道は、やはり解脱を生きる仏教的瞑想とどうちがうのか。藝道と瞑想を分けるこの分水嶺にこそ、「美」の問題が賭けられているのだ。

瞑想は、「いまここ」の実存＝世界の偶然的生成、すなわち原始偶然を「直視」、「直観」する。その「観」の徹底なる行を通して、あらゆる必然性＝業から「自由」になり「解脱」していく。一方、藝道は如何。藝道は、その身心的源泉を深く瞑想に負いながらも、その身心の所作――「人間」として生きるためにプログラムされたOS＝必然性で駆動している所作をいわば「超必然化」する、すなわち「型」としてプログラムを過剰に上書きすることによって、その型の超必然性に自己が反復的修行を通して限りなく没入し、型に「なりきり」、「我」を無化していく。茶道を例にとれば、畳の上での歩の進め方、身体の構え方、道具の置き方・持ち方・操り方、同席者との間合いの取り方・話し方、茶の飲み方、菓子の食べ方にいたるまで、すなわち「人間」として日常的に行なっている動作のプログラムを過剰に必然化した「型」へと、自らの身心が溶解し同化するまでに反復稽古する。では、その超必然化された身心、およびその環世界＝しつらえにあって、「美」はどのように立ち現れるのか。それは、超必然性のふとした「ほころび」のうちに、「自然《じねん》」が、そよ風の気まぐれとして、鳥のさえずりの華やぎとして、沸き立つ湯のさざめきとして、立ち上る湯気の戯れとして、はては衣ずれの音の冴えとして、入り込み、その「偶然」が際立つ。その、超必然性による自然の「超」偶然化、原始偶然の際立ちこそが（原始偶然の「直視・直観」としての瞑想と異なり）、「美」、少なくとも藝道の「美」なのではないか[39]。

しかし、これでは、柳宗悦が唱えた民藝の美と同じではないのか。職人たちの限りない反復作業の内へと「我」を失い、その無我の境地にもたらされる「自然からの恩寵」としての美と同じではないのか。いや、藝道は美の宗教ではない。美＝自然への宗教的帰依、「仏の美しさ」としての「美の法門」なのではない。藝道はあくまで、「道」である、「行」である。それは、浄土へと神秘的に飛翔するのではなく、実存一切を原始偶然への賭けに投じつづける道であり行である。しかも、その道＝行は、宗教的ないし形而上的絶対者へと超越し尽くす代わりに、自らの「自由な選択」（魚川）によって「差控え」（田辺元）、再び「有」の世界へと、衆生の世へと還帰していくのだ[40]。そして、ひとたび「型」への徹底的参入を突き抜け、その（超）必然性から解き放たれた藝道家＝GEIDO-KAは、その還帰の道すがら改めて「型」と戯れる。その戯れの中へと、「自然《じねん》」が、その無常なる力が流れ入り、（超）必然性を内から解《ほど》き破り（「破格」）、やがて自由なる境で憩い遊ぶ（「離格」）。色即是空から空即是色へ（世阿弥）の実存的Vとしての藝道＝GEIDO[41]。しかも（『藝術2・0』で説いたように）、その型＝超必然性との戯れは、（ちょうどフランス語の「戯れ」を表す語jeuが同時に「賭け」をも意味するように）、それを解きにやってくる「自然」――微生物から気象まで、あるいは他者の内なる「自然」に至るまで――の「不確実性に飛び込んでいく覚悟と喜び[42]」に駆動された賭け、すなわち原始偶然の骰子一擲でもあるのだ。

だから藝道家＝GEIDO-KAは、必ずしも「天才」である必要はない。この原始偶然の賭け＝戯れへと飛び込んでいく覚悟と喜びさえもつ者なら、誰でもなれるのだ。

第7章　GEIDOとしての性愛へ

（1）「西洋」と「東洋」のエロス?
――オンフレとルージュモンの性愛論をめぐって

九鬼の「いき」とバタイユの「エロティシズム」

先にも述べたように、九鬼は『「いき」の構造』の準備稿『「いき」の本質』を、遊学先のパリで一九二六年末には書き上げていたらしい。(1)パリで、「『いき』とは極めて縁遠い」「腰部を左右に振って現実の露骨のうちに演ずる西洋流の媚態」(2)に食傷気味だったがゆえに、彼をして、日本の女たちの「いき」な風情が一際鮮やかに脳裏に浮かび、あえて筆を取らせたのかもしれない。

そんなパリの国立図書館の片隅で、濃密に積層する知の狭間に身を潜めながら、密かに、その『いき』とは極めて縁遠い」エロスの闇に、己の実存に深く開いた傷口から、鬱々と思索を巡らす者がいた。ジョルジュ・バタイユである。

「死におけるまで生を称えること」と、エロティシズムを定義した、(3)この「呪われた」思想家は、九鬼の闡明《せんめい》したエロティシズムとはいたって対照的な人間の欲望の在り様、その沸騰する消尽に慄きながら、限界的な思考に挑んでいた。

私たちは、これから、GEIDOとしての性愛へと辿りつくために、まずはその対蹠と思しき暗黒の地点、すなわちバタイユのエロティシズムから出発してみたい。

ところで、九鬼は、「いき」を「わが民族存在の自己開示」として把握されると結論づけていた。「いき」が「日本民族」の存在の「自己開示」だとしたら、他の民族、例えば「フランス人」にも彼ら固有の「自己開示」としてのエロスの形があるのだろうか。「Oui !」と、バタイユは強く首肯する。それは「いき」などといった、ある意味「草食的」なエロスとは大いに異なる、いわば「肉食的」ともいえるエロスの形だ。『エロティシズム』の「序論」の冒頭の句「エロティシズムとは、死におけるまで生を称えることだと言える」に続き、バタイユはマルキ・ド・サドの二つの文を掲げる。「奥義は残念ながらあまりに明確なのだ。それだから悪徳にわずかでも根をおろした放蕩漢《リベルタン》は、殺人がどれほど官能を刺激するか知っている。」「死を淫蕩な発想に結びつけることほど、死と慣れ親しむための良策はない。(4)」

バタイユの説くエロティシズムとは、死を希求する、「殺人に隣接した侵犯」[5]なのだ。なぜか。エロティシズムは、媾《まぐわ》う男女各々の存在の非連続性を「溶解」させ、すなわち解体＝死へと赴かせ、両者の融合のうちに存在の連続性を開く営為だからに他ならない。

存在の溶解の動きにおいて、男性パートナーは原則として能動的な役割を演じ、女性側は受動的である。確立した存在として溶解するのは、おもに受身の女性側だ。が、男性パートナーにとって受動的な相手が溶解することは一つの意味しか持たない。すなわち二つの存在が混ざり合う融合を準備するという意味だ。そうして二つの存在は最終的にともに同一の溶解の地点へ到達する。〔…〕決定的な行為は裸にすることだ。裸は閉じた状態に、つまり不連続な生の状態に、対立している。裸とは交流《コミュニカシオン》の状態なのだ。それは、自閉の状態を超えて、存在のありうべき連続性を追い求めるということなのだ。[6]

私たちは、（ジェンダー的不均衡も大いに問題だが、ここではあえて触れないでおこう）「いき」、九鬼のエロティシズムから遥かに遠い地点にいる。「いき」の構造的「基調」であった「媚態」は、「距離を出来得る限り接近せしめつつ、距離の差が極限に達せざること」であり、が故に「異性が完全なる合同を遂げて緊張性を失う場合には媚態はおのずから消滅する」のであった。[7]しかも、「姿勢を軽く崩し」、「うすものを身にまとい」、「湯上がり姿」に、近接の過去として裸体を回想させる「いき」な姿など、[8]ここには微塵もみられない。「裸にすること」こそ、このエロティシズムにとって「決定的な行為」であり、「交流の状態」であり、存在の「連続性」を打ち開く行為なのだ。

さらに、バタイユは、この「肉体のエロティシズム」における「交流」がまた、「聖なるもの」への合一を希求する「聖なるエロティシズム」ともなり、宗教的供犠の執行とも通底すると説く。「すなわちエロティシズムの女性パートナーは供犠の生贄のごとくに現れ、男性パートナーは供犠の執行者のごとくに現れるということ。そして男女両者が、性愛行為のなされてゆくあいだ、破壊の最初の一撃でできあがっていた連続性のなかへ、自分を消し去ってゆくということである。[9]」そして再びサドを召喚しながらも、こう留保してみる。「エロティシズムにおいても、不連続な生は、サドの発言にもかかわらず、消滅を余儀なくされるというわけではないのだ。不連続な生は、ただ危機にさらされるだけなのである。」が、すぐさまこう付言する。「サドの常軌逸脱はごく少数の人々を誘惑し、そのなかには極端なところまで行く者もいる。[10]」我々は、いくつかの証言によって知っている。バタイユが、その「ごく少数の人々」の一人であったことを。彼は、ピエール・クロソウスキーやアンドレ・マッソンらと秘密結社「アセファル」(無頭人)を結成し、パリ郊外のマルリーの森で秘教的儀式を繰り返し、ついには人身御供を実行しようとしていた。しかも最終的には、彼自身のそれを。

森の中での最後の集会の時、私たちはたった四人だった。そしてバタイユは荘厳な口調で、ほかの三人に向かって、自分を死に処してくれるようにと求めた。それはこの供犠が、神話の基礎となって、共同体の存続を確かなものにするためであった。この好意は謝絶された。数ヶ月後、本物の戦争が始まり、それは残り得たかもしれない希望を一掃してしまった。[11]

オンフレ——キリスト教の「肉体の虚無主義」とインドの太陽的エロス

はたして、この、他者の肉体・存在を、そして場合によっては、自らの肉体・存在を陵辱し、破壊することのうちに、何よりも性的快楽を求め、その沸騰的消尽に恍惚とするエロティシズムは、サドやバタイユなど「ごく少数の人々」に特有な欲望の在り方なのか。「Non !」と、例えば「反哲学者」を自認するミシェル・オンフレは言う。彼は、その『快楽への配慮——太陽性愛を構築するために』[12]（未邦訳）の中で、この欲望の在り方は、キリスト教的エロス一般に固有の在り方であり、したがって「ヨーロッパ」的エロスに固有の在り方である、と断言する。彼によれば、「ヨーロッパ」とは、およそ二千年来「キリスト教」的であり、たとえ無神論者であっても、依然「キリスト教」的本性と構造を有していると言う。なぜなら、ヨーロッパは、そのあらゆる領域——教育、倫理、政治、法律、芸術、医学などの領域で、二千年来キリスト教化され続けてきて、全方位的に、意識・無意識も押し並べて、キリスト教に浸透され尽くしているからだと言う。そのヨーロッパで、キリスト教は、この長きに渡って、「惨憺たる身体（corps）」と「壊滅的なセクシュアリティ」を作り上げてきたと言う。[13]

オンフレは、「惨憺たる身体」には、「キリスト教徒＝ヨーロッパ人」が模倣してきた二つのモデルがあるとする。[14] 一つは、「イエス」という神話的存在——飲み食いや、性生活などあらゆる「人間的」営為を捨象され、いわば「天使的」な存在となった「反身体」(anticorps) としての「イエス」。もう一つのモデルは、十字架上で拷問され殺害された「死体」としての「キリスト」。特に後者のモデルは、性的不能で神経症だった(と、オンフレが推察する)パウロが、自らの呪わしい宿命を人類全体に及ぼそうとした怨念に負っているとする。この「惨憺たる身体」の二つのモデルを原則として、その後、「教父たち」は、「肉体 (chair) の虚無主義」というキリスト教的エロスを統べる神学を展開していく。そして、殉教者——陵辱され殺害されることのうちに、楽園の至福を見出す殉教者たちが、キリスト教徒=ヨーロッパ人の性的快楽のモデルとなる。そこから、もう一つの神学=否定神学が、パウロの呪わしいエロスを意外な形で引き継ぐサドとバタイユを通して、以下のことをさらに強力に説いていく——苦痛と快楽の一致、女性蔑視、肉体への憎悪、死の逸楽……。

そして、オンフレによる快楽の見取り図によれば、こうしたキリスト教における肉体の虚無主義の対蹠点にあるのが、ヴァーツヤーヤナの『カーマ・スートラ』であり、それはインドの太陽の下で、太陽的エロティシズムを称揚した。すなわち、「生命を愛する精神性、男性と女性の平等、愛し合う身体の性愛術、自然と調和する身体の創出、男女の美しさの奨励などを通して、輝き渡る身体を作り上げ、歓喜する実存を目指した。[15]」

本書におけるオンフレの最終的狙いは、結局、いまだキリスト教的肉体の虚無主義が支配する世界にあって、インドの太陽的エロスを現代的に発展させる形で、「官能の啓蒙哲学」とでもいった新たな性愛思想を提起することにある。すなわち、「太陽的で軽快なエロス、絶対的に自由で、女性を尊重し、互いに契約を大事にしながらも、歓喜に満ちたエロス」、そして「新しい価値、すなわち、思いやり、優しさ、慮り、気遣い、心の広さ、ギフト・シェアの精神」等々を尊重しながら、「一夫一婦制や貞操や子孫繁栄などといった軛《くびき》から解き放たれた身体」を創出するような性愛思想を提起することである。(16)

二つの「神学」

我々は、「GEIDOとしての性愛」を練り上げていく助走として、オンフレの、この比較性愛論――キリスト教的夜のエロスとインド的太陽のエロスの比較を（その二項対立的思考を乗り越えるためにも）、さらに深く見ていくことにしよう。

まずは前者。先述のように、キリスト教的（反）身体は、二つのモデルを模倣する。すなわち、「イエスの身体」――性的に汚れなく純潔な「天使的」身体、そして「キリストの身体」――殉教し、痛苦に満ち、受難した「死体」としての身体。キリスト教徒にとっての理想の身体とは、この反身体の二つのモデルを模倣しきることにある。例えば、純潔なる処女＝聖女が、拷問され陵辱され四肢を引き裂かれ、法悦に浸るところを、野獣が貪り食う「殉教」のように。

このイエス／キリストの反身体は、周知のように、様々なヴァリエーションを伴いながら、特に大量生産される絵画・図像を通して、ヨーロッパ中に浸透していく。そもそも、この反身体は、マリアという「処女なる母」というもう一つの反身体の「処女懐妊」という、自然の法則を超越した現象から誕生したのではなかったか。この「処女なる母」というモデルは、その後ヨーロッパ中の女性たちに重くのしかかるとともに、それから生まれたとされるイエスもまた当然のことながら、「精神的な糧」で育まれた「霊化された肉体」、「不死なる死体」として、水の上さえ歩くことのできる「非人間的人間」を演じ続けることになる。[17]

オンフレは、このイエス／キリストの反身体を模倣することが、キリスト教徒たちにとっての第一の「存在論的プログラム」だとする。そして、第二のプログラムが、（先述のように）信徒たち自らの人生を十字架への道に擬し、変容させることであり、受難の痛苦、拷問の道具を愛することであると主張し、そのプログラムがとりわけ二人の「教父」によって書かれたことを論証していく。

まず何よりもイエス／キリストの反身体は、死への愛に取り憑かれた聖パウロによる知的創作であり、パウロこそが、キリスト教の「死体愛好癖」を創り出したと、オンフレは断言する。さらに彼が、男性信徒に自分の男性性を放棄させ、女性蔑視の思想を一般化した張本人でもあると言う。なぜ、パウロはそこまで男性性の抑圧を彼らに強い、女性一般を嫌悪したのか。オンフレは、そこに、パウロの神経症、おそらく性的不能が引き起こした神経症の兆候を見てとる。パウロは、他の男たちに自身の呪わしい境遇を共有するよう男性性・性欲の放棄を説き、そうすることで自身の「異常」が異常でなくなることを何よりも望んだ。「わたしとしては、皆がわたしのように独りでいてほしい。」（『コリントの信徒への手紙 一』7：7）[18]を、オンフレはそのように解釈する。当然、彼の境遇の呪わしさを露わにするはずの女性一般が「贖罪の山羊」となる。女性蔑視の思想を一般化する中、男性性を喪失した男に唯一受け入れることのできる女性の在り方が、「処女マリア」だったのだ。[19]

さらにもう一人の偉大な教父が、キリスト教の哲学的基礎を補強する。聖アウグスティヌス、『神の国』である。オンフレによれば、アウグスティヌスは、パウロの創始した肉体の虚無主義をさらに、欲望、いや「リビドー」の哲学にまで深めた。アウグスティヌスは「リビドー」というラテン語を用いたが、オンフレは、その用法がフロイトと同じだという。つまり、存在を生命的に駆動するエネルギーという意味である。

アウグスティヌスによれば、リビドーは常にあったわけではなく、ある時生まれた。その「ある時」とは、イヴがアダムを誘惑した時、すなわち「原罪」の時だと言う。故に、女性は、男性の禍の元凶であり、「原罪」をもたらした「蛇」そのものだと言う。

神の国に赴くには、だから「意志」によりリビドーを抑え込み、己の身体を統制することが何よりも肝要である。放屁を思うように操り、音楽さえ奏でる放屁師のように、意志により己の身体・性欲を統御すること。仮に女性=蛇と同衾せねばならない場合でも、結婚という厳格な枠組みの中で子孫を作ることだけに専念すべし、とアウグスティヌスは説く。このように、オンフレはキリスト教的エロスの第一の神学を描出する。[20]

続けてオンフレは、キリスト教的エロスの第二の神学、その否定神学を描き出していく。主な登場人物は、サドとバタイユだ。[21]

彼らのエロスの闇に探りを入れる前に、まずオンフレは、殉教者たちの快楽の源泉を再確認する。もちろん、最大の源泉は、十字架で磔刑に処されたキリスト、残虐な拷問に苛まれることそれ自体が原罪を贖い、神の国へと赴く道だと説きかつ実行したキリストのイメージ＝神話である。その源泉から、殉教という嗜好、すなわち死ぬことが生きること、苦痛を味わうことが快楽・至福を味わうことという逆説的嗜好が生まれた、とオンフレは論を展開する。

まさに――そしてこれ自体もいたって逆説的だが――回心する前のパウロも迫害に加担したとされる最初の殉教者、聖ステファノ以降、（サドやバタイユを待つまでもなく）キリスト教の歴史は、殉教者の拷問と虐殺の歴史であった。確かに、デ・ウォラギネの『黄金伝説』に登場する聖者＝殉教者たちに加えられた残虐さの強度は、サドの小説のそれに比肩しうるものだ。(22)サド、そしてバタイユの暗黒のエロスは、だから、いたって「キリスト教的」エロスの在り方の一つ、そのまさしく逆転した「否定神学」なのだと言えよう。

そこで、サドである。かつて（ポスト）構造主義者たちの多くが、（バタイユと並んで）サドを旧体制の「変革者」として称えたが、オンフレは言語道断だと言う。（バタイユ同様）サドも、自らの思想と実践の最大の根拠が、神の瀆聖・侵犯であるがゆえに、彼らは絶対的に神を必要とした「保守主義者」である、と主張する。しかも、サドにあっては、書くこと《エクリチュール》が、その思想を実際の行動に移すのを阻む一種の「昇華」たりえず、現実にその思想を実践し、性犯罪を犯した。（バタイユにあっては、先に見たように「未遂」に終わったようだ。）彼自身が、いたって「サディック」な虐待者だった。有名な「アルクイユ事件」（私はたまたま留学時代、その事件が起きたサドの「別荘」——現存はしていないが——から数十メートルのところに住んでいた）や「マルセイユ事件」を挙げるまでもなく、彼は、貧困のため体を売るしかなかった女性たちを、執事にかき集めさせ、機会あるごとに、彼女らを陵辱し虐待していた。サドは、したがって、キリスト教的女性蔑視の（倒錯した）直系とも言える。彼は、女性の体を「精液の掃き溜め」としてしか見ていなかった。

サドは、正統にも拷問と性的快楽を結合させる。例えば、『ソドムの一二〇日』で彼が描き出す数々の残虐な快楽の場面は、あたかもデ・ウォラギネが『黄金伝説』で描いた殉教者たちの受難と法悦のそれを彷彿とさせるかのようだ。

そして、バタイユである。彼もまた、思想と実践において、「肉体の虚無主義」を引き継ぎ、その実存の深奥、「内的体験」において深めていく。

オンフレによれば、バタイユの全実存、全生涯は、「傷口」という徴の下にあると言う。（彼は、そのヘーゲル哲学の師コジェーヴに、こう書き送ってはいなかったか。「私の生である開いた傷口——はそれ自体で、閉じたヘーゲル体系への反駁となっている。」）梅毒症の父のもとに生まれたバタイユは、父の「癆《ろう》」の激烈な痛み＝叫びを日々聞きながら、それに快感を見出していた。マドリッドの闘牛場で角が貫通し眼球が抉り取られた闘牛士の頭蓋。体の部位を切り落とされていく中国の凌遅《りょうち》刑の写真。そして最終的には、マルリーの森で、人身を生贄にしようとした供犠（の未遂）に至るまで、確かにバタイユは、他者の、そして自分自身の「傷口」に憑かれ続け、そこに神秘的かつ実存的な法悦、「聖なるもの」との合一を内的に体験していた。

バタイユは、『エロティシズム』の「まえがき」で、まさにこう書いていた。「私は強調しておきたいのだが、本書においてはキリスト教の躍動とエロティックな生の躍動は両者の統一性において立ち現れることになる。[23]」そして、その書を終えつつ、自らの否定神学の本質をこう抉り出す。「神秘主義が語りえなかったこと〔…〕を、エロティシズムが語るのである。すなわち、神は、すべての意味で神自身の凌駕でなかったら、無である、ということを。すべての意味でとは、通俗的な存在という意味において、おぞましさと不浄という意味において、最終的には無という意味においてだ……。[24]」

そして、オンフレは、キリスト教的エロスの神学についての考察を以下のように結論づける――パウロとアウグスティヌスの肯定神学とサドとバタイユの否定神学は、イエスの反身体と、キリストの死体としての身体を共に崇める、肉体の虚無主義的神学という同じ一つのメダルの表と裏にすぎないのである、と。[25]

インドの太陽的エロス

キリスト教的夜のエロスの（否定）神学から、インドの太陽的エロスの世界へと媒介するのは、一枚の逆説的な写真・表紙である。[26] オンフレが学生時代に初めて読んだ廉価版叢書の『エロティシズム』の表紙には、インドのカージュラーホーにあるカンダーリヤ・マハーデーヴァ寺院の写真――夥しい男女が様々な姿態で絡まり合っている――が載っていた。それを見た時の彼の印象は、バタイユによる死の大いなる肯定と、この写真の示す、生の大いなる肯定があまりに不協和だということだった。

その後、二〇年が経ち、彼はインドに赴き、この寺院の彫刻群を目の当たりにする。そこから彼は、インド的エロスの在り様、精髄について様々に学び、あるいは思考を巡らす。まず、彫像の女たちがその妙なる女性性に輝き渡っていることに驚く。それはまさに、処女マリアの対極にある輝きだ。キリスト教において乳房は授乳するためかあるいは拷問で切り落とされるかであるのに対し、インドにおけるそれはあくまで愛撫を受けるものである。そして、キリストの「処女なる母」の腰部は衣で覆い隠されているが、この寺院の女性たちのそれは、豊かな丸みを帯び、シヴァ神の交わり、すなわちリンガとヨニの交わりを模すように、男性との聖なる媾いを迎えんとしている。つまりは、インドの身体は、キリスト教的反身体の対蹠物なのだ。

現地でオンフレは、自称「タントリズムの世界的権威」なる人物に出くわす。オンフレは彼に、ある男性像が雌馬と交合しているシーンの意味を問いただす。が、グルは答えを巧みにはぐらかす。そして、オンフレ自身こう推察する——この「動物性愛」の場面は、擬人化されたシヴァが、自らのリンガと雌馬＝自然とを交合させ、新たな生命を生み出している様を描いているのではないか。インドでは、性愛は、自然の力によって動くあらゆるものとの間で為される。そこでは、生命のエネルギーが、男・女・動物を問わず、あらゆる生命体の間を、中を、駆け巡る一元的な世界を形作っていて、その中で性愛は常にリンガとヨニの神的・宇宙的交合を模しているのだ。

シヴァ信仰は、〈自然〉の宗教であるのに対し、キリスト教は〈書物＝聖書〉の宗教である。後者が、身体と魂を対立させる二元的世界であり、性は堕落した〈人間たちの国〉の悪魔的力であるのに対し、前者は、そうした対立のない一元的世界であり、性は生命エネルギーの循環の一部である。したがって、後者にあって、性行為は神への道に反するものであるが、前者にあっては、逆に神へ赴く道となる。後者にあって、身体は分裂症的、すなわちポジティヴな魂とネガティィヴな肉体に分裂しているが、前者にあっては、全体にエネルギーが経巡るアーユルヴェーダ的身体である。そして、後者では、蛇は原罪を引き起こした堕落の象徴だが、前者では、蛇はシヴァの「伴」であり、現在でも多くの人々の信仰の対象となっている。

このように、オンフレの比較性愛論は、ことさら二項対立的に、インドの太陽的エロスとキリスト教的夜のエロスを描き分ける。

最後にオンフレは、インドにおける身体術・性愛術の学習の書として『カーマ・スートラ』を取り上げる。この有名でこそあれ内容をきちんと知られていないテキストは、決して性のテクニックのマニュアルなどではない。それは、男性・女性双方を「平等に」扱う、「性愛の術(art du sexe)」の「指南書」である。女性は、心身ともに「美しい」女性になるために、性愛の術のみならず、六四もの技芸、すなわち「家事」に属する技（花飾りの作り方、ベッドメイキングから、オウムや椋鳥に言葉を話させる技まで！）から、絵の描き方、楽器の弾き方などいわゆる「芸術」、さらには（少なくとも同時代〔五世紀〕の西洋世界ではもっぱら男性のものとされていた）弁論術から戦法に至るまでを学べる、その人となりを育てる教育プログラムとなっている。(27)

もちろん、性的快楽も男女共に平等に分有される。が、双方の器官の大小、欲望の度合いの強弱、行為時間の長短によって、快楽の強度の異なる九つの組み合わせが提示される。[28]

こうして、我々現代人も、この『カーマ・スートラ』に倣って、自らの欲望の「特異気質」に応じて、固有の性愛の物語を紡いでいかなくてはならない、とオンフレは本書の「結論」に入っていく。

「私の性」へ

そこで、我々はどうしたらいいのだろうか。

オンフレは、少なくともフランスでは、過去に稀だが二回、「脱キリスト教化」の瞬間があったと言う。一七九三—四年と一九六八年だ。前者はわずか六か月しか続かなかったが、グレゴリオ暦から共和暦への変更、キリスト教にまつわる町名・市名の変更、キリスト教の図像・象徴の破壊、修道院・僧院の接収などから、離婚を認める立法や婦人参政権運動などが行われた。後者（真の脱キリスト教化）は、いわゆる「五月革命」であり、ピルの解禁、堕胎の自由化などの立法から、社会のあらゆる位相、人間関係を（キリスト教的）権威・権力の構造から解放しようとした。

しかし、「五月革命」の〝春〟の後には、長い〝冬〟がやってきた。資本主義的リベラリズムが、「超自我の性」から「エスの性」へ、すなわち無意識的欲動を限りない消費の欲望へと振り向け、性の消費資本主義へとすべてを押し流した。

そして、今、第三の脱キリスト教化の時代が訪れようとしている。それは、「私の性（sexe du moi）」の時代だ。

この時の「私」とは何か。この私を囲い込もうとするあらゆる定義——一般化し、普遍化しようとするあらゆる大文字の定義（「男」「女」など）から逸脱する、多様で、炸裂した「私」。「私は他者である」と言ったアルチュール・ランボーの「私」。「私」はだから、自らに固有の欲望の系譜を探索しなくてはならない。と同時に、そうした無数の、多彩な「私」の欲望が学習すべき、新たな「カーマ・スートラ」や春画、しかしもはや紙媒体に書かれた古の東洋のそれではなく、現代のスクリーンに映し出される「哲学的なポルノグラフィ」。が、決して商業主義的なアダルトビデオの如きものではなく、ピーター・グリーナウェイやレオス・カラックスが作るであろうようなポルノグラフィである…。

結局「本書は、各人の唯一性という新素材を元に自己を性愛的に育て上げる作業へといざなうものである」と、オンフレは、この『快楽への配慮』という著作を締めくくるのである。

はたして、この、現代的な「私の性」が、我々の求めるGEIDOとしての性愛なのだろうか。

オンフレの比較性愛論の限界

これまで見てきたように、オンフレは、キリスト教的（彼によれば、すなわち「ヨーロッパ的」）夜のエロスと、インドの太陽的エロスを、ものの見事に対照し、二項対立的な比較性愛論を展開した。そして（あたかも「弁証法」的知に導かれたかのように）、いわば両者を「止揚」し、「現代化」するような形で、〝第三の〟性愛の在り方、つまり「私の性」を導き出したのであった。

しかし、と私は、そのあまりに鮮やかな展開・論旨に待ったをかけたい。往々にして、あまりに鮮やかな二項対立的論理（男対女、文化対自然、西洋対東洋、精神対物質など）には、論者自身が必ずしも自覚的でないイデオロギー的バイアスがかかっていて、そのバイアスが「鮮やかさ」を生み出している場合が多い。キリスト教的＝ヨーロッパ的（＝西洋的）エロスを糾弾し、それに対立させて、ヒンドゥー教的＝インド的（＝東洋的）エロスを称揚する――この二項対立的で不均衡な図式は、明らかに「オリエンタリズム」の逆転、「逆オリエンタリズム」に他ならない。「反（西洋）哲学者」を自認するオンフレだからこそ、その「哲学」の最大かつ最深の起源の一つ、「キリスト教」に文字通り反旗を翻し、そのエロスの倒錯・病理を抉り出し、翻ってインドの健康的で、精気に満ちあふれたもう一つのエロスを賞賛する。そのあまりの「鮮やかさ」こそ、彼の「反哲学」のイデオロギーの〝表現〟なのだろう。しかし、私は、GEIDOとしての性愛へと辿り着くために、この「鮮やかさ」に魅せられつつも、十分用心し、改めて自らの論を紡ぎ出していかなくてはならない。

宮廷風恋愛——「ヨーロッパ」のもう一つのエロス

その手始めに、いったいこの比較性愛論にあって、何が問題なのか、この二項対立的論理では掬い切れない何か重大な論点はないのか、検討していきたい。

オンフレは、先に見たように、ヨーロッパは約二千年来、生活と社会の全領域にわたってキリスト教化された（二つの例外的「脱キリスト教化」の瞬間を除いて）、したがって、ヨーロッパ的エロスは、そのままにしてキリスト教的エロスであり、それはイエス／キリストの反身体を模倣する肉体の虚無主義に他ならないと断じたのであった。がしかし、はたしてヨーロッパにはその唯一の「キリスト教的」エロスの形しか存在しなかったのだろうか。否、と例えば、やはりヨーロッパ（正確にはOccident〔訳者は「西洋」ではなくあえて「西欧」と訳している〕にける「愛」（amour）の形を論じたドニ・ド・ルージュモンは異を唱える。その『愛について——エロスとアガペ』において、ルージュモンは、西欧における「愛」の源泉を、オンフレとは対照的に、必ずしもキリスト教に一元化することなく、多様に、その地下水脈を探し求めていく。

彼によれば、西欧の、現代の多くの人々が今なお経験している「情熱恋愛」の原型は、例えば『トリスタンとイズー』の物語・神話に代表されるような騎士道精神が培った宮廷風恋愛にあると言う。

宮廷風恋愛は、まず、十二世紀初頭、南フランスで現れた。そしてその恋愛の悦楽と強度を、トルバドゥールと呼ばれる吟遊詩人たちが、プロヴァンス語で謳い始めた。その恋愛＝叙情詩の登場人物は、ただの二人。すなわち「八百回、九百回、千回となく悲嘆をくりかえし訴える詩人と、常に否《いな》という美女とだけ(29)」である。

この「結婚を度外視した(30)」、いやむしろ、キリスト教の結婚の教義とその強制への反動として生まれた恋愛は、一つの儀礼を前提としていた。

ドムネ domnei またはドノワ donnoi と呼ばれる、愛する者の臣従の義務がそれである。詩人はまず調べの美しい賛美の歌で貴女《ダーム》の愛をかちとる。詩人はちょうど君主に対するように、婦人の前に跪《ひざま》ずいて永遠の忠誠を誓う。婦人は愛のしるしとして、遍歴の騎士に見たてた詩人に金の指環を与えてから、立つようにと命じ、詩人の額《ひたい》に接吻をしてやるのだった。それ以後二人の恋人はコルテツィアの掟《おきて》によって結ばれることとなる。この掟とは秘密、忍耐そして節度を守ることである(31)。

したがって、この恋愛、エロスには、恋人たちの（儀礼化されているとはいえ）「距離」が決定的に重要であり、（九鬼自身は西洋に「いき」の存在を認めなかったが(32)）ある意味で西洋的「いき」とでも言いうるように、その「距離」が逆にエロスの強度を高める、そうした恋愛の形であった。しかも男＝詩人は女性の「下僕」であった。だから、バタイユのエロティシズム——

何よりも（能動的な）男が（受動的な）女を「裸にすること」により、互いの存在の非連続性を解体し、肉体的かつ聖なる連続性＝合一へと痙攣的に消尽するエロティシズムとは、いたって異なる〝もう一つの〟エロティシズムが、ヨーロッパにもあったのだ。しかも、このエロティシズムと、それを唄いあげる詩は、単に南仏に固有なものに留まることなく、（おそらくは詩人たちの吟遊の旅とともに）瞬く間にヨーロッパ各地に広まり、例えば『トリスタンとイズー』のような、新たな物語や詩を生み出していった。

象徴的東洋への回帰

だが、とルージュモンは自問する。それ以前には、女性の地位が賤しく依存的であり、かつこれほどまでに洗練された修辞的な詩を知らなかった南仏で、なぜ突如としてこの時代、二つの誕生の奇跡、すなわち非伝統的な女性観の誕生と、前例のない洗練された定型詩の誕生とが起こったのか。もしかすると、両者ともどこか別の場所からやって来たのではなかったか。しかも、ルージュモンはここで、二つの重要な指摘を行う。まずは、こう問う。「常に否という美女」は、現実に存在する女なのか。それとも、ある何かの「象徴」なのか。それは、「人間の霊的部分、肉体の牢獄に閉じこめられた人間の魂が、憧憬的愛をいだいて求めるもの」[33]の象徴なのではないか。トルバドゥールたちは、結局「神格化するエロスと、本能の虜囚たるエロスとの宿命的混同」を行い、「神がかり的な」情熱、彼らの言う「愛の歓び」と、「不幸な人間的情熱」を重ね合わせながら、唄い上げたのではなかったか。[34]

もう一つの指摘——今日人々が〔オンフレもだが〕キリスト教の特色と信じている「肉の罪悪視」は、実際には、当時南仏を含めたヨーロッパ南部で隆盛していた「異端」カタリ派、さらにはそれに強い影響を与えたと目される当時の「世界宗教」であるマニ教〔アジア、アフリカ、ヨーロッパの各地にまで広まり、宇宙を霊的な光と物質的な闇の対立と捉え、物質や肉体を嫌悪する禁欲的な教義をもち、アウグスティヌスもまたキリスト教に回心するまで熱烈な信者だった〕に淵源しているのだ。聖パウロが蔑視している「肉」は、実は単なる肉体やその欲望ではなく、(アウグスティヌスも『神の国』で指摘しているが[35])「不信仰の人間のすべて、身体、理性、能力、欲望——したがって魂までも含めている[36]」のである。

そして、ルージュモンは、さらに重大な主張をする。何と、南仏、そしてその後急速に「ヨーロッパ」各地に広まった宮廷風叙情詩は、「東洋」に発した二つの（キリスト教から見て）「異端」の潮流が、地中海の北と南を経て、南フランスで邂逅した結果生じた「歴史上もっとも異常な精神の合流の一つ」である、と言うのだ。長いが、いたって重要な主張なので、あえて引用しよう。

十二世紀、〔フランス南部の〕ラングドック地方とリムーザン地方に、歴史上もっとも異常な精神の合流の一つが生じた。その流れの一つは、マニ教的な宗教の一大潮流で、源《みなもと》をイランに発し、小アジア、バルカン地方を通って、イタリアおよびフランスに流れ込んだものである。

これは智慧《ソフィア》としてのマリアと《光明の形態》をとる愛とに関する秘教的教義をそこにもたらした。もう一つの潮流は、特殊な技法、一定の主題や人物、きまって同じような箇所に生ずる意味の曖昧《あいまい》さ、そして特有な象徴主義などをともなう高度に洗練された修辞法である。この流れはプラトン化されマニ教化されたスーフィー派のはびこるイラクから発し、アラビア的スペインに渡り、ピレネー山脈を越えて南仏に入って、そこの社会と出あった。この社会は僧侶の用いる言葉や俗語では敢えて告白できぬものを表現しようとして、伝来してきた表現方法に期待することになった。宮廷風抒情詩はこの二つの流れの遭遇によって生じたものだ。このようにして、同じ東洋に発し、文明的な地中海の両岸を経て伝来した魂の《異端》と欲望の《異端》との二潮流が、窮極的に合流した地点に、情熱恋愛という表現形式の西欧的一大典型が誕生したのだ。[37]

そしてさらに、ルージュモンは、「宮廷風といわれる現象の概観」として、いくつかの示唆的な事柄を列挙していく。その一つとして「貞節」の技法を挙げるが、それが何とインド、こともあろうに「タントラ教（tantrisme）」に淵源すると指摘するのだ！ 宗教学者ミルチャ・エリアーデのヨーガ論を援用しつつ、タントラ教の信者たちは何よりも「シャクティ」――「女神」であり「妻」であり「母」である宇宙的な創造力を崇拝し、瞑想によりその力と合一しようとする。そして、その瞑想の技法の一つとして、タントラ教は、「マイトフナ（性交の儀礼）」を行うが、エリアーデによれば、その儀式は「故意に秘密で漠然とした二重の意味をもつ言葉を用いて」おり、マイトフナが「事実上の行為なのか、単に比喩にとどまるものかどうにも識別がつかない」ように表現されている[38]。でもなぜ、その意図的に曖昧化・両義化されたマイトフナ＝性交が「貞節」なのか。なぜなら、その「エロティックな」儀式は、ヨーガの「修行」であり、行者は、性行為という、行が貫徹されなければ「業《カルマ》の惨憺たる法則の餌食」となりかねない行為を通して、逆説的に「解脱」する、すなわち「人間の肉体が最高存在の形相に超出することを体験する」のであり、その「最高存在の形相」こそ、シャクティ、「歓びと憩いの唯一の源泉、一切の女性的自然の理法を綜合した恋人」なのに他ならない[39]。

こうして、ルージュモンは、トルバドゥールにおける「神秘化するエロスと、本能の虜囚たるエロスとの宿命的混同」の、遥かな源泉を、こともあろうか、タントリズムにおける「マイトフナ」のエロスの両義性・逆説性に探っていくのである。さらに、「宮廷風といわれる現象の概観」の「決定的結論に代えて」と断りながら、以下のような「私の最小限度の主張」を（大胆にも）行うのである。

> すなわち宮廷風恋愛は十二世紀に発生したものだが、西欧的心理の発展の真只中において誕生したものなのだ。またそれは意識の薄明状態に遡《さかのぼ》らせたのと同じ心の動きから生じ、シャクティ的女性原理、女性崇拝、母性崇拝、処女崇拝といった魂の抒情的表現から生じたものだ。宮廷風恋愛はアニマの奇蹟的出現といった性質をもち、私の眼から見れば、西欧的人間における象徴的東洋への回帰として映るのである[40]。

「ヨーロッパ的」エロスの、確かに、最大かつ最深の源泉の一つは、オンフレの言うように、「キリスト教」に求められるだろう。しかし、「ヨーロッパ」もまた決して一枚岩ではない。そこには、「キリスト教」的ではない、様々な「異端」のエロスの流れ、「異教」のエロティシズムの地下水脈もまた流れ込み、ルージュモンの説くように、中世の宮廷風恋愛・叙情詩を花開かせた。そしておそらくは、今なお「ヨーロッパ人」の欲望の幾ばくかを駆動しているのではないだろうか。

「私の性」の彼方へ

ルージュモンは、この『愛について』の中で、他にも様々に重要な指摘・主張をしている。例えば、(オンフレがほとんど触れていない)キリスト教的愛のもう一つの在り方、すなわち「アガペ」に関して、それを、他のあらゆる宗教(のエロス的弁証法)を否定する「未曾有の一大事件」とみなす。なぜならそれは、現世的「暗黒」から超越的「光明」へと飛躍し合一するのではなく、『ヨハネによる福音書』の冒頭にあるように、言《ことば》=神がこの世においてキリストとして「肉化」し、「この世にありながら、新しき生が始まる」、「世界の内部への積極的な回帰」と「生の再肯定」を実現したから。しかも、この「愛の方向転換(回心)」が「隣人」を出現させ、「敵を愛しなさい」という「隣人愛」にまで展開していったからだと言う[41]。このアガペによる「交わり（communion）」についてのルージュモンの考察も、特に「キリスト教的愛」を論じる上でいたって重要だが（バタイユ的夜の「交流（communication）」とも比較検討したいところだ）、ここでは、GEIDOとしての性愛へと辿り着くためにも、あえて深掘りすることなく、先を急ぐことにしたい。

オンフレは、インドの太陽的エロスを、現代的に蘇らせ、「私の性」を提唱していた。彼が、その新たな「性」を実現するために取ろうとしていた方策は主に二つだった。すなわち一方で、各自は「私とは誰か？」、「私の欲望とはいかなるものか？」と自問しながら、自らの性的系譜を探索すること、そして他方では、その各自の性的系譜の探索を、現代版ポルノグラフィ――もはや古の東洋の性の指南書のように書物の形ではなく、例えばグリーナウェイやカラックスのような映画作家が作り出しうる映像による「哲学的ポルノグラフィ」が指南していく。結局、この新たな「性」は、そしてそれを提唱するこの著作は、「自己の唯一性という新素材によって新たな自己を構築し」、「愉楽に満ちた身体的間主観性を構築する」よう、人々を導く、と締めくくられるのである。(42)

この結論に至るまでにオンフレが考究したキリスト教的夜のエロスと、インド的太陽のエロスの比較性愛論の理論的・論理的「厚み」と「鮮やかさ」に比して、その両者を「止揚」するはずの、この「私の性」の提案は、何とも「薄く」、「不鮮明」と言わざるを得ないだろう。なかんずく、（我々のGEIDO論の文脈に引きつければ）、オンフレがインドの性愛術に論究していながら、それを内側から駆動しているはずの瞑想的行の在り様（例えばルージュモンが論じたタントリズムの「両義的」修行）に一切言及していないのは、[43] 彼の「反哲学」がいまだ（反）哲学的「思考」に留まっていて、そうした「思考」では把捉し得ないエロスの内的体験の深みを「瞑想」によって感じ／観じていないからだろう。

今や、我々はGEIDOとしての性愛の考究へと進むべき時である。

（2）もう一つのポリアモリーへ

「第三の性」

作家五木寛之の作品に、『サイレント・ラブ』という奇妙な短編小説がある。[44] 日本人の若い男女のカップル（ユージとマリコ）が、婚前旅行として、おそらくは地中海沿岸であろう港町に立ち寄り、マリコが予約した「イサドラ・ダンカンをしのぶ夕べ」というダンス・パフォーマンスの会場で、現地在住の日本人画家の女性（ユリ）に出会う。そして、二人は、ユリの自宅に招かれ、そこで、ユリとそのボーイフレンドのハンガリー人、ドクから、彼らには未知のあるセックスの指南を受ける、という物語である。

おそらくは、現代日本にあって「標準的な」性生活を営んでいる（という設定の）ユージとマリコに、ユリとドクが指南するセックス、「サイレント・ラブ」は、その「ゆっくりと、そして静かに」為される仕様とは裏腹に、そうした「標準的な」性の在り方を大きく覆す、ゆっくりで静かだが、大いなる力を秘めている。この小説と同時期に書かれたエッセイ集『愛に関する十二章』(45)の言葉を借りれば、その「力」は人類に「第三の性」をもたらすほどの革命的力だと言う。

D・H・ロレンスの『チャタレイ夫人の恋人』がヨーロッパのキリスト教的性道徳に衝撃を与えたのが「第一の性」。シモーヌ・ド・ボーヴォワールがその名も『第二の性』と題した著作でフェミニズムの先鞭をつけたのが「第二の性」。そして今や、人類は、新たな性・愛のルネッサンスに臨んでいる、と五木は主張する。

そして、いま、私は第二の性によって解き放たれた女性と柔軟な考えを身に付けた男性がともに喜びを得る性のあり方を考える、「第三の性」の時期を迎えているのではないかと感じているのです。「第三の性」とはなにか。愛する者同士がセックスという行為を通じて、お互いへの愛を深め、その喜びのうちに、自分の命を生き生きと再生させるものと考えています。セックスによって、人間復興《ふっこう》が行われるものではないかと。セックスの後の空しさを、男性はよく口にします。女性は女性で、パートナーの気持ちを無視して、用具のように体を扱う男性のやり方に恐怖心さえ覚える人もいます。そのような従来の男性本位のセックスに慣れきった人たちには、セックスによる人間再生、愛のルネッサンスといっても、なかなか理解できないかもしれません。しかし、いまのような閉塞感漂う社会状況の中では、新しいラブスタイル、「第三の性」を探って、そこになにか活路を見出そうとすることはとても大切なことではないでしょうか。[46]

そして、五木によれば、その新たな性愛革命のヒントになるのが、このエッセイ集でも紹介され、小説でもユリとドクが開陳する「ポリネシアンセックス」だ。

「ポリネシアンセックス」とはいかなるものか。それは、人類学者のブロニスロウ・マリノウスキーが西太平洋メラネシアのトロブリアンド島に調査研究に入り、そこで見出した現地人の性生活の在り方だ。その詳細は、調査研究をまとめた浩瀚な『未開人の性生活』[47]を読むしかないが、五木はとりあえずユリの口を借りて、要点をこのように説明する。

彼らは男上位の体位をとらない。

そしてヨーロッパ人のセックスのやりかたを笑いものにする。

そのやりかたには、情熱がかけているし、あわててオーガズムを求めすぎるというわけ。

島の人びとは上下よりも、左右に横向きの体位で水平に動くのを好む。

さらに大事なことは、時間をかけてすごくゆっくりとセックスをすること。

文明人には考えられないほど、たっぷりと前に時間をかけ、丹念に接触していることがセックスでもっとも重要なことだと彼は理解するのね。

〔…〕

するとオーガズムがゆっくりおとずれてくる。

〈一時間もすると先祖の魂がめざめて、われわれの行為を祝福してくれる〉と、ポリネシアの人びとは考えるの。(48)

実は、五木がポリネシアンセックスを含め、小説とエッセイ集の情報源としているのが、ジエイムズ・N・パウエルの『エロスと精気《エネルギー》』という著作(49)だ。この著作は、西洋人の非常に多くが（キリスト教的精神構造によって）抑圧された性生活を送っているのに対し、中国の道教やインドのタントリズムの大らかで成熟した性思想・性実践を対置し、がしかし、現代の西洋人は、東洋の伝統を単に模倣するのでなく、独自の性愛術を開拓すべし、と唱える著作である。この論考には単にポリネシアンセックスや道教、タントリズムの紹介のみならず、我々のGEIDOとしての性愛を考究する上で、示唆に富んだ様々な知見が披瀝されているので、しばしそれらを検討してみたい。

生体電子の「場」

パウエルは、道教とタントリズムの性思想・性実践を詳しく紹介した後、最終章「場《フィールド》」で、今度は西洋近現代における（西洋にとっては）稀な非伝統的＝革新的な性愛理論について論じていく。

彼は文字通り「場」から語り始める。いかなる「場」か。何と電磁気の「場」である。

物理学もまた、電磁気力は宇宙にある四つの基本的な力のひとつであり、絶えまなく踊っている、原子のなかの電子と陽子を束ねる力であることを教えてくれる。人体のなかに生体電子が絶えず流れていて、この流れが全身におけるひとつの生体電子の場をつくる。この場は無限に拡散していて、地球や月の電磁気の場につながり、最も遠い星雲の電磁気の場にすらつながっている。西洋で近年そういう研究成果が発表された。しかし、この生体電子の場というものは西洋の科学者にはほとんど同意を得られていない。この研究は一九七〇年代になってようやくまともに取り組まれ始めた。だが、中国文化とインド文化は何千年も昔から、人体組織の全体にエネルギーの場が及んでいることを認知し、またそれを体感してきたところだ。この二つの文化はまるごと、この場との睦まじさにのっかっている。(50)

この電子エネルギーを、中国人は「気《チー》」と呼び、インド人は「プラーナ」と呼んだ。そして、この「気＝プラーナ」を瞑想の技により自らの身体の内で、そして交合により二人の身体の内で、滑らかに循環させることにより、不老不死と精神的修養を果たす。そうした心身一如の養生法を、東洋では古来何千年と受け継ぎ、今でも実践している人たちがいる。

ところが、西洋ではようやく最近になって、科学が、人体の生体電子の場の存在と仕組みを理解し始めたばかりだ。ロバート・ベッカーの『電気の身体』[51]をはじめとした、いくつかの研究は、電磁気体としての人間の身体と、自然環境・人工環境双方に存在する電磁気の場が、どのように関係しているのか、科学的に明らかにしようとしている。その中でも特に、「十ヘルツ」の電磁波が、何と地球上の生命誕生と瞑想に共通するのだと言う。

最近の理論では、地球に生命が誕生したとき、地球の電離層の空洞が大気圏のなかに複数の強力な電磁波を生んだという。これらは十ヘルツの周波数で振動した。それで、この周波数がその最初の生命の分子に刻印された可能性がある。そう考えれば、この周波数が人間を含む多くの動物に共通していることの説明がつく。現実に、瞑想しているときはこの周波数が突出して多くなるのである。[52]

ところが、実験的に自然の電磁場から遮断された部屋に閉じ込められた人たちは、たちまち周波が混乱し、体内リズムと日々の通常のリズムとの関係を一切失ってしまった。が、この部屋に十ヘルツの人工の電磁場を作ると、彼らの生体リズムは通常に回復したと言う。[53]

ベッカーも次のように指摘する。

地球上で〔先カンブリア紀に〕十ヘルツの電気が放出される中で形成されたすべての物――それらに由来するすべての物――は、始原の電源が失われて以降も依然として同じ周波数で共振している、あるいはその周波数に対する感度が非常に高いと思われる。十ヘルツという波長は、ほとんどの生命体にとって昔も今も非常に重要であることに変わりないだろう。先述したように、十ヘルツは、あらゆる動物の脳波で最重要な波長であり、それはまた、ある人間が地球と月と太陽の電磁場から何らかの仕方で切断されたときに、生命リズムを回復させるのに用いられる波長でもある。(54)

ところで、現代の先進国に生きる人々は、電磁波「スモッグ」に日々晒されていると、パウエルは警告する。何と、一九世紀に比べて、二一世紀の我々は二億倍(!)もの量の電磁波に身を晒しているのだ。だからこそ、「十ヘルツ」に同期する瞑想、そして瞑想を通した性愛術こそが、電磁気体としての人間の身体の統合性の回復に何よりも役立つことになる。

こうした電磁気的にも危機的状況だからこそ、西洋人も今や、東洋人の伝統的な心身養生法・性愛術に学びながらも、それを単に模倣するのでなく、「独自な性的かつ精神的合一」の場を作り出せねばならない。(55)

(ところで、ここでパウエルが言う「地球に生命が誕生したとき、地球の電離層の空洞が大気圏のなかに〔生んだ〕複数の強力な電磁波」=「十ヘルツ」は、通常「シューマン共振」と呼ばれる「七・八ヘルツ」のことを(おおまかに?)示唆していると思われる。(56)本論では、科学的により正確を期すために以下、「十ヘルツ」ではなく「七・八ヘルツ」と改めて記したい。)

そこで、パウエルが援用するのが、一九世紀半ばにアメリカ人ジョン・ノイズが提唱した

「カレッツァ（karezza）」の理論（性的結合による「交流的磁気」）と、二〇世紀に入り、それを科学的に深化させたかのような、オーストリア人、ルドルフ・フォン・アーバンの『性の完成と結婚の幸福』（邦題『愛のヨガ』[57]）である。ここでは特に、GEIDO論の文脈から見て示唆に富んだ後者の研究に着目し、生体電気と性愛術という視点から検討したい。

アーバンの生体電気性愛論

アーバンは、まず「序説」で、家族において母親が自らの性的本能の抑圧と、そこから来る神経症を抱えながら子供たちに接しているかぎり、子供たちにもまたその抑圧と神経症が伝播・反復し、幸福な結婚生活を送ることができなくなると言う。だから、母親は（もちろん父親もだが）、自らの性愛をいかに抑圧・タブーから解き放ち、性愛の素晴らしさを楽しみ、できうれば一つの「芸術」にまで高める。そうすれば、夫婦生活のみならず、子供たちにも精神的な安定感と満足感をもたらすことができる、と主張する。「バイオリン」も、弾き手次第だ、というわけだ。

こういうわけなので、子どもたちのために、母親は自分のセックスに対する敵意をとりのぞき、自分がつくりあげてきた、かたくななセックスについてのタブーを壊さなければならない。セックスを神からの呪いと考えている女性はまちがっている。それは神の祝福だ。彼女たちは、祝福などではなかったと主張する。きっとその通りだと思う。しかし、バイオリンも弾きかたを知らないひとの手にかかったら耐えがたい音を出す。しかし、大演奏家が同じ楽器を演奏すると、その結果は大ちがいになる。まずいのは楽器ではなく、弾き手だ。

たしかに現代の社会では、愛の芸術の達人が生まれるのはむずかしい。ほんのわずかなひとたちだけが、愛と性を芸術として洗練するために、手間と、ひまをかける価値があると認めているにすぎない。しかし、正しく理解をし、育て、練習をつむならば、それは、この上なく美しい世界を啓示することのできる芸術なのだ。

愛と性的幸福の芸術の原則には、複雑で科学的な内容が含まれている。この道で完成に到達することは、他の芸の道とおなじく容易なことではない。性生活を完成させるための原則をきちんと守るために必要な安定は、満足のできる健康な結婚で保証され、それが、結局、なごやかな家庭のメンバーとして必要な安定感を子どもたちに与えるということにもなるのだ。(58)

まさに「芸術」、いや「芸の道」としての性愛の主張である。しかし、この「芸術」ないし「芸の道」としての性愛の主張を、一つの「科学的」な論として公にするのに、アーバンは、三〇年もの間ためらっていたと言うのだ。様々な実験や体験を繰り返し、「論」の正しさは経験的に明らかであったが、それを「科学的」に証明するのに、これだけの年月を要した。が、今ようやく、その「論」の精髄を開陳する時が来た。そう、アーバンは満を持すのである。そして、論の中核である章「愛のヨガ六カ条」に入っていく。

この章では、過去三〇年以上にわたる経験の真髄を述べることになる。これは、この本のもっとも重要な部分である。結婚生活が成功するかどうかは、以下に述べることを知っているかどうかにかかっている。もしそれを知らなければ、結婚生活は失敗へとつながっていき、家庭の崩壊、情緒障害、青少年非行、病気、犯罪などの結果が待っている。

実践的な効果は明らかであったが、三〇年間、科学的に証明することができなかったために、わたしは、自分の発見をおおやけにすることをためらってきた。しかし、物理学という科学が、愛と性の問題にいくつか新しい貢献をしてくれたことに励まされて、たとえ信じがたいことと思われようとも、自分の経験をある程度は読者に提供する勇気を持つことができたのである。

本書で、人間の性的関係について述べるときに使っている「電気」または「電流」、「陽電気または陰電気」という用語は、文字通りにではなく、イメージとしてとらえてほしい。電気の理論は、こと性の問題については、まだ科学の共有財産になってはいないからだ。(59)

と、アーバンは満を持しながらも、自らの生体電気性愛論に「科学的」な自信をいまだ十全にもちえず、「文字通りにではなく、イメージとしてとらえてほしい」などと留保をつけているが、先述のように、半世紀以上が経ち、生体電気について「科学的」に知っている我々にとっては、むしろ彼の論を「科学的」に「文字通り」に受け取るべきだろう。

では、その生体電気性愛論の核心とは何だろうか。それは、男と女の生体電位には差があること。その差が「正しい」交合によって中和されると、二人の間の電気的緊張がなくなり、完全なくつろぎの状態、神々しいまでの至福の状態が訪れる、という点である。(60)

アーバンは、この核心をつかむために決定的だった四つの事例を挙げる。

一つ目の事例――ダマスカスで彼が滞在していたホテルに、ある日、かつて彼のサナトリウムの患者だった男性が訪ねてくる。そして、世にも不思議な話をする。(61)

「一週間まえにわたしは若く美しいアラブ少女と結婚しました。わたしたちは二人とも非常に愛しあっていました。わたしたちの間で起こったふしぎな出来事は、あまりにもふしぎで、とても興奮してしまったので、それをどうしても専門家に話さずにはいられない気もちになったのです。

妻とわたしは一時間、裸でベッドにねて、からだをぴったりくっつけて愛撫しあっていましたが、性交はしてませんでした。それからわたしたちは離れて立ちあがりました。すると妻の姿が見えはじめたのです。彼女の輪郭は青緑色で神秘的な光の後光でふちどられ、それは彼女から発していました。それは後光に似ていましたが、ちがうのは頭のまわりだけでなくからだ全体をかこんで、輪郭がぼうっと見えました。彼女がそこに立ったので、わたしはゆっくりと彼女の方へ手をのばしました。わたしのてのひらが彼女の胸から二・五センチメートルに近づくと電気の火花が彼女からわたしにとぶのが見え、聞こえ、痛かったのです。二人ともちぢみあがってしまいました」

アーバンは、このカップルに、実験を依頼する。一回目、二回目、三回目と性交の時間を少しずつ長くしてもらう。すべての回において、やはり「火花」が見えたが、四回目、性交が二七分に及んだ後は、なぜか「火花」が飛ばなかった。そこで、アーバンは、「二七分」という時間が二人の生体電位の差が解消される臨界点ではないかと推論する。事実、以降、半時間以上の性交を経た後は、何日間も性交なしでも二人に深い満足感をもたらし続けた。

二つ目の事例は、先にも挙げた、トロブリアンド島の原住民の「ポリネシアンセックス」だ(62)。ここでも、半時間以上（先の五木の表現を借りれば）「ゆっくりと、そして静かに」交合すると、「祖先のたましいが目覚めて二人の結びつきを祝福しにくる」。

三つ目の事例は、やはりパウエルも言及していた「カレッツァ」だ。ここでも半時間以上の性交が、男女の電位差を中和し、完全なくつろぎの状態をもたらすことが、確認される(63)。

最後の事例――アーバンにとっていたって身近な事例で、彼に「実践的に価値のある結論をひきだすことのできた経験」である(64)。

アーバンは、ある日、メアリー（仮名）という若い女性の世話をするよう頼まれる。彼女は深い神経症を患っていて、何人かの有名な精神分析医もお手上げだった。アーバンは、そんな彼女を自分の療養所に引き取り、仕事をあてがった。メアリーは、まさに才色兼備で、多くの男性の憧れの的だったが、彼女自身は男性を見ただけでも口がきけないほどだった。（実は、彼女は少女時代に、「本当の父親」と信じ込まされていた義父にレイプされそうになったのだった。）そんな彼女と、助手のフレッドが情熱的な恋に落ちた。そして半年後、結婚にまでこぎつけたが、フレッドは彼女の神経症と特異性を熟知していたので、尋常ならざる努力と情熱でそれを尊重し、性的なアプローチを一切しなかった。が、六週間後、二人の情熱は限界に達し、ついには初めて裸どうしで抱き合って（性交することなく）一夜を過ごした。

彼らはだきあってよこたわり、完全にリラックスし、このからだの接触をよろこんでいた。すると、約半時間後に、フレッドによれば、いうにいわれないなにかが彼らの中に流れはじめ、彼らの肌の細胞のひとつひとつが生き生きとよろこんでいることが感じられた。これはフレッドがいままで経験したこともない狂喜とよろこびをもたらした〔…〕そしてメアリーも、彼によれば、おなじく感じた。彼の印象では、これら何百万のよろこびのみなもとがとけあってひとつとなり、メアリーと触れあっている彼のからだの肌の部分へとながれた。彼のからだはとけたかとおもわれ、時間空間はなくなった。すべてのかんがえはきえ、彼はことばではいいあらわせない感覚的よろこびで燃えつくした。それに対するメアリーのことばは「超人間的」「神聖な」というのだった。

アーバンは、これら四つの事例以外にも、三〇年間、他の多くのカップルの経験を観察することにより、性愛の核心が単なる性器の興奮や子孫作りにあるのではなく、カップルの生体電気の交流による、心身の完全なくつろぎ、神々しいまでの至福にあることを確信するに至る。その知見を彼は「愛のヨガの六カ条」として、この著作にまとめる。（一）準備、（二）体位、（三）継続時間、（四）集中、（五）くつろぎ、（六）回数にわたる六カ条の詳細は、（本論が性愛術の指南書ではないので）原著にあたってもらおう。本書では、このアーバンの生体電気性愛論が何故にGEIDO的であるのか否かを、その問題点も含めて、改めて問うてみたい。

キリスト教的心身観・性愛観の残響

まず、問題点から。アーバンのこの著作の原題は『性の完成と結婚の幸福（*Sex Perfection and Marital Happiness*）』（傍点筆者）であった。そう、アーバンが、生体電気の交流にあたって想定するカップルは「結婚」しているか、あるいは「結婚」を望んでいる男女のカップルだった。その背景には、「結婚」の不幸の多くは性愛の不幸に淵源し、故に幸福な性愛は、幸福な「結婚」と家庭をもたらす、という思想がある。この一夫一婦制を前提とした結婚観・性愛観に、我々はやはり「キリスト教的」結婚観の残響を聴かざるをえないだろう。「序説」にもあったように、この愛と性の「芸術」ないし「芸の道」の究極の目標は、「満足のできる健康な結婚」であり、「なごやかな家庭のメンバーとして必要な安定感」なのだ。この結婚・家族観に、我々はアーバンのキリスト教的で保守的な倫理観を見てとらざるをえない。

もう一つの問題点は、「愛のヨガの六カ条」のうちの、特に「(三) 継続時間」に見られる、「意志」による身体の「コントロール」という発想にある。先に見たように、カップルの間で、電位差が解消し、生体電気の交流がなされるまでには最低半時間必要だった。いかにその間動かないとはいえ、男性によっては射精を抑えきれない場合があろう。そこで、アーバンが勧めるやり方は以下の通りだ。

セックスと性格は手をとり合って進む。もし弱い男の性格を強くしたならば、彼の早漏を克服する手助けをもしたことになる。精液が流れ出るところの筋肉を収縮することによってのみ、射精はおくらすことができる。これは一歩ずつマスターするのだ。まず彼は精子を二分間とどめることを覚え、次に五分、次に一〇分、といったぐあいに、ついには目標の半時間とか一時間に達することができる。(65)

「意志」による身体の部位のコントロール、訓練である。我々は前回、オンフレの比較性愛論を検討するなか、キリスト教的エロスの(肯定)神学の「教父」の一人、アウグスティヌスのリビドー論を瞥見した。その時、私はこう書いた。

アウグスティヌスによれば、リビドーは常にあったわけではなく、ある時生まれた。その「ある時」とは、イヴがアダムを誘惑した時、すなわち「原罪」の時だと言う。故に、女性は、男性の禍の元凶であり、「原罪」をもたらした「蛇」そのものだと言う。
神の国に赴くには、だから「意志」によりリビドーを抑え込み、己の身体を統制することが何よりも肝要である。放屁を思うように操り、音楽さえ奏でる放屁師のように、意志により己の身体・性欲を統御すること。仮に女性＝蛇と同衾せねばならない場合でも、結婚という厳格な枠組みの中で子孫を作ることだけに専念すべし、とアウグスティヌスは説く。

そう、アウグスティヌスによれば、原罪以前には、性的器官は「欲情〔リビドー〕によって刺激されないで意志によって促されて」いたのだ。「神にとって、人間をおつくりになる際、人間の肉において現在は欲情を伴わずしてはけっして動かされないあの部分もまた、ただ意志のみによって動かされるというようにおつくりになることは困難なことではなかったのであった[66]。」

この、「意志」による身体の部位＝性的器官のコントロールという発想の中にも、我々はだからいたって「キリスト教的」な心身観・性愛観の残響を聴かざるをえないのである。愛の「ヨガ」にもまた、キリスト教的エロスの神学がこっそりと忍び込んでいるのである。

したがって、GEIDOとしての性愛へと辿り着くためには、このアーバンの生体電気性愛論をさらに「脱キリスト教化」しなくてはならない。キリスト教的「結婚」と「意志」から解放しつつ、その科学的精髄を担保し、展開させなくてはならない。

タントリズムと、三つの「止」

まず、性愛を「意志」から解放してみよう。先述したように、アーバンは、射精の抑制を男性主体の「意志」に求めた。「意志」の力以外に、男性は射精を遅らせる術がないのだろうか。「否」と、例えばタントリズムの行者なら言うだろう。「意志」によらずとも、ある種のヨーガの行法により、精液は自ずと「止まる」と、言うだろう。

ここで、改めてタントリズムとはいかなるものか、GEIDO論の文脈で捉え直してみよう。がしかし、この、紀元後四世紀頃に現れ六世紀以降インド全土で流行した大きな哲学的、宗教的運動の全貌をここで論じるわけにはいかないし、またそれは私の能力を大きく超え出る作業でもある。この、知的階層から民衆まで、インドのあらゆる文化領域、宗教・宗派にまで（仏教にさえ）大きな影響を与えた「汎インド的運動」の歴史・思想の詳細に関しては、（ルージュモンも参照していた）宗教学者ミルチャ・エリアーデが、『ヨーガ』、とりわけその第六章「ヨーガとタントリズム」で詳述している。ここではあくまで、GEIDOとしての性愛論を導く範囲内で、私なりにタントリズムを検討していきたい。(67)

タントリズムは、究極の目標「大楽」に至るには、身体を「神的身体」に変容させなくてはならないという。その神的身体への変容の技と知恵こそ、ヨーガ、特にハタ・ヨーガに他ならない。ヨーガは、その坐法《アーサナー》、調息法《プラーナヤーマ》と瞑想により、それなくしては滞ったり眠っている気＝

生命エネルギーを目覚めさせ、解放し、調え、身体全体を精妙な気の流れの充溢＝「精微な身体」へと変身させる。その変容の過程にあって目覚め解放される最大の気＝生命力とは、シャクティである。シャクティは、大いなる女性の力、母の力とされ、宇宙のあらゆる生々流転を司る。それは、身体にあっては、会陰部にあるムーラダーラ・チャクラに蛇のようにとぐろを巻いて眠っているとされる。クンダリニとも呼ばれる。その眠るシャクティ＝クンダリニが、大いなる男性の力、精神の観想力（それがシヴァに象徴される）――ピンガラー・ナーディと呼ばれる脊椎の左側に沿う気の導脈を通して下降する――により目覚め、脊椎の右側に沿うイダー・ナーディを通して徐々に上昇し、その途中に眠る数々のチャクラを花開かせた後、ついには頭頂にあるサハスラーラ・チャクラに達し、かくして大いなる男性の〝止〟の力（シヴァ）と女性の〝動〟の力（シャクティ）が、中央に貫通するスシャムナー・ナーディを通して和合し、「大楽」、宇宙の根源的全体性が開かれる。

また、タントリズムによれば、この神的身体への変容は、一人の瞑想する身体のみに生じるだけでなく、瞑想する男女の「交接（maithuna）」――ルージュモンが宮廷風恋愛の遥かな源泉の一つと捉えていた――としても成就されることになる。エリアーデは、ある仏教研究を引用しながら、こう述べる。「性交は、それによって人間の男女が神聖な男女になる儀式となる。『瞑想と、その儀礼を可能にし実りあるものとする儀式とによってその儀礼（交接）を行なうべく準備した後、彼（すなわち、ヨーガ行者）は、ヨーギニーつまり彼の伴侶であり女主人である者を、或る女神の名前で、歓喜と平安の唯一の源泉であるターラー Tara の代りでありその本質そのものであると考える。その女主人は女性の全性質を統合する。彼女は母であり、姉であり、妻、娘である。愛を求める彼女の声の中に、司祭者は、男神ヴァジュラダラ Vajradhara やヴァジュラサットヴァ Vajrasattva に懇願する女神の声を聞く。このような儀礼は、シヴァ教と仏教のタントラ派の両方にとって、救い、悟りの道である[68]」。この儀礼において重要なのは、「動きはすべてシャクティの側にある」、すなわち宇宙的生滅のすべては、神聖化された女性の側にあり、神聖化された男性は「タントリズムにおいて、『行動』の三次元——すなわち心、呼吸、射精——において同時に表現された不動性[69]」がもたらす〃止〃によってそれを観相することにある。タントリズムは、呼吸、心の不動とともに、精液のそれ、すなわち射精の〃止〃を説く。『『空気（息）が動くかぎり、ビンドゥ〔精液〕が動く。（そして空気が）動かなくなると、ビンドゥも止る。それ故に、ヨーガ行者は空気を制御し、不動性を得るべきである。身体にプラーナ〈息〉が留まるかぎり、生命（jiva）は去らない[70]』』。

交接がもたらす快楽の極みにあって、あえてこの三つの不動性、〃止〃を実現することにより、それを味わい尽くしつつ観想しきること、その堪能＝観想が開く「大楽」に漂い続けること、これこそタントリズムの求める「快楽の瞑想」の極致なのである。

したがって、精液の〃止〃は、（キリスト教的）「意志」によらずとも、タントラ的瞑想による「止観」によって自《おの》ずからもたらされるのだ。

「精微な身体」と生体電気論

私は今、タントリズムにおいて、ヨーガの坐法、調息法、瞑想が、身体の気＝生命エネルギーを目覚めさせ、調え、身体全体を「精微な身体」、さらには「神的身体」へと変容させる、と語った。タントリズムにおける交合は、このヨーガを二人の間でいわば「同期」させ、共に「神的身体」へと変容し、「大楽」に漂う行法だと言えよう。だが、我々の身体、かくも「人間的」にプログラム化された身体、時代や文化圏によって異なる多種多様なプログラムによって構造化され、「器官化」された身体――「キリスト教的」プログラムから「体育的」プログラム、さらには「デジタル的」プログラムにいたるまで――には、全くこの「変容」への「準備」ができていない。おそらくは「精微な」気の流れなど全く感じられない、いわば「不感症」化した身体となっている。だから、この「不感症」化した身体どうしが、仮にタントリズムやポリネシアンセックス的流儀をまねて同衾しても、おそらく容易には「変容」を体験しえないだろう。

だから、私たちには「不感症」から脱し、「感じる身体」を得るために、事前の「準備」、「トレーニング」が必要となろう。私にしてもまた、先に語った、コンテンポラリー・ダンスのワークショップや数々の瞑想法を通して、そうした「準備」、「トレーニング」に長年励んできた。そうして、自らの身体の脱「器官」化、脱プログラム化に挑み、「精微な身体」への

「変容」を準備してきた。
ところで、「精微な身体」とはいかなる身体なのか。我々は、そこに、アーバンの生体電気論との共鳴を感じ取ることができる。
私は、第3章で、自らのヴィパッサナー瞑想の体験を代弁してくれる、以下の文章を引いた。

まじめに瞑想をつづけてゆくと、やがて感覚の質が変化する段階に入る。全身に均一で微細な感覚があらわれ、それがものすごいスピードで生まれては消えてゆくのである。このとき意識はうわべのかたまりをつらぬいて、それを構成している背後の現象を感じ取っている。万物を構成する微粒子のうごきを感知している。微粒子はひっきりなしに生まれては消え、その無常性をまざまざと体験するのである。からだのどこを観察しても微粒子が振動している。血液、骨、固体の部分、液体の部分、気体の部分、醜いところ、美しいところ、どこを観察しても波動の集まりだけを感じる。もうからだの各部を区別できない。識別したり命名したりするプロセスも止まる。このとき、自分自身のなかで、たえず流動し、生まれては消える物質の究極の真理を体験するのである。(71)

そして、この「微粒子」は「カラーパ」と呼ばれていた。「精微な身体」は、この「カラーパ」でできている。

からだはカラーパという原子より小さな微粒子からできている。カラーパは一瞬一瞬とてつもないスピードで生まれては消える。その変化のなかで無限の組み合わせが生じ、物質の基本要素たる、質量、粘性、温度、運動を現象化する。それが、からだのなかでありとあらゆる感覚を引き起こすのである。(72)

私は、第3章で、これらの引用文を受けて、この「微粒子＝カラーパ」とは、科学的にいかなるものなのかと問い、それは（自らの限られた知見からして）細胞内で生成し、生命体を駆動している生体エネルギー、すなわちＡＴＰ（アデノシン三リン酸）が発するエネルギーなのではないかと問うた。小倉ヒラクが『発酵文化人類学』(73)で述べていたように、発酵という（植物の光合成や動物の呼吸と並んで）生物によるエネルギー獲得の「第三の道」もまた、他の二つの「道」に比して非効率的なやり方とはいえ、ＡＴＰによりエネルギーを生み出し、微生物を「生き」させ、地球を経巡るエネルギーの「生命の環」に参加していた。人間という生物もまた、このＡＴＰが生むエネルギーで「生きて」いるが、その心身が瞑想し、深まっていくと、自らの身体が限りなく微視的に「透けて」見えてきて、細胞内で生滅するＡＴＰの微弱なエネルギーの波動が全身を駆け巡る様がありのままに観じられ、しかもその波動が他の無数の生命体のそれと同期し、交感し、大いなる「生命の環」の限りない広がりへと開きわたっていく。アーバンの生体電気論は、このようにして、瞑想により身心的に深化し、生態的に拡大していく可能性を秘めているのかもしれない。おそらくは「七・八ヘルツ」という周波数を共有しながら…。

このような「似非科学的」とも、「神秘主義的」とも取られかねない、私の論旨が「生体電気計測」的にもあながち邪論でないことは、例えばこの分野の専門家による、生体電気現象としての脳波とATPとの関係に関する以下のような指摘によっても証されるだろう。『落ち着いてリラックスした状態ではα波が観測され、緊張状態になるとβ波が現われる』とよくいわれる。脳波は既に生体計測という分野を超えて日常生活に入り込んでいるように見える。α波とβ波の区別はその周波数帯域である。八〜一三ヘルツの領域に観測される活動をα波、一三〜三〇ヘルツの信号をβ波と呼んでおり、この他にδ波（〇・五〜四ヘルツ）、θ波（四〜八ヘルツ）と称する低い周波数の活動もある。これほど身近な脳波であるが、実はこれらのリズムと脳内で実際に起こっている現象との対応関係は、今日でもすべて明らかになっているわけではない。」とした上で、こう語る。「生体電気現象の実体は細胞膜電位とその時間的な変化である。分子ポンプの働きによって作り出されるイオンの不均一な分布がその発生源である。代表的な分子ポンプであるNa-K ATPase〔ナトリウム－カリウムATPアーゼ〕が消費するATP(Adenosine TriPhosphate) は脳全体の消費量の七〇％に達するといわれていることからも、この現象の重要さがわかる。[74]」

GEIDO的性愛術へ

でもなぜ、この生体電気的性愛術が、GEIDOなのか。確かに、アーバン自身も性愛は弾き手次第では、立派な「芸術」ないし「芸の道」となりうると述べていた。しかし同時に、（上で指摘したように）その「芸」には明確な瞑想的アプローチが欠けていることもまた事実であった。

私たちは、GEIDOの要諦がどこに存すると見ていたか。一つには、「いびつなV」と「いびつな〇」、もう一つは「冷たくも熱いクリエーション」だった。

前者に関しては、すでに私たちは暗示していた。五木の小説やタントリズムに言寄せて見たように、性愛という営為は、世の常識的理解（たとえば『サイレント・ラブ』のユージが代表する）とは裏腹に、やり方如何によって、いたって瞑想的かつ実存的営為にもなりうることを示唆した。そのやり方のキーワードが「静かに、そしてゆっくりと」だった。そして、それが、メラネシアの原住民たちにとっては先祖伝来の経験的に、カレッツァやアーバンにおいては「生体電気的」に、そしてタントリズムにおいては宗教思想的に変奏されていたのだった。

そして特に、タントリズムにおいては、その瞑想的・実存的営為が、行者単独の行の中で探究される、いわば「アンドロギュノス」的なシャクティとシヴァとの交合として体験されると共に、それが「交接（maithuna）」という儀礼として、女性の行者＝伴侶との媾いの中で祝福されることを確認した。

そう、だから、行者にとって、それは畢竟、瞑想的・実存的Vの鋒《きっさき》にあって「自由な選択」の問題なのではなかろうか。仏教学者魚川祐司はこう語っていなかったか――覚者たちは、独り解脱の境に留まり続け、独覚をさらに深め続けるのもよし。あるいは、ブッダのように機根のある者だけに教えを施す、ないし菩薩のように一切衆生を救おうとするのもよし。それは、覚者本人の「自由な選択」の問題だと。

こうしたことからわかるのは、覚者が慈悲の利他行へと踏み出して、「物語の世界」への再度の関与を行うかどうか、そして、それをいかに・どの程度のレベルで行うかということは、基本的に「自由な選択」の問題であるということである。独覚のように、解脱してもその境地を他者に開示しない者もいれば、ゴータマ・ブッダのように、機根のある衆生にだけ教えようと考える者もいる。あるいは、『十地経』の菩薩のように、一切衆生を一人残らず、救いきろうと決意する者もいる。[75]

だから、瞑想的に実存的に性愛の行に入る者は、自らに特異な「V」の鋒で、独り涅槃の境に在り続け、独覚の法悦のなかで、シャクティと交合するのもよし。あるいは、「V」の鋒から翻り、この世に「往還」しつつ、愛しき「伴侶」を掻き懐き、「静かに、そしてゆっくりと」交合して、共に「大楽」の海に漂うのもよし。それは彼（女）にとって、あくまで「自由な選択」の問題なのだ。

いびつな○——この、GEIDOの要諦のもう一つの形象は、何よりもいびつなVたちの一期一会的交歓の場であった。この行者たちの交合による「大楽」は、その究極の在り方の一つと言えないだろうか。ここでは（アーバンが前提していた）一夫一婦制的男女の「結婚」など、もはや問題にならない。この至福なる〇においては、「男」であった者、そして「女」であった者が、すでに脱「人格」化＝「神」格化されていて、（タントリズム的に言えば）「シヴァ」と「シャクティ」が、宇宙的な「リンガ」と「ヨニ」として交合しているのだ。共に「精微な身体＝神的身体」に変容し、無数のカルーパ、生命エネルギーの「分子」（ドゥルーズとガタリ）がきらめき流れる「大海」に漂っているのだ。それはだから、もはや「人間」だけの〇ではない。無数の生きとし生けるものが「七・八ヘルツ」で同期し、交歓する大いなる「生命の環」なのだ。GEIDO的性愛は、こうして生態学的に転回していく。「ポリアモリー」は今や「人間」どうしのそれではなく、無数の生きとし生けるものが生命エネルギー的に求めあい、愛しあう「エコゾフィ」（ガタリ）的ポリアモリーなのだ。

GEIDOのもう一つの要諦、「冷たくも熱いクリエーション」。セックスという、もちろんいたって「冷たい」営みを、この二一世紀の世でどのように「熱く」再デザインできるのか。私たちは確かに、「グローバル化」された現代だからこそ、手軽にアクセスできる多様な身体術に囲まれている。それこそ多種多様なヨ（ー）ガ、瞑想法（坐禅から「マインドフルネス」まで）、様々な整体術、ダンスから、はてはアレクサンダー・テクニークやフェルデンクライスなどにいたるまで、これらの身体術を自分独自に採集し編集して「小さな物語」を編むこともできるだろう。そうして、自分なりに「感じる身体」を「準備」することもできるだろう。

だが、これらの身体術の多様さに比して、こと「熱い」性愛術に関しては、少なくともこの国では（擬キリスト教的あるいは儒教的道徳観がいまだに無意識的に規制するのか）それほど豊かなメニューがあるとは言い難い。これほどまでに「哲学的」でないポルノグラフィが氾濫している世にあって、「熱い」性愛の指南は乏しいと言わざるをえないだろう。

だからこそ、例えば私は、性愛に関して同種の思想をもつ「同志」たちと、以前独自のワークショップを企画したことがある。その名も「マインドフル・セックス・ワークショップ」。概要は以下の通りだ。

このワークショップは、自分のセクシャリティを肯定的に受け入れなおし、セックスを、生きることの深い悦びとして体験しなおすことをめざします。

人間は皆、男女がセックスをしてこの世に生を授かりました。セックスは生命の根源です。けれど、セックスは「こそこそしなくてはいけないこと」、「大っぴらに話してはいけないこと」、として扱われていないでしょうか？　世界のほとんどの宗教も、それを最大のタブーの一つとしています。それなのに、社会にはセックスに関する情報が氾濫しています。

多くの人たちは、そうしたメディアが押しつけてくる性の歪んだイメージ、固定観念に縛られ、煽られ、悩み、自分のセクシャリティをありのままに感じる機会を奪われてきたのではないでしょうか。

私たちは、今回、中央アメリカのコスタリカでマインドフルな暮らしやセクシャル・ライフを送る二人の女性、丹羽順子さんとナトリシュカ・パーサーさんと話し合いを重ねながら、マインドフル・セックスに関する四つのワークショップを準備しました。

このワークショップでは、個人の物語のシェアリング、そして自分の感覚、女性性・男性性を蘇らせる呼吸法、瞑想法、安心してポジティブに話しあえる対話などを行うことで、自分がこれまで性について抱いてきた偏見やコンプレックスを解きほぐし、自分のセクシャリティをありのままに感じなおすことをめざします。

そして、パートナーとのセックスが、単なる欲求のはけ口や肉体的な快さ、あるいは不満の源泉ではなく、もっと深い愛情と精神的な悦びをもたらすものであることを理解、体感していきます。

入門編では、まずセックスについて楽しく真剣に語り合うところから始めます。応用編では、日本ではなかなか体験できる機会の少ない、深い愛情に到達するワークを一緒に行っていきます。セックスを通して、生の輝きをとりもどすこと。そういう人たちが増えていけば、この、お金や権力への執着の強い社会が少しずつ変わっていく。そんな遠くない未来をイメージしながら、私たちは、今回のワークショップを企画しました。(75)

私たちは、さらに深く、そして気軽に、この「生命の根源」について学び、実践していかなくてはならないだろう。

第8章　GEIDOとしての経済へ

（1）貨幣とは？ 資本とは？
――マラルメの〈経済学〉とIDEAL COPY

文学と経済？

個人的な回想から始めたい。私は、大学時代、経済学部に所属していた。しかし、積極的に経済学を勉強したいがために入ったのではなく、むしろ文学部に進みたかったが、親を説得しきれず（親は「文学で飯が食えるか」という考え方の持ち主だった）、いわば仕方なしに（卒業単位数が一番少ないという打算的理由も重なり）経済学部に進んだのだった。

数学が苦手だった私は、一般教育課程から専門教育課程に移る時、当然数式を駆使するような分野・ゼミを選ぶことなく、「社会思想」なる、ある意味曖昧な分野・ゼミを選んだ。当時は、ゼミに入る許可を得るために「入ゼミ論文」なるものを書かねばならず、私はいささか奇妙な題の論文――といっても、「レポート」に毛が生えた程度のものだが――、「二つのM」なる論文を提出した。「二つのM」とは、MarxとMallarméである。経済学部だから、「マルクス」は当然といえるが、なぜ「マラルメ」なのか。何を書いたか、内容はもうほとんど覚えていないが、おそらくは、当時いわゆる「ニュー・アカデミズム」の全盛期で、柄谷行人の『マルクスその可能性の中心』（一九七八年）が出版され、浅田彰が『構造と力』（一九八三年）に纏めることになる諸論考が『現代思想』などの雑誌に掲載されていた頃で、それらのテキストに触発されて、言語という「記号」と貨幣という「記号」を比較する、「記号学」的ないし「構造主義」的思考方法を取り入れ、マルクスの貨幣ないし商品についての考え方・理論と、マラルメの言語ないし詩についての思想とを、自分なりに比較して論じた文章だったと記憶している。

それはまた、個人史的には、文学部に進みフランス文学を勉強したかった欲望を、経済学部の社会思想のゼミという「現実原則」に折りあわせ、しかしながら、その「折りあい」の内に何とか自分独自の思考方法（上記の「ニューアカ」的影響を受けながらも）を模索しようとした試みだったとも言えよう。以降私は、この、文学と経済の独自の「折りあい」を、理論的また実践的に様々に変奏していくこととなり、ついには本論においても、「GEIDOとしての経済」

という、これまた奇妙な「折りあい」をつけようとしているのである。

ところで、ゼミを出るときの論文、すなわち卒業論文は「価値形態論の論理的構造について」という題名だった。マルクス『資本論』の冒頭にある、難解でも有名な「商品」論、なかんずくその「価値形態」論の分析を試みた。このいたって「経済学部」的な――当時経済学部では一年生必修科目「経済原論」の一つとして「マルクス経済学」があった――題名・テーマの下に、実は私はまたもや「文学」を潜ませていた。分析の「方法」として。私は単に「価値形態」論を「経済学的」に分析しただけではなかった。私は、その分析に、文献学や文学研究でよく用いられる「テキスト批評（「本文《ほんもん》批評」ともいう）」の方法を援用したのだった。文献学における「テキスト批評」とは、いわゆるオリジナルなテキストたる「本文」（ないし「原典」）が何らかの理由で存在していない時に、それを元に書かれたと思しき複数の「異本《ヴァリアント》」を比較対照して研究することにより、不在の「本文」を可能な限り再構成しようとする方法である。それを文学研究に応用する場合には、主眼が本文の再構成というより、「完成稿」ないし「最終稿」とされるテキストに至るまで、それを「準備」する「異稿」が存在する場合、それらの「異稿」と「完成稿」を比較対照することによって、作品がどのようなプロセスを経てテキストとして生成されたかを（語彙から文体や構成に至るまで）分析する方法となる。私は、特にその文学作品研究におけるテキスト批評の方法を、マルクスの資本論、なかんずく「価値形態」論の分析に応用したのだった。というのも、実は、「価値形態」論には、「最終版」＝「現行版」以前に二つの「異本」（「初版」のテキストとそれに付された解説的「付録」）があり、その三つのテキストをマルクスが書く過程で、価値形態、さらには「商品」、「貨幣」という経済(学)にとって枢要な構造的諸契機に関して決定的な「認識論的変動」が生じているからだった。

われわれの問題としたいのは〔…〕、何故マルクスは、価値形態論のテキストを二度も書き変えねばならなかったのか、ということであり、さらには、この二度の書き変えによって、マルクスの言説にどのような認識論的変動が生じたか、ということである。この認識論的変動は、テキストの表層を追うかぎりでは、ほとんど気付かれることのないほどの微妙なものであるが、しかし、そこには、或る重大な謎——価値形態論に対する解釈を二分するような謎が、秘められているのであり、したがって、われわれは、能うかぎり、その微妙なずれに固執せねばならない。実際、マルクスの言説には、そのような謎に微かな光を放つ示唆的な表徴が、少なからず散りばめられているのだが、それらの表徴は、外見的には何ら周囲の言表と矛盾することなく、言説全体の秩序に取り込まれているために、その言説の表層的意味作用に幻惑されている視線にとっては、それらの表徴が表徴として識別されずに、見過ごされてしまうのである。また、たとえそれらの表徴が何らかの形で析出されたとしても、それらが言説全体といかなる関係を有するのかを正しく見定めないかぎり、逆に、それらの表徴を取り違えることによって、マルクスの言説全体を曲解してしまうという決定的な錯誤を犯すことになる。(1)

若書きゆえの生硬さが恥ずかしい限りだが、私はこうして、マルクスの価値形態論という「経済学的」テーマの分析に、「文学的」な方法を潜ませ、入ゼミ論文とはまた違った形で両者の「折りあい」をつけたのだった。

そしてさらに、文学と経済の「折りあい」は続く。変奏されていく。

ステファヌ・マラルメの〈経済学〉

私は、経済学部を卒業後、ようやく念願叶って（親をついに説得して）、大学院の文学研究科仏文学専攻の修士課程に入学した。そして半年ほどして、交換留学協定により（修士課程を修了していないにもかかわらず、受け入れ先のルーズな事務手続きが幸いして）パリ第三大学の博士課程（当時は「第三課程 troisième cycle」と呼ばれていた）に入学した。私は、博士論文のテーマに（入ゼミ論文以来関心が深まっていた）マラルメを選ぼうとしていた。だが、パリ第三大学には当時マラルメの専門家がいなかったために、私は、『詩的言語の革命』[2]でロートレアモンとともに、マラルメの「詩的言語」のみならず、通常「詩的」とはみなされない、詩人の晦渋で奇妙な晩年のテキスト群を、言語学、文学理論はもちろんのこと、哲学、精神分析学、経済学、人類学など、当時の人文科学の諸成果・諸理論を縦横無尽に駆使して分析・解釈してみせたジュリア・クリステヴァのいるパリ第七大学に編入学した。

彼女自身、多忙をきわめ、指導する学生も手に余るほどであったため、私は、彼女の同僚で、文学的・思想的同志でもあったジャン＝ルイ・ウードビーヌに直接の指導教授をお願いし、彼女には重要な局面での指導を仰ぐ次第となった。（最終の口頭審査の主査は彼女が務めた。）

そして、私が選んだ論文のテーマは、事もあろうか「ステファヌ・マラルメの〈経済学〉[3]」だった。

先述したように、マラルメは晩年、いたって寡作の詩作品の他に、フランスの文学研究者が読んでも、極度の省略語法や哲学的に深度のありすぎる多数の暗喩などのために、読解そのものがいたって困難な、韻文とも散文ともつかない、奇怪なテキスト群（その多くが『ディヴァガシオン』[4]〔「余談」という意味とともに「彷徨」という意味を持つ語〕という文集に収められる）を発表している。クリステヴァはまさに、詩作品とともに、それらのテキスト全体を初めて現代思想的に読解し、マラルメの、「詩人」としてだけでなく、一人の「革命」的な「思想家」としての歴史的・理論的重要性を鮮やかに描き出したのだった。私は、その業績を、ささやかながらも引き継ぎ、さらに独自に展開するつもりで、自らの研究に取り組んだ。でもなぜ、〈経済学〉なのか？

これらの晦渋で奇怪なテキスト群を、私なりに読解していく過程で、これらのテキストのかなりの部分が、当然のことながら「詩」や「文学」あるいは「芸術」について書かれているのに対し、残りの部分が、（その特殊な難解さのために）判然とし難いながらも、どうやら「社会」、「政治」、「経済」問題について語っているらしい、ということが徐々に明らかになり、とりわけ「貨幣」というものが、「詩」との対比で、特別な位置を占めていることに気づいた。しかも、そのテキスト的分配《エコノミー》が、マラルメの有名な文言「すべては〈美学〉と〈経済学〉に要約される[5]」とも奇妙に響きあっていた。がしかし、この「全体性」に関わる文言が、もう一つの、やはり「全体性」に関わる、同様に有名な文言「この世界において、すべては、一巻の書物に帰着するために存在する[6]」と、（少なくとも表面的には）矛盾しているように感じられた。その矛盾＝謎を解明するためにも、マラルメが経済、とりわけ貨幣についてどのように語り、どのように捉え、その語り、捉え方が、例えばクリステヴァが分析したように、あるいはそれ以上に、当時の（マルクスを含めた）貨幣理論さえ凌駕するような深度を宿していることを、私なりに明らかにしようとしたのだった。

「マラルメの〈経済学〉」とは、畢竟、いかなるものなのか。それは、一言で言えば（少なくとも当時の理解では）、（貨幣を含めた）「記号（signe）」一般が再生産される時に作動する構造的な法則と権力を問い直す探究であり批評であったと言えよう。マラルメは、貨幣が重要な記号的産物であると見るにとどまらず、それが、記号全般の再生産を象徴するとりわけ重要な「兆候」とも見ていた。マラルメによれば、「古代の闘技場で発掘される鋳貨は、表に、穏やかな表情の顔を示し、裏には、粗暴な普遍的数字を示している[7]。」フランス語の原文は、マラルメらしい省略が多い、「暗示」的な文なのだが、この文で言わんとしていることは、こうだ。――貨幣（鋳貨）の両面は、「記号」というものが人類の中で構造的に創設された時の「痕跡」をいまだに鮮やかにとどめている。裏面の「粗暴な普遍的数字」は、「記号」の、すべてのものを観念的に同質化しつつ差異化する構造的作用を象徴している。それに対し、表面の「穏やかな表情の顔」は、我々人類に「記号」を課した専制君主的権力を表す肖像なのに他ならない。こうして、マラルメにとって、貨幣は、記号全般の構造的再生産を象徴する典型的兆候であり、その「記号」には言語記号もまた含まれていた。だからこそ、詩人は例えば「詩の危機」というテキストにおいて、「文学」的でない言語——彼は「報道《ルポルタージュ》」の言語という——の在り方を「安易に何かを再現する通貨の機能」[8]に喩えるのだ。換言するならば、マラルメの（言語記号も含めた）〈経済学〉とは、記号全般の貨幣的用法を問い直す批評であり探究なのに他ならない。

では、この〈経済学〉に比した時、マラルメのいう〈詩〉ないし〈美学〉とはいかなるものなのか。マラルメにとって〈詩〉とは、記号の構造的再生産を可能にする法則・原理を内側から侵犯し横断し、それを危機に晒し、「消尽」する実践の謂いであり、〈美学〉とは、この〈詩〉的実践を理論づける学に他ならないのだ。

マラルメの〈経済学〉、そして〈美学〉とは、「記号」をめぐる、人類学的事件の探究と批評の「両面」だと、とりあえずは言えよう。

IDEAL COPY——Channel: Exchange

私は、七年にわたる留学生活を終え、一九九一年に帰国した。当時の日本は、バブル経済が「崩壊」し始めていた時期であったが、こと「文化」に関してはいまだ色とりどりの徒花が咲き乱れていた。「現代アート」もまた、一九八〇年代後半から九〇年代初頭のヨーロッパのContemporary Art の美学的・政治的「深刻さ」に比して——少なくとも当時のフランスでは爆弾テロも横行し、人種差別も激しく、人心が荒んでいた——、村上隆やヤノベケンジなど（日本版）「シミュレーショニズム」の作家たちの奇妙に「明るい」ポップさ、そしてダムタイプを筆頭として、関西を拠点としながらも国内外で洗練された美学と思想を「ハイテク」でパフォームする、その新鮮さなど、知性・感性を刺激する表現に満ちていた。

そんな中、私はある奇妙なアーティスト集団に強い興味をもった。IDEAL COPY である。当時、東京・早稲田にあったNWハウスというギャラリーで、「S.P. 1988-1990」という彼らの展覧会が行われていた（一九九一年六—七月）。展示としては、一〇個の黒いアタッシュケースが床に並べられているだけだったが、ケースは二泊三日レンタル可能で、その中には彼らのこれまでのプロジェクトにまつわる様々なアイテムが収められているということだった。早速、私はレンタルし、自宅に持ち帰り、ケースを開いた。中には、謎めいた「グッズ」が詰め込まれていて、私はそれらを一つずつ開封し、「鑑賞」していったのだった…。

彼らの活動の綱領は、以下のステートメントとして表されていた。

IDEAL COPY は現代美術を背景に活動するクリエイティブ・プロジェクトとして一九八八年に結成された。

アーチストは「作品」と「社会システム」の中に存在する。

IDEAL COPYは現代社会の創作物である様々な「社会のシステム」をターゲットに既存のアートの枠組みを超えた活動を展開している。

IDEAL COPYはメディアを通してワールドワイドな展開の可能性を追求していく。

文字通り、当時の「メディア」（「使い捨てカメラ」から「フロッピーディスク」まで）を駆使して、彼らは様々な「社会システム」に寄生しつつ、その特異な仕掛け（彼らは「Channel」と呼ぶ）を散種していた。

ところで、「謎めいて」いるのは、グッズやプロジェクトだけではない。このグループの構成メンバーもまた「匿名」で、アイデンティティが一切明かされていないのだ。

私は、その作品・作家双方の「謎」に魅惑され、いつのまにか、彼らの活動に関して論文を書きたくなり、その匿名のメンバーにコンタクトし、インタビューを試みることになった[9]。

彼らもまた、「関西」を拠点としていたので、私は大阪のある場所まで赴き、長時間に渡ってインタビューを行った。その話の途上、現在進行中のプロジェクトの話題になったが、彼らは今「お金」に関する企画を練りつつあると言う。私は、自分の、フランスでの博士論文「ステファヌ・マラルメの〈経済学〉」について語った。彼らと私の間で、〈美学〉と〈経済学〉が交錯していった…。

IDEAL COPYは「両替所」を開設する。

IDEAL COPYは広く一般に呼びかけ、個人が所有する外国硬貨をIDEAL COPYコインと交換する。IDEAL COPYコインは、1IC／10IC／100ICの三種類がある。

交換レートは、外国硬貨一グラム＝1ICである。

このように交換された外国硬貨は、オブジェとして会場に展示される。

このプロジェクトは、地球上のすべての外国硬貨がIDEAL COPYコインに交換されるまで継続される。

すべては〈美学〉と〈経済学〉に要約される。


プロジェクトは「Channel: Exchange」と名づけられ、初回の展覧会と「両替」が、一九九三年三月から五月にかけて、東京の原美術館で行われた。その後も、日本各地、さらにはカナダ、フランス、スロベニアなどでも行われ、現在も進行中である。つい先ごろも、京都市京セラ美術館で開催されたグループ展『平成美術：うたかたと瓦礫《デブリ》1989–2019』(監修：椹木野衣、会期：二〇二一年一月二三日—四月一一日)でも展示と両替が行われた。

展覧会場で「両替」される外国硬貨とIDEAL COPYコイン。前者が〈経済学〉に属し、後者が〈美学〉に属する——と、常識的な「経済学」と「美学」の視線には見てとれよう。でも、本当にそう言い切れるだろうか。外国硬貨は、貨幣でありながら、紙幣と違い、両替所に持っていっても、自国の通貨に両替できない。それは、だから、貨幣でありながらも、いわば貨幣性を宙吊りにし休止している状態。一方、「アート作品」と目されるIDEAL COPYコイン

Channel: Exchange, Kyoto. Exchange Bureau
元龍池小学校（京都）、1995 年（撮影：高嶋清俊）

Channel: Exchange, Tokyo. Installation View
原美術館（東京）、1993 年（撮影：三橋純）

は、貨幣（それが「休止」状態とはいえ）と交換されるがゆえに、その貨幣と「等価」な価値をもつ「作品」＝「商品」である、と同時に「コイン」でもある。はたして、この「両替所」では、何と何が「両替＝交換」されているのか？　ここでは、〈美学〉と〈経済学〉が目まぐるしく交錯する…。

「マラルメの〈経済学〉」は、こうして、二〇世紀末から二一世紀初頭にかけての芸術実践にまでその余波を及ぼしている。

貨幣とは何か？

ところで私は、「マラルメの〈経済学〉」を解明する途上で、当然のことながら、貨幣とは何か？　を根本的に考えざるをえなかった。経済学部で勉強したとはいえ、マルクスなどの「社会思想」的な経済学にしか興味を抱かず、他の経済理論などそれこそ教科書程度にしか学ばなかった私にとって、この、経済学にとっての最も根源的な問題に関する予備知識は皆無に近かった。その上、この「根源的問題」について深く考えれば考えるほど、そして、この問題を究明しようとした歴代の経済学者たちの諸説を知れば知るほど、貨幣は、ますます嘲笑うかのように素顔を隠してしまい、歯痒い思いだけが募っていく。だが、それでも、昼夜を問わず（日によっては夢の中でも）この問題を考え抜いていくと、本当に少しずつだが、厚い靄が薄くなっていき、所々透けて見えてくるように、貨幣の顔なき顔が垣間見えてきて、しまいには、これこそ素顔なき素顔かと思えるものを捉えるに至った。その把捉までの行程を、博士論文では、マラルメの、「素顔」を射抜く省略的暗喩力に導かれながら描ききり、帰国した直後に、さらにそれを日本語に訳しつつ練磨し、(10) さらにそのエッセンスを拙著『瞑想とギフトエコノミー』(11) の第三・第四章に再録した。したがって、ここでは、あくまで「GEIDOとしての経済」を論じる上で必要な、さらなるエッセンスのみを抽出して、事足れりとしたい。

貨幣とは何か。別言すれば、貨幣を貨幣として成り立たせているものは何か。貨幣の「価値」を根拠づけているものは何か。私は先に、マラルメにとって、貨幣とは「記号全般の構造的再生産を象徴する典型的兆候」であると述べたが、それをもう少し詳らかにしよう。

例えばマルクスは、貨幣が貨幣であること、貨幣の価値の根拠を、金貨が金であること、すなわち（純金の）金貨の価値がその物理的定在＝金属としての金の重量と一致すること、金＝金であることに求める。そして、時間とともにその純金の貨幣が使われ摩滅していく、あるいは歴史とともに「悪鋳」（純金属が抜かれ卑金属が混ぜられ鋳直されること）されていくことで、金貨の額面価値と実質価値が乖離する、その乖離した部分を、貨幣の「観念化」された部分、つまり貨幣の「記号」ないし「象徴」と見た。そして、その貨幣の「象徴・記号」化が限界的に進んだ貨幣こそ、（物理的な実質価値が限りなくゼロに近い）紙幣、すなわち「価値記号」だと言う。(12)

たしかに、マルクスが言うように、貨幣の鋳造の歴史とは、ある意味「悪鋳」の歴史であった。紀元前七世紀に小アジアのリディア王国で最初のエレクトロン（天然白金）による鋳貨が誕生して以来、貨幣を鋳造する権利を独占する歴代の国王・領主たちは、ことあるごとに卑金属を混ぜ続け、少しでも多くの貴金属を手中に収めようとした（こうして国王・領主たちが得る利益は「貨幣鋳造特権（seigniorage）」と呼ばれた）。一方、それを日々の経済生活で用いる民衆は、自分の手の内にある鋳貨の中にいったいどれだけの割合で貴金属と卑金属があるのか知る由もない。彼らは、ただその肖像が刻印されている国王や領主の保証を信じて、その裏面に記された数字を、その貨幣の「価値」として信じて使い続けるしかない。ここには、だから、貨幣を間に挟んで、国王・領主と民衆との間に決定的な認識の視線の不均衡がある。鋳貨の純分を見透せるのは唯一それを鋳造する国王・領主のみであり、彼らはいわばこの視線の不均衡を搾取して、自らの「貨幣鋳造特権」をせしめるのである。

民衆にとっては、貨幣の価値は全面的に「観念的」なもの、国王・領主にとっては、貴金属の物理的量、というこのような視点に立てば、マルクスの貨幣の「記号」論、その根拠であった「金＝金」は、だから民衆にとっても国王・領主にとっても「正しい」ように見える。だが、はたして本当に「正しい」のだろうか。

私は先に、史上最初の鋳貨は、紀元前七世紀リディア王国で誕生したと述べた。そして、それが天然白金（エレクトロン）であることを指摘した。ところで、この天然白金の純分、すなわち金銀の含有量はなんとアルキメデス（紀元前二八七—二一二年）が発見するまで知られていなかったのだ！(13) つまり、国王にしたところで、いったい自分の手中にある天然白金の内にどれだけの分量の金と銀があるのか知る由もなかったのだ。だから、先の民衆にとってと同様、実は国王にとっても貨幣の価値は、（マルクスの言うように）「金＝金」という物質的定在・量ではなく、全面的に「観念的」なものだったと言える。

では、国王にとっても民衆にとっても全面的に「観念的」な貨幣の価値を根拠づけるものは、いったい〝何〟だったのか。それこそ、「肖像」の刻印、マラルメの云う「穏やかな表情の顔」なのに他ならない。貨幣を貨幣として用いる者は誰であろうと、この「穏やかな表情の顔」が表す背後の超越的な権力を「信じて」、貨幣を貨幣として用いる。その貨幣には、裏面に刻まれた「粗暴な普遍的数字」だけの価値があるものとして用いるのだ。

ところで、貨幣を貨幣たらしめる、この「穏やかな表情の顔」とは、いったい〝誰〟の顔なのだろうか。マラルメは、亡き友、詩人のヴィリエ・ド・リラダンに捧げた講演でこう語る。

彼は、この詩人を尊敬しつつも、こうした「短所」があったと言う。

この形而上学者〔ヴィリエ・ド・リラダン〕の短所は、元気な頃でも〔…〕歴史的な合成物＝合金と、たとえば正しい詩的材料を区別できなかったことにあります。また、ただ独りで思索に耽っていたために、実際紋章に飾られた自分の高貴な生まれともう一つの比類なき権力とを区別することもできなかったのです。それにまた、彼は光輝が山積みになるよう欲していましたが、そこから貨幣を排除することもしなかったのです。（もちろん、貨幣とは、名もなき王たちの肖像が刻まれていたり、また大奥でまったく歳をとることもなかった女帝たちの横顔が消えかかっていたりするものですが、それだけでなく、不正な取引をしたり、人を欺いたりするのに恰好な硬貨でもあるのです[14]。）

そう、リラダンの短所は、詩の「光輝」と貨幣のそれを区別できなかったこと、「詩的材料」と「歴史的な合成物=合金」（！）を区別できなかったことにある、とマラルメは言う。さらに彼は、その「歴史的合成物=合金」の上に刻まれている「顔」が、「名もなき王たち」の、あるいは「大奥でまったく歳をとることもなかった女帝たち」の「顔」だと言うのだ。マラルメは、わざわざ（ ）まで付して、何が言いたいのだろうか。具体的な貨幣にはもちろん、多くの場合しかじかの歴史的に実在した王や女帝たちの顔が刻まれている。確かに、その貨幣を用いる者たちは、その実在する王や女帝たちの権力を信じて、貨幣を貨幣として用いているのかもしれない。しかし、マラルメは、貨幣を貨幣として根拠づける権力は、そうした具体的な権力者のそれではなく、非人格的で（「名もなき」）、超歴史的で（「まったく歳をとることもなかった」）、しかも人間の無意識の深奥（「大奥で」）から超越的な力を及ぼし続けている、（現代思想的に言えば）例えばドゥルーズとガタリの言う〈原国家〉の権力なのではないかと示唆しているのだ。ドゥルーズとガタリは言う。

〔…〕根源的な専制君主国家〔=〈原国家〉〕は、他の切断とは性格を異にする切断である。〔…〕それで、マルクス主義では、どうしていいかわからないのだ。その切断は、あの有名な五段階説、つまり原始共同制、古代ポリス制、封建制、資本主義制、社会主義制の中に入らない。それは、他の組織体とは性格を異にする組織体であり、また、組織体から組織体への移行過程でもない。まるで、それは、自らが切断するものに対して、また自らが再切断するものに対して、奥まっているようで、社会の物質的進化に対してさらに付け加わるもう一つ別な次元、頭脳的観念性、ないしは諸部分や流れを一つの全体に組織する規制理念あるいは反省原理（テロル）であるかのようだ。〔…〕〈原国家〉は、前からあるものをさらに切断する、が、後に来る様々な国家をも再切断する。そこでもまた、〈原国家〉はある別な次元に属する抽象体、いつも奥まっていて、潜在的であるような抽象体のごときものであるが、またそれは、奥まっていて潜在的であるだけに、後に来る様々な国家の中に見事に舞い戻り、自らをその中に具現するのである。(15)

そう、「歴史的合成物＝合金」に刻印された「名もなき王たちの肖像」、「大奥でまったく歳をとることもなかった女帝たちの横顔」とは、この〈原国家〉の刻印、「顔」なのではないだろうか。貨幣を貨幣たらしめている根拠なき根拠とは、この「いつも奥まっていて、潜在的であるような抽象体」、様々な歴史的な国家を再切断しにやってくる超歴史的な「頭脳的観念性」、すなわち〈原国家〉の権力なのではないか。

マラルメは、まさにこの〈原国家〉を、全能の「金」に擬して、こう語る。

金は、今や、人類を真上から打っている。まるで、その太古からの日の出が、人間にあって、懐疑というものを、至高の非人格的権力で、もしくは人間の盲目的な平均で抑圧してしまったかのように、金の軌道は全能へと向かっていく——ただ一つ、輝き、今や正午の絶頂へと届かんとしている。

それだけでない——たちまち粗暴な輝きに負け、自ら臣下だと認めた者には、金は、公正に、現金で支払うのだ。[16]

そう、この〈金＝原国家〉は、「太古」だけでなく、「今や正午の絶頂へと届かんとしている」のだ。人類史上（今や紙ですらなく、電子の流れと化し、「顔」すら消えているが）これだけ社会に、世界に、そして人々の心の襞の内奥にまで、貨幣が蔓延っているからこそ（「顔」は今や心に刻まれている）、ますますその「粗暴な輝きに負け、自ら臣下だと認めた者」が、この地球上でいや増しているからこそ、〈金＝原国家〉は、「全能へと向かって」、その「至高の非人格的権力」を振るわんとしているのだ。まことに「金は、今や、人類を真上から打っている。」

資本とは何か?

マラルメはまた、文字通り「金」というテキストを書いている。その初稿は、「雑報」という別の題で、「パナマ事件」という一九世紀末のフランス全土を揺るがした大疑獄事件をめぐり書かれたものだ。

パナマ事件は、スエズ運河の立役者（当時「偉大なるフランス人」と呼ばれもした）フェルディナン・ド・レセップス（一八〇五―九四年）が、高齢にもかかわらず一八七九年、パナマ運河の計画に乗り出し、その資金集めに政界の大物たちに贈賄し、それが新聞によって暴露され、一大スキャンダルへと発展した事件だ。

控訴院でレセップスらに判決が下された直後、マラルメは、そのほとんどが一般庶民から集められた総額一〇億四三四〇万フランものカネが、雲散霧消してしまった情景について、次のように書く。

詩人が、巷の議論とは無縁なところへと抽き出し、密かに保つことのできるいくつかの真理――折りをみて、輝かしく生まれ変わらせようと思いを凝らしているいくつかの真理を別にすれば、このパナマの倒産劇の中で目立って気を引くものは何もなかった。落日の夢幻劇、ただ雲のみが（そして己の与り知らぬところで人類が己の夢から雲に委ねたであろうものが）崩れ落ち、溶け出す宝は流れ広がり、地平線を黄金に染める。それは、何億あるいはそれ以上もの金のさもありなんという光景だ。裁判の間、論告や見事な弁護の中で同様の金額が次々と挙げられたが、私にはとてもそんな金額がこの世に存在するとは思えぬ。ところが、まさにこの金は存在する、しかもいたるところにあるのだ！　が、まさにある事情で、数字は大げさになるばかりでこの金をうまく表すことができない。誰も好き好んで事情をわかろうともしなかった。私として、それを説明したくとも役立たずだ。ただ意味深長だと思うのは、金が増えれば増えるほど、ということは普通の人間にとってみればありもしない額に近づけば近づくほど、その金はより多くの0で書き表されるということだ。まるで、その金額がほとんど無だとでもいうかのように。[17]

マラルメは、ここで実は、「資本」の真実、素顔なき素顔に触れようとしている。言葉ではいたって表現しにくい実体なき実体を、互いに矛盾するかのような言い回しの合間から暗示しようとしている。それは「この世に存在するとは思えぬ」ながらも「いたるところにある」、「金が増えれば増えるほど」「その金はより多くの0で書き表される」、「ほとんど無だとでもいうかのように」。この遍在するほとんど無なるものこそ、「資本」の真実、素顔なき素顔なのだ。マラルメはさらに問う。「今世紀最大の利権のかかった論議〔パナマ事件の裁判〕が暴きだしたこの光輝の欠如は、いったい何を秘め隠しているのだろうか[18]」と。

私は先に、肖像の刻印、「穏やかな表情の顔」こそ、貨幣を貨幣たらしめている根拠であると述べた。そして、歴代の君主・国王たちは、その肖像の刻印がもたらす、貨幣をめぐる民衆との「視線の不均衡」を搾取する形で、「貨幣鋳造特権」なる利益を得てきた様を見た。

ところで、この権力者だけが得る利益は、彼が鋳造し直し、民衆たちが現実の経済活動で用いる総貨幣価値量から「剰余」する価値であるがゆえに、経済学用語でいう「剰余価値」にあたるものだ。周知のように、資本主義は、この剰余価値が経済システムの中でいわば「自己増殖」するかのように極大化することを目指すが、その萌芽がある意味で、この権力者による「貨幣鋳造特権」の内にすでに胚胎しているということができよう。しかし他方で、それはあくまで資本の萌芽、潜在態であるにとどまり、いまだ十全に「資本」としてその可能性を展開していない状態とも言える。換言すれば、剰余価値は、元来貨幣に内在するものだが、いわゆる資本主義、特に近代的生産過程とともに発展し、それを絶えず自らの信用貨幣で潤しつづけた近代的銀行システムが、その剰余価値の創造を飛躍的に膨張させるのである。この貨幣から資本への展開、その剰余価値の飛躍的創造はどのように起こるのか。順を追って説明していこう。

まず、貨幣は「鋳貨」という形態をとっている限り、価値の創造を無限に行うことができない。貴金属の物理的定在に内的に結ばれている鋳貨は、額面価値と実質価値との差を際限なく搾取することができない。なぜなら、肖像の刻印がいくら貨幣を根拠づけるといっても、目に明らかなほどの（ということは「剰余価値」分が見透せるほどの）貴金属純分の低下は、民衆に貨幣への信用を失わせ、鋳貨の貨幣性そのものを危機に陥れることになるからだ。その上、鋳造に利用できる貴金属の絶対量は、新たな鉱脈の発見か他所の財宝の略奪によるのでもない限り、飛躍的に増加することもない。ところが、ヨーロッパ中世は、商業活動が異常に活性化していくのに対して、鋳貨の供給量が大きく停滞していた。そこで、この鋳貨の相対的不足を補う何らかの代用物が必要とされたのだ。それが「商業信用」に他ならなかった。

ヨーロッパ中世において、商業信用の中でも特に重要な役割を果したのが、「為替手形」である。それが、中世の国際的商業、より正確に言えば、定期市間の商業を可能にした。歴史家フェルナン・ブローデルも言うように、この為替手形こそが「狭小なヨーロッパ大陸に、非常に早くから――シャンパーニュ地方で定期市が開催されるようになった頃から――『世界』経済を打ち立てた[19]」のだ。

為替手形に関して、ここで私が注目したいのは、この、ブローデルの表現による「擬似貨幣」が、単なる貨幣の代用物ではなく、貨幣における「剰余価値」の生産に寄与するか否か、さらにはこれが貨幣の歴史的に新しい形態なのかどうか、ということだ。確かに、為替手形は、中世の商取引における支払いの大部分を、最後の瞬間まで「現金」(＝鋳貨)の介入なしに実現した。ブローデルは語る。

ヨーロッパの中心的な定期市であった頃、つまり一五三九年まで、いや一五七九年までであるが、リヨンには、年四回の手形決済日になると、ヨーロッパ中から為替手形が押し寄せた。これらの手形は、実に、互いに相殺しあうのである。一枚の手形が一つの債務を消す…。リヨンの歴史家であるクロード・ド・リュビ(一五三三―一六一八)は、ある午前中だけで、百万件もの債務が、一スーたりとも現金を介入させることなく相殺されるのを見て驚きの声をあげている[20]。

鋳貨の機能的そして時間的「延長」として、為替手形は確かにある意味で貨幣性を帯びている。しかし、それは常に「支払期限」をもつ、ということは、それは常に、たとえ裏書きによって一時的に引き延ばされるとしても、時間的に制限された貨幣なのだ。為替手形は一時的な貨幣である。それは、あくまで貨幣の「延長」であって、新たな貨幣の「創造」ではない。なぜなら、「創造」とは、この「延長」、この「遅延」を、一時的ではなく、限りなく引き延ばすことにあるのだから。

ところで、「銀行信用」とともに、事情は一変する。貴金属の預金証書から発展した銀行券もまた、確かに、貨幣を「延長」していると言える。兌換券である限り、銀行券は原則的にはいつでも相当の貴金属に変換することができる。しかし、現実的には、そして歴史的には、このような兌換は、戦争や政治的混乱といった例外的状況を除いて、次第に行われなくなっていく。こうして、貴金属への変換は限りなく引き延ばされていき、銀行券の発行量は、変換されるべき貴金属の量を大幅に上回り、ついにはほとんど自律化し、不換紙幣、すなわち金への変換を実際に行わない貨幣にまでいたる。紙幣は、金の物理量という制約から離れ、理論的には無限に創造できるようになる。そして、金は、銀行の金庫の闇の中へとますます引きこもっていく……。

このようにして、金の退隠につれて、社会には、銀行券ないしは預金通貨の形で、「創造された」貨幣のみが流通し、膨張していく。それはまるで、金への遅延だけが、金への不透過だけが横溢するかのよう。この金の退隠に伴った「光輝の欠如」の遍在こそ、パナマ事件の起こった一九世紀末フランスにおける貨幣の状況に他ならなかった。そして以降、もちろんフランスのみならず、全世界を覆い尽くし、我々の実存の奥深くにまで沁み渡っている、「ほとんど無」だが、「全能」でもある「資本」なのに他ならない。

（2）マネーの生態学的転回に向けて——マラルメからブロックチェーンへ

Art から瞑想へ

全能なる「ほとんど無」に、無意識の深奥から取り憑かれてしまった人間たちが、それをなぜか限りなく増やそうと血で血を洗う競争・闘争を世界中で繰り広げる経済システム＝資本主義。この人類史的異様さに早々に気づき、そのさらなる拡大を阻止し、さらにはその構造的自壊を煽り、それを「止揚」するオルタナティヴな社会システム、国家を創ろうとした数多くの思想家・活動家たち。彼らは、いわゆる「社会主義」、「共産主義」社会の創造を目指したが、それは、例えばロシア革命前後の政治的アヴァンギャルドと文化的アヴァンギャルドの奇跡的な共振を短期間もたらしたものの、たちまちの内に、むしろ〈原国家〉による剝き出しで野蛮な再切断による復讐に会い、みるみるうちに超コード化され、そのオルタナティヴで革命的な流動性の息の根を止められた。そうして、「国家社会主義」や「社会主義共和国連邦」などといったイデオロギー的に換骨奪胎した空疎な呼称とともに、ファシズムがヨーロッパ、さらには非欧米諸国をまで蹂躙することになる。

なぜ、社会主義ないし共産主義による資本主義の「止揚」はかくも無惨な結果に終わったのか。その理由を探る諸説はもちろんあるが、私は最も大きな理由の一つとして、その「止揚」を、単に政治・社会・経済制度の変革だけでなく、「心」の変革にまで及ぼすだけの精神性が涵養されていなかったことにある、と見ている。かくも人類の心の奥深くまで沁み渡ってしまった〈金＝原国家〉の全能なる輝き。その無意識的眩暈から目覚め、祓い、心を解き放つには、単なるイデオロギー教育といった「意識」の操作・啓発だけでは到底不可能だった。一方、マラルメは、その〈金＝原国家〉の悪魔払い、そしてもう一つの「真正なる」輝きを人類にもたらす「務め」を果たす者こそ、〈詩人〉であると考えていた。

まるで、別な名誉（鋳貨の放つ光もその一部だ）を目指して、いかにも、閃光が力を振るっているかのよう——少なくとも、ある人物が、一人離れて、吟味し、理由を尋ね、光が追ってこないかどうかみるために、可能な限り、逃げなくてはならぬ。自らを賭した実験者は、かくして、真正なるものを打ち立てる。かくの如き場合、すなわち、あいだに群衆をはさまず、直に自分から神〔＝金〕に働きかけるとき、残滓たる貨幣を通して、神に、エッセンスたる思考を認めさせる以外、何かやり方があるだろうか。——そうすれば、皆は、その人物の花押の押された掟のもとで気兼ねなく行動することができるだろう。

この務め――

誰のもの――

〔…〕

〈詩人〉、ないし純粋なる作家が、才能は措いて、その仕事を受け持つ。

〔…〕

欠かすことのできぬ、一握りの共通の金属〔＝鋳貨〕は、それで生きていくことを考えるより以前に、職業上、聖なる軽業師〔＝詩人〕として、自分の芸を成し遂げる、つまり、金の狡智を試練にかけるのに役立つのだ。[21]

マラルメ自身、その「務め」のために、〈書物〉(le Livre) という、人類を〈金＝原国家〉から解放し、それが無意識の中で抑圧していた「真正なるもの」のもう一つの輝きを人類にもたらす〈詩〉であると同時に〈演劇〉でもあるような一大プロジェクトを企てていた。私は、マラルメの死後、わずかに残された二百枚余りのメモ、そして『ディヴァガシオン』に収められている諸テキストから、そのプロジェクトを不完全ながらも、先述の博士論文、そしてさらに修士論文[22]で再構成してみた。が、マラルメ自身、そのあまりの思想的・美学的遠大さゆえ、そして何よりも彼自身の尚早の死により、そのプロジェクト、〈詩人〉の「務め」（「火曜会」という、マラルメが主催し、当時のヨーロッパの芸術的選良が集った、いわばこのプロジェクトの潜在的「準備室＝サロン」[23]、そして〈書物〉の一「試作品」ともいうべき『骰子一擲』を除き）をほとんど実現することなく、この世を去ってしまった。

はたして、マラルメが言うように、この「務め」は〈詩人〉だけが果たすべきものなのだろうか。私には、次第にそう思われなくなってきた。確かに、「ヨーロッパ」という文脈の中にしかいなければ、〈金＝原国家〉からの心の解放は、詩を含めたArtという精神的作業に求める他ないだろう。しかし、はたしてArtは、マラルメ以降、マラルメが企図していたような心の解放、そしてもう一つの光輝の到来を実現しえたのだろうか。前著『藝術2・0』で詳述したように、私には、その作業が中途に終わったどころか、逆に昨今では、〈金＝原国家〉の最も従順な僕《しもべ》にさえ成り果てている様を、アートマーケットの空前絶後の盛況の中に見たのだった[24]。

では、Art以外に、〈金＝原国家〉から真に解放される営為はあるのだろうか。その営為こそ、瞑想なのではないか、と私はある時気づいた。なぜなら、瞑想とは、あらゆる「業」、無意識の固着から、心身を脱−執着する、「解脱」する、とりわけすぐれた技だからだ。

そこで、私は、瞑想を始めた。その体験、苦悩、悦びを、『汎瞑想』という小論[25]に綴ったりした。さらに、瞑想という心身の変革を、自らの孤立した実存の探究に終わらせることなく、真に新しい経済、社会の在り方に理論的に接続するために——ちょうどマックス・ウエーバーがプロテスタンティズムを、資本主義を生んだエートスと捉えたように――、『瞑想とギフトエコノミー』[26]なる著作で、両者の共創作用を考究した。その理論的冒険の詳細は、同書に当たっていただくとして、ここでは、まず、そうした瞑想とギフトエコノミーの理論的探究と同時並行して実践していた「ギフトサークル」というワークショップの仕組みと意義について語りたい。

ギフトサークル

「ギフトサークル」とは、アルファ・ローが二〇〇〇年代初頭に考案し、その仲間たちがアメリカ西海岸を中心に広めていったとされるワークショップである。やり方は、ごくシンプルだ。一部屋に十～二十人程度の人が円く座る。そしてまず、各自が今必要としているモノ・コトなど（「Needs」）を一つ二つ順番に言っていく。次に、今度は、各自が今他人《ひと》に贈りたいモノ、してあげたいコトなど（「Gifts」）をやはり一つ二つ順番に言っていく。そして最後に各々のNeedsとGiftsがマッチしたら、当事者同士が連絡先などを交換し、後日実際に贈ったり贈られたりする。

この、一見ごくシンプルなワークショップを、私なりの「瞑想とギフトエコノミー」の文脈の内で徐々に変奏し、各地で（京都、東京、上田、前橋、鈴鹿など）実践していき、その経済的・思想的意義を見出していった。以下、改めて、本章「GEIDOとしての経済」において、その意義を再確認するために、日常的な資本主義的「交換」と比較して論じたい。

日常の経済活動において、資本主義的交換は、主に「生産」と「消費」の場面で行われる。まず、「生産」の場面では、生産者は、あるモノかサービスを社会のために生産するのと引き換えに、何がしかの貨幣を受け取る。が、資本主義社会では多くの場合、生産者が生産するモノないしサービスは、その人が「今ここ」で本当に作りたいモノ、やりたいサービスではなく、逆に生活に必要な何がしかの貨幣を得るために、本来の欲望に反して不本意に行っているものであろう。

そうして、自らの欲望に反して不本意に行った生産活動と引き換えに得た貨幣を、その者は、今度は「消費」の場面で、自分の生活に必要なモノ・サービスを得るために、それと引き換えに支出する。その時、その者が買うモノやサービスは、一見自分が「今ここ」で欲しているモノでありサービスであるように思われる。がしかし、はたして本当にそうと言い切れるだろうか。そのモノやサービスを欲する——と自分が思い込んでいる——欲望は、実は前もって様々なメディア、とりわけ広告産業によって作られ、消費者の心に仕込まれた「欲望」なのではないか。フランスの社会学者、ジャン・ボードリヤールがその消費社会論で鮮やかに描き出したように。そしてもちろん、その「欲望」を直接的・間接的に（広告などを使い）作り出した企業が、消費者の支払った貨幣の一部を利益として取得するのである。

この資本主義的交換に比して、ギフトサークルにおいて起きていることはどう違うのだろうか。そこでもやはり、人と人の間に、モノやサービスのやり取りが生じる。サークルの中で、各々の人は、自分が今欲しているモノ・コトを表明する。その「欲望」は、サークルが「カジュアル」に進行される場合には、ほんの思いつきであったり、あるいは資本主義的消費と同様、何らかの「広告」によって前もって刷り込まれた欲望かもしれない。しかし少なくとも、私は、このワークショップを実践していく過程で、徐々に瞑想を取り入れていき、各自Needsを表明する前に、数分程度だが瞑想の時間を設け、しかるのちに自分が「今ここ」で（単なるカジュアルなNeedsではなく）本当は何をしたいか、あるいは他人《ひと》から何をしてもらいたいか、本心に直に問いかけて、場合によってはなかなか言語化しづらい〈欲望〉を、舌足らずでもいいから何とか言葉で（場合によってはイラストなどで）表してもらい、伝えてもらうよう促した。また、Giftsの方も、同様に、しばし瞑想の時間をとったのちに、今ここで本当は他人に何をしてあげたいか、何を贈りたいか、心に深く問うてもらい、その心奥から湧いてくる〈欲望〉を伝えてもらうようにお願いした。そして、実際、ある人の何かを受けとりたい〈欲望〉と、何かを贈りたい〈欲望〉――両者の一方が表明されていず潜伏していてもよい――が共鳴すれば、そこに現実的なモノ・コトの、人から人への移動が生じる。だが、その「移動」は原則的に一方通行であり、「ギヴ・アンド・テイク」、「交換」ではない。それは、他人から受けとりたいという〈欲望〉と、他人へ贈りたいという〈欲望〉がたまたま出会った、まさに一期一会に他ならない。もし、ある人が何かを贈りたいと思っても、それを受けとりたい人が今ここのサークルにいなければ、また逆に、何かを受けとりたい人がいても、それを贈りたい人がいなければ、決して起こりえない、それは一期一会である。九鬼周造が『偶然性の問題』で闡明した

「偶然性」の核心——「偶然性は『この場所』『この瞬間』における独立なる二元の邂逅として先端の危《あやう》きに立って辺際なき無に臨むものである。[27]」——こうした純粋な偶然の邂逅という、唯一無二の出来事が生起する、そうした場がギフトサークルなのである。

私は再三、前著『藝術2・0』以来、GEIDOの要諦の一つは、「いびつなV」が歓待しあう「いびつな〇」にあると述べてきた。ギフトサークルもまた、まさにその「いびつな〇」の一つのヴァリアント、「経済的」なヴァリアントと言えよう。

聖なる経済学

私は、ギフトサークルを調べる途上で、チャールズ・アイゼンシュタイン著『聖なる経済学[28]』に出会った。この本は、私のギフトエコノミーと瞑想との共創関係への探究を後押ししてくれるヴィジョン、提案、問題提起に満ちていた。

この書の狙いをまず確認しよう。序文[29]は次の一文で始まる。「本書の目的は、マネーと人間の経済を、宇宙に存在するあらゆるもの同様、聖なるものにすることである。」しかしながら、現在、マネーは「俗なる」ものの最たるものとみなされている。「聖なる経済学」は、したがって、現在のマネーの在り方を根底から覆すような変容をもたらし、新しいマネーと経済、そしてそれに伴う人間のアイデンティティの変貌をもたらすものになるだろう、とアイゼンシュタインは宣言する。

ところで、彼によれば、三〇〇〇〜四〇〇〇年前から、神々は、湖、森、川、山などから天空へと移り住み、全能の〈神〉となって、この世の全てに介入し、君臨してきた。ところが、現在では、皮肉なことに、この全能の〈神〉に最も似ているのがマネーなのである。今やウォール・ストリートというオリンポス山の高みにいる「宇宙の主人たち」（＝トレーダー）は、文字通り、山を動かしたり、川の流れを変えたりして、世界を意のままにしている。だから、アイゼンシュタインは、世界を、まだ物質と霊性が分離していなかった古の時代に戻したい、俗なる貨幣に聖性を取り戻させたいと言う。

ところで、「聖なるもの」とは何だろうか。それは、彼によれば、二つの側面、すなわち「唯一性」と「縁起性」をもつと言う。「聖なるものあるいは聖なる存在とは、特別で、唯一で、他に類のないものである。したがって、それは、限りなく貴いものであり、他に代えがたいものである。〔…〕唯一なものでありながらも、聖なるものはまた、それを作りなすあらゆるもの、それが依ってきたったもの、そして森羅万象のマトリックスのなかでそれが占める場所と分かち難く結ばれてもいる。」だから、聖なるものは、より根源的な世界、唯一なるすべてのものが縁起している世界への入り口であり、そのしるしなのである。

本書が描き出す「聖なるマネー」、「聖なる経済」とは、森羅万象の唯一性と縁起性を具現するマネー・経済であり、人々のギフトを人々の必要につなげる媒介となるマネー・経済に他ならない。

そして、アイゼンシュタインは、序文をこう終える――こうしたヴィジョンは、あまりに理想主義的で実現不可能ではないかと、私の「頭」はささやくが、でも「私の心は、こうした美しい経済・社会が実現可能だということを知っている。〔…〕私たちはこんなにも傷みつけられているからこそ、聖なる世界を希求するに値するのだ。」

確かに、「理想主義的」と言われても仕方のないほどの、ある種希望に満ちた記述である。そして、やや安易な「伝統回帰」的記述や、逆に「黙示録」的記述が散見されることも否定できない。さらに、この最後の一文にあるように、（おそらく「ヨーロッパ」的知性では、知的論述に使うのを大いに躊躇われるであろう）「美しい」という形容詞の使用も（「正しい」と並んで）以後頻繁に行われる。こうした論述方法の弱点を抱えながらも、なお、『聖なる経済学』は、資本主義を超える〝もう一つの〟経済・社会と精神性をつなぐ、いたって示唆的な提案、ヴィジョンを数多く提示してくれる。本論では、この浩瀚な書の全貌を紹介することはできないが、「GEIDOとして経済」と強く響きあう特にその第二部と第三部の諸部分に焦点を当て、以下検討してみたい。（ちなみに、第一部は「分離の経済学」という副題とともに、これまでの貨幣と経済の歴史と問題点、そして資本主義的文明＝「分離」の時代・物語の危機について主に語る。）

「思春期」から「成人」へ、「分離」から「再結合」へ

アイゼンシュタインは、現代を、何よりも人類が成熟するための「試練」の時代、「思春期」から「成人」へと変容する時代と捉える。終わりなき「成長」、「上昇」の物語から、「定常」、

「脱成長」の物語へ、「分離」の時代から「再結合」の時代へと、人類が「イニシエーション」の試練を経験しつつある大変容期であると見る。

私はこの物語を「〈人類〉の〈上昇〉」と呼ぶ。それは、終わりなき成長の物語であり、そして今日我々が使用しているマネーのシステムこそがこの物語の具体的現れであり、そのシステムこそが自然の領域を人間の領域に変換することを可能にし推進してもいるのである。その物語は、何千年も前、人類が火を飼い慣らし、道具を作り始めた時に始まった。以後、その物語は速度を増して行き、人類は、動物や植物を飼い慣らすためにこれらの道具を用い、野生の世界を征服し、世界全体を自分たちのものとした。そして、その物語は、〈機械〉の時代に栄光の絶頂に達し、完全に人工的な世界を創造し、自然のあらゆる力を動員し、人間は自分たちが自然の主人であり占有者であると思い込んだ。そして今や、この物語が終焉を迎えつつあるとともに、それが正しい物語ではなかったという認識が動かし難いものになってきた。〔…〕人生が思春期で終わることがないように、文明の進化もまた成長の終焉と共に終わるわけではない。我々人類は、思春期から成人へと移り変わるように、変容の真っ只中にいる。(30)

「成長・上昇」の時代・物語はまた「分離」のそれでもある。人と物とが分離し、人と人とが分離する。人間は己が終わりなき成長のために自然を征服し陵辱し搾取する。人間と人間とは己が富を他者よりもそして今の自分よりも少しでも増やさんがために競争し闘争する。その時代・物語の中では、マネーは何よりも「高利貸しのマネー」であり、「私の分が増えればあなたの分は減り」、豊かさとは富を「貯め込む」ことに他ならない。

それに比して、「再結合」の時代においては、豊かさは富を振る舞う「気前よさ」にあり、「あなたの分が増えれば、私の分も増える」のであり、人と物、人と人は互いに分離する代わりに、各々の唯一性において再び縁起しあい、その縁起の媒体こそが「聖なるマネー」の使命となる。(31)

アイゼンシュタインは、この再結合の時代における「聖なる経済・マネー」の実現を、単なる理想主義的な夢物語に終わらせることのないよう、先進的事例や実験を参照し、あるいは批判しつつ、具体的な「ロードマップ」を描き出そうとする。そのマップは、以下の七つの視点から描かれる。①マイナス金利通貨、②経済的地代の廃止と資源の枯渇への補償、③社会的コストと環境的コストの内部化、④経済とマネーのローカリゼーション、⑤社会的配当、⑥経済の脱成長、⑦ギフト文化とP2P《ピアツーピア》経済学。

これら七つの要素は、様々な撚り糸が一枚のタピストリーを織り上げるように、「聖なる経済」という物語を織り上げていくだろう。それは「新しい〈人々〉の〈物語〉であり、究極的には、我々人類は〈地球〉のパートナーでありたいという願いの現れであり、森羅万象がそれぞれ唯一性において縁起しているという精神的な気づきであり、それこそが私が『聖なる経済学』と呼んできたものの根底をなすのである。(32)」

マネーの変容

ところで、現代、すなわち人類の「思春期」から「成人」への大変容期にあって、マネーもまた大きな変容を遂げていく。おそらく、アイゼンシュタインは、人類がこの「イニシエーション」を経て「成人」となった暁に実現するであろう真に「聖なる経済」においては、もはや（ギフトサークルのように）マネーという媒介は必要でなくなり、ギフトのみが人と人、人と自然との間を絶えず循環するというヴィジョンをもっている。しかし、それまでのトランジション＝イニシエーションの時期においては、（既存の）マネーが「聖なる」それへと過渡的にメタモルフォーゼすると捉えている。例えば、この過渡期＝変態期にあって、アイゼンシュタインも言うように、投資（investment）の意味・在り様も当然変容する。

投資＝investmentは、語源的には（ラテン語の「in（中に）」、「vest」（服）に由来する）、「服を着せる」ことを意味するように、マネーにもどんな服を着せるかで、investmentの意味合いも大きく変わりうる。今日まで、人々は、自らの富を増やし蓄積するために投資してきた（マネーに「資本主義」的な服を着せてきた）が、マネーには全く違う「服」を着せることもできる——すなわち、私腹を肥やすためでなく、自らの余剰の富を他者にシェアするため、ギフトするために用いる＝投資することも可能なのだ。その「聖なる投資」の相手は何も人間に限らない。マネーは森を丸裸にする伐採機材を購入することにも使えるが、同じマネーを森の保全のためにも使えるのだ。前者の投資がマネーの「創造」（マネーがマナーを生む）だとすれば、後者のそれは、マネーの「破壊」（マネー自体の「蕩尽」）となろう。アイゼンシュタインは提唱する——自然的・社会的・文化的・精神的コモンズを守り修復するために、マネーを投資＝破壊せよ、と。[33]

アイゼンシュタインはまた、聖なる経済に向けて、マネーは、プラスの金利を纏いつづけるものから、金利を脱いでいく、すなわちマイナス金利のマネーへと移行していくであろうと説く。自然界のあらゆるものが劣化し腐敗し朽ち滅んでいくのに対し、これまでマネーだけが、あたかも自然界の法則を免れているかのように、劣化も腐敗もせず、その「超自然的」な定在を保持するのみならず限りなく増やしてきた。しかも、その超自然的な定在の増殖・蓄積のために、自然界を搾取し凌辱してきた。これからのマネーは、自然の森羅万象同様、「腐り」、「滅んでいく」ものでなければならないだろう。つまり金利がマイナスになる、価値が減る、自らが自らを滅していくようなマネーとなるだろう。アイゼンシュタインは、この「腐るマネー」の先駆者シルビオ・ゲゼルの「フリーマネー」や、他の歴史的事例を援用しつつ、この「腐るマネー」＝マイナス金利マネーの可能性を探る。

ある一定期間使わなければ価値を減じていくならば、人々は決して退蔵することはありえず、むしろいち早く使う、すなわち自分のマネーを他者に渡そうとするだろう。そうすれば、マネーは、人と人とを分断し、金利の蓄積へと向かう代わりに、人から人へと絶えず流れ循環していく、再結合＝縁起の媒体となりえよう。それは、究極的には、「私の富はあなたの富」とい

うメンタリティ、すなわち「ギフト」の精神を育むことになろう、とアイゼンシュタインは見てとる。(34)

人類の「変態」期にあって、マネーはこれまでとは全く違う「服」を身に纏い、というよりむしろ「服」を脱ぎ捨てつつ、自らを「腐らせ」、「滅して」いきながら、ついには「マネー」なき経済、純粋に「ギフト」のみで成り立つ経済、すなわち真に「聖なる経済」が到来するであろう、とアイゼンシュタインは予言する。なぜなら、マネーには、それがいかに他の「服」を着ようと、あるいは「腐ろう」と、「計量化」してしまうという宿命があるからだ。ところが、人間にとって幸福をなすほとんどの事は本質的に「計量化」できない、「質的」なものである。マネーは（いかに美しい服を着ようが腐ろうが）マネーである限り、その幸福の価値を「数量」的にしか表現できない。だから、真に「聖なる経済」は、究極的にはいかなる種類のマネーも介在しないような経済、純粋なギフトエコノミーとなるであろう、とアイゼンシュタインは予告する。しかし、そこまで行くには、まだまだ経なければならない道程がいくつかある。その中でも、私から見て最も独創的と思われる、一つの仮説・ヴィジョンを次に検討してみたい。

その仮説・ヴィジョンとは、「コモンズに裏付けられたマネー」に他ならない。でも、どこが「独創的」なのか。

コモンズに裏付けられたマネー、あるいはマネーの生態学的転回

前述したように、人類が発明したマネーは、これまである中央集権的な権力（領主、国王、国家など）がその価値を裏付けてきた。そして、マラルメと、ドゥルーズとガタリを援用しながら論じたように、それは究極的には（それら具体的な権力も依拠する）〈金＝現国家〉の全能なる権力によって裏付けられていた。ところが、アイゼンシュタインがここで提唱する「コモンズに裏付けられたマネー」とは、そうした超自然的で超越的な権力のいわば対蹠点にある自然の共有財《コモンズ》（土、水、空気、地下資源、森など）、そして人類自らがこれまで創造してきた文化的・技術的共有財に価値の根拠を置くマネーである。

その新たな生態学的・文化財的マネーは、アイゼンシュタインによれば、ある「政府（government）」によって運営されることになる。だが、この「政府」は、既存の国民国家的政府ではなく、「権力が分散的で、自己組織化し、創発的で、ピアツーピア的で、生態環境も統合した政治的意志の表現[35]」としての政府である。そうした新しい「政府」が、その土地と文化圏のコモンズを受託し管理・運営する者（trustee）となる。そして、「政府」は、その自然・文化圏で生活する人々がどれくらいのコモンズをどのように必要としているかに基づき、その必要を満たすだけのお金を発行する。

これほどまでに貴重で、神聖で、「価値ある」これらのもの以上に、貨幣システム――価値の物語――の基礎となるべきものがあるだろうか。だから、聖なるマネーの供給の一部は、我々が共同して世話するこれらのものによって「裏付けられる」であろう。それは、以下のように機能するはずだ。まず、皆で民主的に話し合いながら、どれだけの天然資源を自分たちの目的のために使用するか、その適正な量を決める。どれくらいの海産物、土壌、水を使うのか。大気はどれくらいまでの廃棄物を吸収・転化できるのか。大地は鉱物の採掘の傷跡をどれくらいまで修復できるのか。化石燃料や原鉱石やその他の地球からの贈り物をどれくらい使うのか。自然の静けさをどれくらい機械の騒音の犠牲にするのか。夜空をどれくらい都市の灯りのために犠牲にするのか。[36]

そして、より具体的には

我々のマネーの価値は以下のものに依拠する――ニューファンドランドの漁場における三〇万トンの鱈を漁獲する権利。オガララ帯水層から月に三〇〇〇万ガロンの水を採水する権利。一〇〇億トンの二酸化炭素を排出する権利。二〇億バレルの原油を採掘する権利。電磁スペクトルのXマイクロ波帯域を使う権利……。[37]

こうして生態学的・文化財的に裏付けられたマネーは、では具体的にその自然・文化圏の中でどのように循環していくのか。

地方政府は、警察官、消防士、清掃員などに給料を支払う。彼（女）らの一人は、その給料を、食料品、電気、あるいは車の新しいトランスミッションを買うための支払いに使う。その食料は、ある農場から来たものだが、その農場は、地元の帯水層から年三〇万ガロンの水を汲み上げる権利のために支払っている。そしてその支払いは、コモンズの該当部分を管理する地方政府に行く。[38]

したがって、生産者がより多くのお金を支払うということは、その生産者がより多くの資源を消費していることを意味する。逆に言えば、生産者はより多くの資源を消費すれば、より多くのお金を政府に支払わなくてはならなくなる。

もし我々が、地下に眠っている原油や、山に埋まっている金や、原生林をマネーの裏付けとしたなら、どうなるのか。そうしたなら、それらの価値も上げ、それらをもっともっと多くしたいと思わないだろうか。そのメカニズムにまったく神秘的なところはない。もしあなたが、原油採掘の全環境コストを払わねばならないとしたら、あなたは原油を採掘しないで済む方法を念入りに探そうとするだろう。もしあなたがすべての汚染に対して支払わねばならないとするなら、あなたは汚染量を減らそうと努めるだろう。[39]

だから、この新たなマネーは、単に生態学的コモンズにその価値を裏付けられるのみならず、経済が合理的に循環すればするほど、そのコモンズを豊かにすることにつながるようなマネーなのだ。しかも、もしこの生態学的マネーにマイナス金利の「服」を着せ、「腐る」ようにするならば、「富」の滞留・蓄積は生じず、絶えず富の偏在は解消されつづけ、マネーはますますコミュニティを循環することになる。

マネーの「生態学的転回」——私たち人類は、〈金=原国家〉の肖像を刻印される代わりに、水の、魚の、森の恵みを贈りあうことになろう。

暗号通貨の「透明性」

こうして、人類の「成熟」=「変態」とともに、マネーもまた根源的に変容していく。だが、先述したように、そしてアイゼンシュタインも指摘していたように、人間の幸福を成すほとんどのことは「質的」なものであり、決して「量化」されえない。それがどんなマネーであっても、たとえ「生態学的に転回」した貨幣であっても、その「量」に還元しえないものだろう。だから、「質的」のものだけを贈り合うとすれば、究極的には（ギフトサークルのような）純粋な、すなわちいかなるマネーも介しないギフトエコノミーの形を取らざるを得ないだろう。だが、ここで問題が生じる。だとしたら、経済がギフトエコノミーに「純化」すればするほど、純粋に「質的」なものの贈り合いに限定されればされるほど、その経済圏は必然的に「狭い」、「閉じられた」ものにならないか。アイゼンシュタインの夢想する「ギフトエコノミーへのトランジション」（第一六章の表題）は、結局、限定された人数と広がりしかもちえない贈与のコミュニティが地球上に無数に併存するような状況しか生まないのではないか。

そのような状況を克服するために、アイゼンシュタインは「サークルのサークル」という、ギフトサークルが入れ子状に大きくなったり小さくなったりするモデルを夢想することになる。

それぞれのサークル内の人々は、そのサークルの中で互いに贈り合うことができる。そして各サークルは、一つに統合されたものとして、より大きなサークルの中で、他の〔小さい〕諸々のサークルに贈ることができる。そしてこれらの諸々のサークルも他の〔大きな〕サークルの〔小さい〕サークルに贈ることができる。このヴィジョンは、社会の根源的な再組織化（ボトムアップ、ピアツーピア、オートポイエーシス、自己組織化）を孕んでいる。(40)

ところで、この入れ子状の「サークルのサークル」、小さいローカルな無数のサークルをつなぐのに、しかも中央政府の発行する法定通貨に頼らずにそうするのに打って付けの媒体こそ、ブロックチェーンに基づく暗号通貨ではなかろうか。事実、この『聖なる経済学』の再版（二〇二一年）――初版は二〇一一年――で主に書き足された部分は、まさに暗号通貨に関してのそれだ。

アイゼンシュタインは、暗号通貨をどのように見るか。まず、彼は、暗号通貨をビットコインに代表させるが、彼の知る限り、ビットコインを現実の商取引、すなわち物の売り買いに使う人はまずいない。ビットコインの所持者たちは、主に投機目的で所持するのであり、仮に商取引に用いるとしても、その多くはいかがわしいウェブサイトでドラッグ、児童ポルノ、兵器、不正入手した個人情報を売るためだと言う。[41]

しかしながら――と、アイゼンシュタインは続ける――、ビットコインのような「メジャーな」暗号通貨は、そうした使われ方しかしないが、「マイナーな」暗号通貨は、「聖なる経済学」にとって鍵となる提案を実行しようとしている。例えば、自然環境による「裏付け」、マイナス金利、広範なベーシックインカムなどだ。

そして、さらに「聖なるマネー」の可能性を強く感じさせる暗号通貨の特徴として、アイゼンシュタインは何よりもその技術的・構造的「透明性」を挙げる。

こうしたことが可能になるには、まず何よりも透明性が必要とされる。政府が人民にとって透明になり、経済制度もまた万人にとって透明であらねばならない。暗号通貨は、匿名ないし偽名で使えるよう作られていて、透明性に反しているようにみえるかもしれないが、しかしその帷の後ろからまた別な可能性も垣間見えてくる。中央準備銀行システムとちがって、ブロックチェーン上のすべての取引は誰でもがいつでも見えるようになっている。確かに取引の当事者たちは匿名であるかもしれないが、取引それ自体は誰にとっても明瞭なのだ。それぞれの暗号

「財布《ウォレット》」にそれ独自の身分証明を付与することもそれほど難しいことではない。(42)

こうした技術的にも構造的にも「透明な」暗号通貨によって、真に「透明な」社会がもたらされるだろう。「中央にある一つの目が他のすべての人々を監視するのと違って、政府自身も含めた万人が、万人にとって透明たりえる社会となろう。(43)」

我々は前回、剰余価値＝資本が、そもそもいわゆる「資本主義」誕生のはるか以前に、「鋳貨」の発明に淵源し、それが何よりも発行者（領主や国王など）と使用者（民衆）との、鋳貨をめぐる視線の不均衡（前者は剰余価値を「見透す」ことができ、後者はできない）にあることを明らかにした。ブロックチェーンと、それを技術的に用いた暗号通貨が、マネーとして真に「革命」的なのは（他の多くの技術的革新に加えて）マネーの創造が、それに参画するすべての者にとって同等に「透明」である点だろう。すなわち、ブロックチェーンの構造的透明性からは、本来「視線の不均衡」は生じえず、したがって剰余価値＝資本の創造がなされえないはずなのだ。ところが、ビットコインのように、暗号通貨が投機的に使われてしまうのは、我々がいまだ暗号通貨のマネーとしての真の「革命性」に十全に気づけず、旧来のマネーのマインドでしか用いることができないためではなかろうか。だから我々は、ブロックチェーン＝暗号通貨の「メジャーな」＝非本来的な使用法から「マイナーな」＝本来的使用法にシフトチェンジしなくてはならない。そうすれば、ブロックチェーン＝暗号通貨は、小さいローカルな無数のギフトサークルを「透明に」つなぎうるインターローカルなメディアになりうるだろう。

我々は、GEIDOとしての経済に向けて、アイゼンシュタインよりもやや先走ってしまったが、アイゼンシュタイン自身は、この再版・増補された『聖なる経済学』において、暗号通貨について、その技術的・構造的透明性がもたらしうる経済的・社会的透明性以上に、残念ながら論を展開していない。しかし、私自身は、暗号通貨の内に、GEIDOとしての経済を具現しうるさらなる可能性・潜在力を感じ取っている。以下（私自身、技術的に素人ながらも）その可能性・潜在力について私論を展開してみたい。

マネーとしての革命性

そもそもブロックチェーン、そして技術的にそれを基礎とする暗号通貨ないし仮想通貨のどこがマネーとして「革命的」なのか。

この世界、中でもこれから検討するトークンエコノミーの世界で「エバンジェリスト」の一人と自認する川本栄介の解説をまずは聞くとしよう。[44]

彼が、ブロックチェーン、そして仮想通貨の特徴として挙げるのは次の五点だ。

①マイクロペイメント（超少額決済）

日本円による銀行口座取引には一一〇円以上の手数料がかかり、海外送金ともなればさらなる手数料がかかるのに対し、仮想通貨のそれはいたって少額だ。例えばＸＲＰ（リップル）のウォレット間の送金手数料はわずか〇・〇四三円だ（二〇一八年六月時点）。

この、仮想通貨の超少額決済によりこれまで不可能だった、例えば「一万人のユーザーから一〇〇円ずつ」集めるマネタライズ・モデルが可能となる。

②即時的な支払い

日本円で口座振込を行った場合、それが一五時以降だったならば、入金確認は翌朝にしかできない。ましてや海外送金ならば、さらなる時間がかかるのに対して、仮想通貨の取引は瞬時に成立するために、例えばＸＲＰ（リップル）ならば、わずか三秒で送金できてしまう。

自らの経済行為の見返りが時をおかずしてなされるなら、その経済主体（個人事業主から大企業に至るまで）のモチベーションとパフォーマンスも大いに変わりうるだろう。

③耐改竄《ざん》性の高い極めて強固なセキュリティ

仮想通貨の各取引情報は、連続したブロックに納められていて、かつそれらのブロックどうしが緊密な関係にあるため、一つのデータを改竄するには、それに相関する膨大な、しかも絶えず更新されるブロックのデータも改竄しなくてはならない。したがってデータの改竄は事実上不可能であるがゆえに、ブロックチェーンには技術的に絶対的な信頼が生じる。

④取引の見える化

仮想通貨の取引はすべてブロックチェーン上の「台帳」に書き込まれていて、それを誰もが閲覧できる（アイゼンシュタインの言っていた「透明性」）。すべての取引が万人にとって可視化されるがゆえに、不誠実な取引がいたってし難く、したがって「信用」が常に見える化していると言える。

⑤スマートコントラクト（契約の自動化）

仮想通貨は、契約から履行への流れを自動化し、第三者的な中間管理者を介さず取引を可能にする。

以上の、仮想通貨に特徴的な五つの仕組みは、法定通貨によっては実現困難な仕組みであり、そうであるがゆえに、仮想通貨はマネーとして「革命的」なのだ。その「革命性」が真に人類の経済に発揮されるのは、ビットコインのように「投機」目的で使用される時ではなく、「トークンエコノミー」と呼ばれる、特定のプロダクトとサービスに特化した仮想通貨＝「トークン」による「小さな」経済圏の実現にこそあると、川本は見る。

川本は、レシピサイトを例に挙げる。(45) レシピサイトは、レシピの投稿者とそれを閲覧し評価するユーザーたちから成り立っているにもかかわらず、たとえレシピが高い評価を得ようが、通常それへの報酬は支払われない。報酬が少額すぎ、手数料と手間に見合わないから支払われない、と川本は指摘する。しかし、それにトークンが用いられるならば、その「超少額決済」

という特徴により支払いが可能になり、しかも決済の「即時性」というもう一つの特徴により、投稿者たちの貢献に即座に対応でき、彼（女）らのモチベーションをさらに向上するのにつながるだろう。こうして、レシピサイトに限らず、あらゆるサイトで、法定通貨による経済では経済的に埋もれていた多くのステークホルダーたちが、トークンエコノミーにより顕在化し、相応な報酬を得られるようになる。トークンにより、そうした「小さな」経済圏が無数に誕生するようになる。

イラストが得意な人たちはイラストのトークンエコノミー、文章を書くのが好きな人たちはライティングのトークンエコノミー…、とそれぞれの人が自分の特性や特技、創造性を自由に発揮できるような経済圏。それは地縁に縛られない〝もう一つの〟（仮想的）「ローカリティ」とも言える。しかも、一人の個人は、欲望と能力があれば、複数のエコノミーに「複属」し、自らの可能性と潜在力を多方面に繰り広げることができる。こうして、個人の価値が最大化されるとともに、ますます関係する経済圏の活動が活発化し、その価値も高まっていく。真の意味での需要と供給がいたるところで調和していき、各人が「精神的にも物理的にも満たされる経済圏」、そして社会が、トークンエコノミーによって実現する、と川本は人類の未来像を描く。

国連開発計画とブロックチェーン

こうした未来像は単なる夢物語なのだろうか。いや、すでにその「未来」は到来しつつあると言えるだろう。ブロックチェーンないし仮想通貨の（アイゼンシュタイン流にいえば）「マイナーな」用法が、「小さい」ながらも国際的な展開をみせている。その代表例が、国連開発計画（United Nations Development Programme, 略称 UNDP）の数々の試みではないか。

UNDP は、その名も「Beyond bitcoin」というサイトで、SDGs（持続可能な開発目標）達成に向けてブロックチェーンを活用したプロジェクトを六つのカテゴリーに分けて（①金融包摂の支援、②エネルギーへのアクセスの改善、③生産と消費責任、④環境保護、⑤万人への法的アイデンティティの提供、⑥財政援助の効率性の改善）紹介している。[46] その中からいくつかの例を挙げてみよう。

①金融包摂の支援――世界銀行によれば、現在世界には銀行口座を持たず、銀行システムの埒外に置かれた成人が約一七億人もいると言う。そこで UNDP の AltFinLab と BitSpark 社は、ブロックチェーンを活用したモバイルアプリを開発し、出稼ぎ労働者たちが外国から実家により安く早く安全に送金することを可能にした。

③生産と消費責任――エクアドルでは、カカオ農家のビジネスが相応の収入を得られないがために崩壊の危機に瀕していた。そこで、UNDP の AltFinLab は、アムステルダムの FairChain

Foundationと提携し、世界で最初の、ブロックチェーンで価値がシェアされるチョコレートを開発している。消費者は、チョコレートのトレーサビリティを確認でき、価格は、生態系へのインパクトを考慮したフェアな価格になっている。

④環境保護――レバノンでは、毎年九六〇万本もの木が焼かれ、わずかに一三%の森林しか残っていない。そこでLive Lebanonというクラウドファンディングのプラットフォームが立ち上がったが、今度はブロックチェーンを活用した新たな「投資」のプラットフォームを立ち上げようとしている。新たに植林されるたびに、CedarCoinというトークンが「投資家」と植林されたコミュニティに配布される。そうして、森林の回復が図られるとともに、環境への意識を高めていく。

⑥財政援助の効率性の改善――UNDPは、その世界規模の業務上、巨額の資金を世界中に供与している。コストのかかる仲介業者を介すことなく、透明性とアカウンタビリティーを保証するブロックチェーンは、そうした資金の供与を安全に行うのに非常に適している。

UNICEFもまた、二〇一九年一〇月に「UNICEF暗号通貨基金」を発足し、暗号通貨によって寄付金を受け、供与するシステムを構築した(47)。

こうして、SDGs達成のために、国連主導ですでに上記以外にも多くのブロックチェーン／暗号通貨を活用したプロジェクトが、法定通貨の流通の埒外で、その「メジャーな」用法＝投機の彼方で(「Beyond bitcoin」!)、世界中で展開されている。だから、「精神的にも物理的にも満たされる経済圏」そして社会は、トークンエコノミーの一エバンジェリストの単なる夢物語ではなく、今や実現しつつある物語なのだ。

「マイナス」の経済へ

ところで、UNICEF暗号通貨基金へ最初に寄付した組織こそ、暗号通貨の最大のプラットフォームの一つ、イーサリアム財団であった。そのエグゼクティブ・ディレクターである宮口あや（礼子）は、あるインタビューで、自らの組織運営について「引き算の美学」に言及する。[48]彼女によるイーサリアム財団の運営の理想は、「経営者さえいらない会社」であり、「究極的に目指すのは、イーサリアムを運営する私たち自身がいなくなることなんです」と語る。[49]そして、そうした組織運営には、日本的な「引き算の美学」が活きていると言う。

イーサリアム・ファウンデーションにいると、意外と、日本人であることがぴったりだと感じます。イベントでよく日本の「引き算の美学」という言葉を使うのですが、いわゆるファウンデーションの在り方とか、分散型の究極を考えていくと日本の「引き算の美学」に落ち着くのです。世の中がもっと大きくなればいいとか、お金がもっとあればいいとか、資本主義的な流れへのカウンターでもあります。[50]

私は、宮口のこの「引き算の美学」を暗号通貨の組織運営の方法論のみならず、暗号通貨が創りだす新たな経済の在り方・本質そのものへと接続してみたい。

アイゼンシュタインは、「聖なる経済」における「豊かさ」は、資本主義の「私の分が増えればあなたの分は減る」という豊かさに対し、富を振る舞う「気前良さ」にあり、「あなたの分が増えれば、私の分も増える」ことにあると言っていた。それをさらに敷衍すれば、聖なる経済、そしてその究極の形であるギフトエコノミーとは、何よりも自分の富が「減り」、その「マイナス」が他人の「プラス」になることを欲し悦ぶふるまいであり、欲望であるのではないか。自らの富を限りなく「プラス」にしたい欲望が資本主義を駆動していた欲望だとするなら、ギフトエコノミーを駆動する欲望は、自らの持てるモノを「引き算」し、それを他者に贈る、が、それへの（少なくとも直接的な）見返りを欲しない、そうした「マイナス」の欲望であり、倫理に他ならないのではないか。

だから、「腐るマネー」、マイナス金利のマネーは、そのマイナスの倫理を人々の心奥に醸すための、過渡的で技術的な方便だとも言えよう。私たちは、手元に持ち続けていると「腐り」、価値が減っていくから、他人に手渡すのではない。私たちは、自らの持てるモノを「引き」「マイナス」にし、それが翻って他人の「足し」、「プラス」になることを欲し、悦ぶからこそ贈るのだ。

しかも、そのトークンが（先にレバノンのCedarCoinの例に垣間見たように）、生態的コモンズで裏付けられているならば、それが人から人へと渡り循環していくことそれ自体が、コモンズを保全し、さらに豊かにすることにつながる。そうした「生態学的に転回した」マネーとしてのトークンが、そしてその「小さな」、〝もう一つの〟「ローカリティ」が、ギフトサークルなどの地縁に根ざしたローカリティと接続する。アイゼンシュタインが夢想した「サークルのサークル」は何も夢物語ではなく、いつでも実現可能な物語なのだ。

こうした「マイナス」の経済へと人類が「進化」するためには、何よりも前もって「プラス」への執着から解き放たれていなくてはならない。そうした脱執着する精神性が涵養されていなくてはならない。その「解脱」の技法と知恵こそが、瞑想なのに他ならない。ブロックチエーン、そして暗号通貨が、真に「マイナー」な使われ方をするには、それを使う者の実存的・瞑想的「V」の探究が必須とされよう。そうして初めて、「小さな」経済圏は、真の「いびつな〇」として生成されることになろう。そうなれば、経済すらもが、GEIDOとなりえるだろう。

第9章 「小さな地球」、あるいは里山の再創造——林良樹の挑戦

University of Creativity

大手広告代理店、博報堂が、おそらくは消費資本主義の一翼を担う自分たちのビジネスの在り方を改めて問い直し、企業の新しい社会的、さらには文明史的役割を創出するために、とりわけ人類の「創造性」にフォーカスした研究教育機関「University of Creativity」(以下UoCと略)を二〇二〇年九月に設立した。私は、その準備段階からコンセプトやシラバス作成の相談に乗り、開学後は「Ferment」という一種のゼミのようなものを担当することになった。

UoCは、「あたらしい世界制作の方法」を、文明の「三つの潮流」の合流点から探究していこうとする。一つ目の潮流は、人工知能、ビッグデータ、IoTなどのテクノロジーの加速度的

発展の渦中にあって、人類は、それらが不得意とするであろうCreativityにこそ、活路を見出していかなくてはならないという流れ。二つ目は、企業が「非連続成長」を求め始めるようになったことで、ビジネスの争点が「生産管理」から「価値創造」へと転換しつつあるという流れ。三つ目は、日本という島国が歴史的に培ってきた文明システムの特異性が、これからの人類の文明を作り出す上で起爆力を秘めているという流れ。これら三つの文明史的潮流が合流し、「あたらしい世界」を制作するCreativityを涵養するラボラトリーが、UoCなのに他ならない。ただし、そのCreativityは、西洋近代の文明的パラダイムが好んだような知的・文化的エリートたちが占有する類のそれではなく、すべての人間が本来有しているはずのCreativityであり、それをUoCはなるべく多くの人に発見・表現してもらえるよう、学びの仕組みをデザインした。

①「創造性の衝突と出会い」を発生させる〝Mandala〟は、「新しい世界制作のために、越領域の才能が出会う『創造知の根っこ』」である。

②「創造性の研究と発酵」の場である〝Ferment〟は、「学者とデザイナーと企業開発者と、専門領域ごとに研究と企画を深める」。

③「創造性の社会実装」を目指す〝Play〟は、「産官学民を超えて、新しい世界をプロトタイプする実験&実装」の場である。

この三つの学び・研究のプロセスが、十個のフィールドで展開していく。(1)創造力の基礎研究、(2)人工知能・ビッグデータ・IoTとつくる創造力、(3)ニューエコノミーを生む創造力、（4）新しい都市と地方を生む創造力、（5）ニュー・メディアを生む創造力、（6）持続可能な社会を生む創造力、（7）新しい教育を生む創造力、（8）社会彫刻としてのガストロノミー、（9）ポストコロナソサエティをつくる創造性、（10）「創造性社会」におけるクリエイティブ産業。私は、この中で「持続可能な社会を生む創造力」のフィールドにおけるFermentを、博報堂の近藤ヒデノリと共に企画し、実行に移していった。[1]

「小さな地球」あるいは「生命芸術」

新型コロナウィルスの動向を見極めつつ、なんとか九月始動に漕ぎつけ、初回、拙著『藝術2・0』をActive Book Dialogueという読書法[2]で輪読し、このFermentの知的・感覚的共通基盤・問題意識を確認しあった後、千葉県鴨川市で「小さな地球」プロジェクトを繰り広げている林良樹をゲストに迎え、現地で一泊二日の合宿形式でフィールドワークを行なった。

参加者が、林の活動拠点である古民家「ゆうぎつか」に集合した後、彼の活動の舞台である天水棚田、炭焼き小屋、棚田オフィス&ウッドデッキなどを巡る。彼自身が、千年に及ぶ「いのちの彫刻」と名づける里山の素晴らしい光景が広がる。見学後、古民家に戻り、林のプレゼンをスライドとともに聴く。彼がここ、鴨川に辿り着くまでの「旅」については、後に譲ろう。

ちょうど世紀の変わり目、二十一年前、林は「旅」の末、鴨川に至りつく。鴨川は、都心からも車で九〇分ほど、山にも海にも恵まれた田舎。人口は現在三万二〇〇〇人程度だが、毎年

鴨川　釜沼北の棚田

棚田オーナー制度による田植

awanova

里の MUJI みんなみの里

三〇〇人ずつ減少し、日本の他の田舎同様、多くの課題（人口減少・少子高齢化、少ない後継者、増える耕作放棄地、荒れる里山、猪・鹿・猿の被害、廃校と空き家など）を抱えている。

彼は、この鴨川に住み着き、まず二〇〇二年、地域通貨「あわマネー」を一〇名で始める。この「あわマネー」によりモノやサービスを交換し助け合いながら、ネットワーク型コミュニティを作っていった。（二〇一八年には一七〇世帯のべ三〇〇名が参加するコミュニティにまで成長した。）こうして、参加者の多くは、「消費者」から「生産者」へと変化し、小さな農を己のライフスタイルにするまでに至る。そして、彼らが「生産」するモノやサービスをやりとりするコミュニティ・マーケット&カフェとして「awanova」が誕生し、「オーガニック、地元産、フェアトレード、手づくり、量り売り」を謳い文句に新月の日に賑わう。さらに林は、持続可能な地域づくりのためにNPO法人「うず」を設立し、ローカルから「うず」を広げるための活動を開始する。現地の長老たちから炭焼きその他の伝統文化を受け継ぎ、その知恵と技術を『里山の教科書』に纏める。

しかし、林は単に里山を「閉じた」コミュニティにしたいわけではない。先述の様々な課題が少子高齢化や後継者不足などで現地の人間たちだけでは解決できないこともあり、長老たちなどの地域住民、林などの新住民、そして首都圏に暮らす都市住民をつなげ、棚田を維持する「釜沼北棚田オーナー制度」を立ち上げる。そうして都市と地方、首都圏と田舎の交流が始まり、関係人口が増えていき、さらにはその中から移住者や二地域居住者が出てくる。こうして限界集落であった釜沼には、年間千人もの人が訪れ、百人に一人の割合で移住ないし二地域居住を望む者が現れてくる。移住者は「日本人」だけではない。アメリカ、イギリス、フランス、カナダ、オーストラリアなどから、この地の魅力に引きつけられ、移住してくる者も年々増えている。

この、血縁地縁に依らないコミュニティ――林は現代版「結《ゆい》」とも言う――の「うず」は、個人だけを巻き込んでいくのではない。良品計画（地元の生産物を扱うショップ、レストラン、開発工房など）や寺田本家（棚田でとれた米で自然酒をつくる）といった企業、東京工業大学塚本由晴研究室を初めとした大学、そして林自身市の「まちづくり委員」となり（二〇一八―二〇年）行政と、それぞれ連携し、「足元の宝」を活用しながら、この土地ならではの新しい商品、新しい学び、新しいまちづくりに挑んでいる。

そうして、資本主義的「成長」から循環型社会の「成熟」への転換モデルを、この「小さな」里山から発信する。暮らしと社会に「小さな地球」を実現していく。そこでは、老若男女を問わず、一人一人が表現者・創造者、これからの「アーティスト」であり、地球とともに「生命芸術」を創っていく。

私がこうして、キーワードだけを並べ立てていくとしごく味気ないものに思えるかもしれないが、林はこうした言葉を、独特の、確信に満ちた、詩的説得力を込めながら、が、淡々と語ってくれた。その語り口は、内容とともに、聴く者たちに静かな感動を与えた。

林は、こうして、合宿の参加者である我々に、人々が千年かけて作り、そしてこれからの千年をかけて受け継ぎ、作り直していかなくてはならない「いのちの彫刻」としての里山について語ってくれた。

里山への第四のアプローチ

ところで、「里山」について日本人が語るとき、その語りが暗黙裡に従う構造やイデオロギー、すなわち「里山言説」について「環境人文学」という視座から様々な研究者が論述し討議する『里山という物語——環境人文学の対話』という論文・鼎談集がある。(3) その編者の一人、結城正美は、その「里山言説の地勢学」(4) において、里山にアプローチする三つの言説のタイプを分類し分析している。①外から見る言説、②内から見る言説、③異なる視点に揺さぶられながら見る言説。そして、この三つのタイプの言説をそれぞれ一人の芸術家のそれに代表させている。

まず、第一の「外から見る」言説は、そもそも日本で里山ブームを引き起こした火付け役と見られる写真家今森光彦が、里山を写す・映す、その表象の仕方に代表される。結城によれば、里山ブームは、バブル経済の崩壊に呼応するかのように始まった。今森の『里山物語』(一九九五年)をはじめとした、里山をテーマとした一連の写真集、そしてとりわけ今村が撮影監督も務めたNHKハイビジョンの里山シリーズ(初回『里山——人と自然がともに生きる』が一九九八年)が、日本に一大里山ブームを起こすのに貢献した。

結城によれば、今村の里山表象には、次のような特徴がある。里山に生息する生き物、昆虫、魚、植物などの、普通人間の知覚では捉えがたい生態が、撮影技術を駆使してドラマティックに表現され、その驚異《ワンダー》に満ちた世界が、読者・視聴者を魅了する一方、登場する人間は極めて限定され、人と人との社会的関係が映されることはまずない。今村のカメラは、里山をあくまで外部から捉え、「ランドスケープ」として表象し、人間たちが現実に生活する共同体の内部へと入り込むことがほとんどない。その里山表象・言説はだから、里山を〈日本の原風景〉として懐古的ないしロマン主義的にとらえるまなざしを助長することになりかねない。

第二の、里山を「内から見る」言説は、大牟羅良に代表される。大牟羅は、第二次世界大戦への出征から帰還後、故郷岩手で行商する傍ら、雑誌『岩手の保健』の編集に携わり、世に出した『ものいわぬ農民』で、農村を単なる調査対象ではなく、日常の具体的な生活が営まれている場として捉えていった。彼は、外部者（＝彼自身）による農村の捉え方と、内部に生活する者たちの視点とを絶えず比較しつつ、その差異を際立たせることによって、里山を牧歌的な「ランドスケープ」と見る表象の仕方に揺さぶりをかけるのである。

第三の「異なる視点に揺さぶられながら見る」言説は、小説家田口ランディのそれに代表される。田口は、一九八六年、チェルノブイリ原発事故で放射能汚染されたベラルーシ共和国のある村での滞在に基づき、エッセイ「核の時代の希望」を発表。ついで、東日本大震災後、福島第一原発事故をめぐる小説集『ゾーンにて』(5)を出版する。

田口の「ゾーン」、すなわち警戒区域を描く描写には、里山が「牧歌的」に描かれるとともに、そこに突如として「放射能汚染」や「放射線量」という言葉が侵入してくる。それは、

「瑞々しい」里山の風景が、人間には知覚されえない「放射能」に覆われている不気味な現実を読者に突きつける。その「放射能汚染」で「どこでもない場所」になってしまった里山に、しかし、帰還し、再定住を試みようとする人々がいる。だが、彼らにとって、その「場所」はもはやかつての「故郷」ではなく「別のリアリティ」をもってしまった場所なのである。その「どこでもない場所」で、彼らは、それぞれに固有なリアリティのバランス（例えば私はキノコを食べるが、彼女は食べない、など。田口は「掟」と表現する。）を求めて、各々の生活を営み直そうとする。したがって、田口にとって「ゾーン」とは、畢竟「異なる価値観の抗争と交渉が繰り広げられる場」(6)に他ならず、その抗争と交渉の提示＝「新しいリアリティ」の模索そのものが、放射能汚染を一面的にリスクとしか捉えない主流の価値観への抵抗となる。そう、結城は考えるのである。

この結城が分類する、里山への三つの異なったアプローチないし言説。これに比したとき、林のそれはどのように見えてくるのだろうか。彼もまた、里山について「物語る」。そして、確かに、彼の語りにもまた、結城を含めたこの論集の論者たちが里山表象・言説の「懐古主義的」で「ロマン主義的」な、あるいは「(自己) オリエンタリズム的」とまで言うイデオロギーに憑かれたステレオタイプ的表現（「日本の原風景」、「自然と人間の共生」など）が見られることも否定できない。だが、たとえ彼がそのような表現を使うにせよ、それらの言葉は、例えばある種のマスメディアや広告が「里山」を新たな「消費」の対象として作り出すような安易な表象の仕方なのではない。彼が、それらの言葉を発する時には、彼に固有の、彼にしか醸せない、特異な思想的・実存的倍音が伴うのである。確かに、その倍音は、彼の発言をライブで聴くときにしか感じられないものかもしれない。しかしなぜ、彼の言葉には（たとえ一見紋切り型にみえたとしても）こうした特異な倍音が伴うのか。それは、彼が、結城の挙げる三つのアプローチとは異なる、いわば第四のアプローチを里山に試みているからだ。それは、元々「外部」にいた人間が単に「見る」のではなく、里山の「内部」に住み込み、里山を「内部」から生きながら、それを彼独自の感性と知性で作り直そうとしているからだ。単に懐古的に「原風景」に回帰するのではなく、この地に生きてきた人々が千年かけて作り上げてきた文化・知恵・技術を学んだ上で、それを次の千年にむけて新たな「生命芸術」として再創造しようとしているからだ。その命の鼓動と、創造への熱情が、彼の言葉に独特な倍音をもたらすのだろう。

鴨川という、この「里山」

私は先に、合宿の参加者への林のプレゼン内容を紹介する際、意図的に、彼が鴨川に辿り着くまでの「旅」を省いた。なぜか。それは、彼が、地球上でのこの地に住み着くのに、「旅」、すなわちどこにも住まず、ここからかしこへと絶えず移動し続けることが、決定的に重要だったからだ。

彼は、鴨川にたどり着くまで、約九年もの間、地球の上を文字通り彷徨い歩いた。その「ロングジャーニー」のきっかけとなったのも、また一つの旅だった。彼は、アメリカ合衆国サウスダコタ州にある先住民スー族のリザーベーション（居留地）の中を旅していた。そして、そこで、彼のその後の人生＝旅を決定づける運命的な一言と出会う。彼自身の言葉を引用しよう。

僕がお世話になったリトルスカイのお母さんは極貧にもかかわらず、彼女の澄んだ美しい瞳は常に遠くを見つめ、高い誇りに満ちていました。僕はその姿に圧倒され、なんて堂々と生きているのだろうと感動しました。

彼らは自分たちのことをアメリカ人とは言わず、「アイム　スー（私はスーです）」と言いました。

スー族にとって、「スー」とは「人」を意味します。

日本人とかアメリカ人とかいう概念ではなく、地球に生きる一人の尊厳ある存在として、「私は地球に生きる人」ですと言った気がしました。

そして、彼らは「ミタクエ・オヤシン」（わたしたちは、すべてのものとつながっている）という高い精神文化を持っていました。自然界とコミュニケーションし、一本の木を切るのに七世代先の子どもたちのことまで考えると言います。

僕は初めて訪れたスー族の土地に、なぜかなつかしさを感じました。

そして、同時に自分のことが恥ずかしくなりました。

その時、僕は自分のことを「地球に生きる人」と、誇りを持って言うことが出来ませんでした。

この破壊的な世界で、どうやって生きたらいいのか僕にはわかりませんでした。僕はまさに「我々はどこから来たのか　我々は何者か　我々はどこへ行くのか」の問いに答えられず、僕にはアイデンティティがありませんでした。

それから様々な国を旅して、九年後に辿り着いた場所が日本の里山だったのです。(7)

「私は地球に生きる人」。

ところで、「旅」とは何だろうか。私は、第5章で「風土」について考察した。そこで、日本の「風土」論の嚆矢である和辻哲郎の『風土』をまずは取り上げた。和辻が「風土」を〝発明〟したのは、まさに彼が「旅」をしたから、日本という土着的風土から外へと旅立ち、異なる様々な風土（彼が後に『風土』で三つの類型として分類することになる）を横断しながら、船で大海原を渡っていく、そうした脱「風土」化としての旅を体験したからこそだった。

林の「旅」もまた、徹底した脱「風土」化だった。九年にも及ぶ、脱「風土」化の連続だった。その決定的なきっかけが、「私は地球に生きる人」という一言、つまり、究極的かつ根源的な脱「風土」化＝「地球」を生きる人から発せられた一言だった。

そうして、自分が生きる「地球」を求め、林は「旅」に出た。そしてついに、鴨川にたどり着いた。この時、彼にとって「鴨川」は、もはや全く土着的な「風土」ではなかっただろう。それはむしろ、彼が「地球」を感じる、「地球」を生きることのできる、ここしかない〝特異な〟場だったのではないか。その場こそを、彼はあえて「里山」と呼ぼうとしたのではないか。

だから、彼にとって、この「里山」とは、全く「日本の原風景」や「懐かしいふるさと」ではない。そうしたステレオタイプを突き抜け、先に地球が、さらには宇宙が見え、それを生きることのできる特別な場所なのだ。

脱風土化と原風土化の交歓

ところで、私は、和辻の「風土」論に続いて、（ジル・クレマンの「新しい庭」論を経由しつつ）、和辻からも影響を受けたオギュスタン・ベルクの「風土学（mésologie）」を検討した。そこで、ベルクにとっての「風土」がまず、「r = S/P」、すなわち「r（réalité ＝現実）は、P（Prédicat ＝述語）としてのS（Sujet ＝主語）である」として見出され、さらに「r = S-I-P」、すなわち「rは、I（Interprète ＝解釈者）にとってのS/Pである」として、二つのステップを踏んで見出されていったことを確認した。そして、ベルクにとって、歴代のI＝解釈者が次々と新たなS-I-Pとして作り出していく風土の連鎖（彼はそれを「通態化（trajection）」と呼ぶ）とは、Iの主体性がますます風土＝環世界に浸透していく過程、すなわち人間の風土＝環世界がよりいっそう「人間」らしく、犬の風土＝環世界がよりいっそう「犬」らしく…、なっていく過程であることも確認した。

その、ベルクの通態化としての「進化」に対して、私は、少なくとも人間においては、「進化＝通態化」を逆行・遡行する過程、すなわち脱通態化の過程もありうるのではないかと問い質した。その脱通態化こそ、瞑想やある種の藝術・藝能（例えば一遍の踊躍念仏）が探究する過程、ドゥルーズとガタリ風に言えば、動物や植物、さらには分子状態に「生成変化」する過程なのではないかと問うた。

林もまた、この里山にあって、ベルクの言う通態化としての「風土」を感じる、あるいは作るというより、この脱通態化――通態化をどんどんと遡行し、動物、植物、さらには分子に生成変化し、「すべてのいのちはつながっている」、まさに「地球」を感じ、生きているのではないか。(8) 日々の農作業のうちに、あるいはその合間の憩いの時に、あるいはそこで収穫した米が麹菌とともに醸される時に、あるいは棚田に轟く和太鼓が天地を揺るがす時に（彼は和太鼓集団TAWOOと「太鼓の里」を作ろうとしている）、彼は「風土」を貫通し、「地球」に、「宇宙」につながっているのではないだろうか。

ドドーンと、棚田のウッドデッキで打たれた和太鼓のサウンドは里山全体へ響き渡りました。そのヴァイブレーションは、森と大地と空と僕らを共振させました。

二〇代の頃、インドを旅していた時にバラナシで出会った旅人は「これは、ぜひ読んだほうがいい」と言って渡してくれたのは、アメリカの伝説的なロックバンドであるグレイトフル・デッドのドラマーのミッキー・ハートが書いた「ドラムマジック　～リズム宇宙への旅～」という本でした。

その本には、〝古代から太鼓は人と神をつなぐ媒体であり、そのサウンドは心身を浄化し、生きる活力を与える魔法の力を持っている〟と書かれていました。

TAWOO の太鼓は、まさにドラムマジックでした。

〔…〕

僕は素人ですが TAWOO にいざなわれるままに、バチを握って大きな太鼓を打っていると、ドラム音の宇宙に引きこまれていきました。

やがて、みんなの音は一つになり、時には嵐のようになり、時には水のように流れ、時には子どものように遊び、太鼓は僕らの魂を解放していきました。(9)


その、里山における脱通態化に、林も含め、「旅」をしてきた者たち、数々の脱「風土」化を経てきた者たちが加わってくる。「旅」の途上、様々な風土から採集してきた脱「風土」的断片たちを持ち寄り、やりとりし、混ぜあい、しかも時には、そのいたって脱風土的な、脱土着的なものたちが、ここにしかない、ここにしかなかった、しかし忘れられかけていたものをも呼び覚ましさえする。林が語る「盆踊り」はまさに、そうした脱風土化と原風土化の交歓の場だ。


丁度、この日は awanova、里山デザインファクトリー、コヅカ・アートフェスの三団体の共催で夕方から盆踊り祭りも開催されました。

ラテン、サンバ、ロック、ファンク、レゲエ、ジャズ、民謡など多様な音楽を MIX させたグルーブ感のある新しい盆踊りを生バンドで演奏する「イマジン盆踊り部」を鎌倉から三年前に招いたのが始まりで、昨年から里山デザインファクトリーを運営するアメリカ人の友人クリスもサックス奏者としてメンバーに加わり、この盆踊り祭りを大いに盛り上げています。
　そして、この盆踊りに触発され、なんと途絶えていたこの地域の「大山音頭」も五〇年ぶりに復活したのです。大山地区でかつて踊られていた盆踊りが録音されたカセットテープが発見され、その踊りを憶えているご婦人を先生に毎月大山公民館で練習し、この日はその成果を会場で披露してくれました。(10)

林が言う「生きた彫刻」としての里山、「生命芸術」としての里山とは、里山のステレオタイプどころか、この脱風土化と原風土化が奇跡的に交わり、生み出す、地球上の〝特異場〟なのではないか。ここにしかない、けれども「地球」そのもの。

長いエピローグ　一休寺（2）――わび茶による文明の「どんでん返し」

私は「プロローグ」をこのように結んだ。

私はどうして、ふと、ここ、一休寺・虎丘庵に来てしまったのか。そこには、私がこの第二の「旅」で追い求めていたGEIDO、その「美」が、実は〝暗号〟として書き込まれていたのではなかったたか。私は、その〝暗号〟に、無意識に呼ばれ、それを〝解く〟ために、この、まさに梅の花が散り始め、めじろが宿りにくる時候にやってきたのだった。

本論を書きながら、私は、意識の上であるいは下で、この〝暗号〟を解き進めていった。そしてついに、解読の大団円を迎える。

一休は、晩年、ここ虎丘庵で、同時代の藝能者・藝道家と交歓しつつ、五〇歳も年下の盲目の琵琶弾き森女と、濃厚だが浄楽に満ちたエロスを奏で、歌い込み、『狂雲集』として編んでいた。だが、一休は単なる破壊僧ではなかった。彼にとって、森女との媾いは、坐禅と同じ、「行」であった。そしておそらくは、森女にとっても同様であった。

「淫水」
夢は迷ふ上苑 美人の森
枕上 梅花 花信の心
満口の清香 清浅の水
黄昏《たそがれ》の月色 新吟をいかんせん。

女の心を知り、女の体を知り尽くしておられました禅師さまは、私の体から梅花を咲かすことができたのです。禅を組む時には、いかほどのスキが入り込むことも許されないように、閨《けい》房《ぼう》においても禅師さまは私の心にぴったりと寄り添い、睦み合いの刻々を大切にされました。二人の魂が溶け合うほどの性愛は頑迷《がんめい》な我心をへし折り、自他不二《じたふに》の境地に導いてくれるものでした。[1]

私は、第7章において、五木寛之の小説『サイレント・ラブ』から説き起こし、アーバンなどの生体電気性愛論を経て、タントリズムの「交接（maithuna）」の儀礼＝行へと至り、さらに魚川祐司の「涅槃」論を援用しつつ、GEIDOとしての性愛は、畢竟、行者＝GEIDO-KAたちの「自由な選択」の問題なのではないかと問うた。

だから、瞑想的に実存的に性愛の行に入る者は、自らに特異な「V」の鋒で、独り涅槃の境に在り続け、独覚の法悦のなかで、シャクティと交合するのもよし。あるいは、「V」の鋒から翻り、この世に「往還」しつつ、愛しき「伴侶」を掻き懐き、「静かに、そしてゆっくりと」交合して、共に「大楽」の海に漂うのもよし。それは彼（女）にとって、あくまで「自由な選択」の問題なのだ。

はたして、一休がタントリズムに、密教の秘伝に通じ、行じていたかどうか定かでないが、『狂雲集』を読むかぎり、通じかつ行じていたと思わざるをえない。

禅師さまは、淫を求めたのではありませんでした。女を愛することは、己を愛することでもあったのです。私の体の隅々まで丹念に愛撫し、あたかも観音菩薩とまぐわいをするかのように、敬虔なお気持ちで私という一人の女を抱きしめてくださったのです。『理趣経』というお経の中に「妙適淨句是菩薩位」という言葉があって、どうやらそれは「男女交合の妙なる恍惚は、清浄なる菩薩の境地である」という意味らしいのですが、そのお経を読んだことのない私にも、

その趣旨がはっきりと分かるような気がいたします。(2)

この虎丘庵で、一休と森女は、坐り、交わり、坐り、交わりしながら、「清浄なる菩薩の境地」に漂っていたことだろう。だが、この境地は、二人の睦みに閉ざされていたわけではなかった。それは、おそらく「菩薩」の境地ゆえに、それに惹かれる衆生たち、なかんずく藝能者・藝道家たちに開かれてもいた。金春禅竹などの能楽者たち、連歌の柴屋軒宗長、俳諧の山崎宗鑑、絵画の曾我蛇足、そして、茶の道を究めようとしていた村田珠光などが、この清浄なる大楽の道＝菩薩道を体現する二人に魅せられ、共に行じ、演じ、興じていたのだった。一休はこうして、能、連歌、絵画、茶の湯など、当時の藝能・藝道の思想的・実践的「プロデューサー」の如き役回りを図らずも担うことになった。

「反転同居」としてのわび茶

わび茶の創始者と言われる村田珠光もまた、この風狂な禅者を慕い、禅道の教えを乞う傍ら、自らが行じようとする茶の道を、一休の説き実践する禅道に根づかせ、それまでの唐物を見せびらかし競い合う貴族的な遊戯からの脱却を図らんとしていた。

「茶碗、茶壺、茶杓《ちゃしゃく》なども、目立たぬものにこそ深い趣きがあるのではないかな」

「目立たぬものにこそ深い趣き……」

「人と同じじゃ。目立つ奴には、ろくな者がおらぬじゃないか」

「たしかに人も住まいも侘《わ》びたほうが、味わい深く思います」

「そうじゃとて。珠光、お前は心迷わず、これより侘び茶一筋で通せばよい」

袱紗《ふくさ》さばきや茶杓と釜の位置などについても、禅師さまは細かくご意見を申され、いちばん無駄のない、しなやかな作法を編み出そうとされておりました。珠光殿もご自身でいろいろ工夫をなされ、日々、遊びの茶の湯が仏道修行としての茶の湯に転じていくさまを目の当たりにさせて頂きました。(3)


私が、この庵に入り込むために渡った、あの独特の律動で配された飛石、そして庭全体も、一休の命により、珠光が作庭したと言い伝えられている。

ところで、建築（史）家藤森照信は、この一休と珠光との師弟関係について興味深い論を展開している。

藤森はまず、シャカの行の在り方を、正・反・合の「弁証法」と捉える。シャカは個人の小乗の悟り（正）を得た後、未だ無明の衆生（反）に己が悟りを広め救うため、大乗の仏教（合）を成した、と藤森は解釈する。それに比して、一休の行の在り方は如何。それは、シャカのような「弁証法」ではなく、かと言って、単なる正と反との対立関係でもなく、それは正と反とが背中合わせになり、くるくると入れ替わるような「反転関係」なのではないかと問う。この時の「正」とは、大徳寺の住持に任ぜられ、禅宗の枢要であらねばならない立場、「反」とは、にもかかわらず、傍らには森女が寄り添い、その清浄な「淫水」を味わい尽くす日々。この「正」と「反」が、シャカのように大乗の「合」へと止揚することなく、そのままで絶えず反転しつづける、それこそが一休の独自に見出した悟りの在り方ではないかと、藤森は見てとる。

正・反・合の弁証法と正・反対立の対極法に加えてもう一つ、反転法とでも呼ぶ対立物の関係があるのではないか。正と反は薄皮一枚隔てて背中合わせで存在し、クルッと反転すると正と反は入れ替わる。対立物は、新しい合へと統一せず、離れてにらみ合いもせず、隣り合い、時には正が反を内に包み、時には反が正を内に包む。一休と森侍女の関係はこれではなかったか。一休の悟りに、正・反・合の大乗の悟りは見られなかったが、それでも構わぬ、決意の中に、正と反の反転関係を認め、一つの悟りのあり方として華叟宗曇《かそうそうどん》師（一休の師）は認めた。(4)

村田珠光が一休から得た茶禅一味の悟りとは、この反転同居ではなかったか。彼が、一休とともに作り出しつつあった「わび茶」とは、この反転同居を具現する試みではなかったか。しかし、結局、珠光のわび茶＝反転同居は、道半ばで終わった。「しかし、珠光にはこの悟りをどう茶の道で実現していいかは分からなかった。四畳半の書院造をどう作り変えればいいのか、唐物に代わる道具の美学なんか果たしてあるのだろうか。そして結局、花としての茶の楽しみを滅ずる方向でわびを追求するしかなかった。(5)」

そして、藤森によれば、紹鴎を経て、なかんずく利休が、この道半ばであった反転同居としてのわび茶を大成する。病的なまでに派手好きな秀吉の茶頭として、黄金の茶室まで作り、北野大茶会までプロデュースした利休。その秀吉を、畳二畳しかない、幽闇が立ち籠める待庵に誘い入れた時、利休の「わび茶＝反転同居」は成った。

> オチャメで茶好きの秀吉が当時としては奇矯としか見えない待庵に入ったとき、利休は反転成功と思ったろう。信長に力と財で攻め立てられて破れた堺のわび茶が、わび茶本来の反転の術で事態をひっくり返したのだ。(6)

一休と森女の「反転」が、こうして、珠光から利休へと、蜿蜒《えんえん》と翻りながら、ついに二畳の闇の中で、閃く……。見事な推理と言わざるをえない。だがはたして、その「反転」は（それが「反転」だとして）、藤森が解するような論理的関係なのだろうか。それはむしろ、「論理」を内側から燃やし尽くすような、エロスの清冽な炎の渦巻き、ではなかったろうか。

「弥勒菩薩」としての森女

例えば、一休についての浩瀚な評伝を著した評論家栗田勇は、一休と森女との奇蹟的な恋愛は、一休の「晩年の生の結晶」であり、それを唄い込めた『狂雲集』は、「『狂雲』の台風の目」そのものであった、と評する。(7) そして、一休にとって森女は、畢竟、「弥勒菩薩」の化身ではなかったかと問う。

『狂雲集』に以下のような詩がある。

謝森公深恩之願書
木凋葉落更回春
長緑生花旧約新
森也深恩若忘却
無量億劫畜生身

森公の深恩に謝するの願書
木凋《しぼ》み葉落ち更に春に回《かえ》り、
緑を長じ花を生じ旧約新たなり。
森や　深恩　若し忘却せば、
無量億劫《おくごう》　畜生の身ならん。

（『狂雲集』通番五四三）

木が枯れて葉が落ち（情識が滅して身心脱落し）また春になると、緑が芽ぶき花が開き、昔の約束が更新《あらた》まる（本来の面目が現れ、衆生救済の誓いが新たになる）。森侍女よ、この深いご恩を忘れたりしたら、永遠に畜生道に堕ちるだろうよ。(8)

この詩の題は、別本『狂雲集』では、「約弥勒下生《やくみろくげしょう》」であるがゆえに、詩中の「旧約」や「深恩」は、弥勒下生信仰の約束であり恩でありうる。そして、定本では、この「弥勒」が「森公」に置き換わっているがゆえに、一休にとり森女は弥勒菩薩の化身に他ならないと、栗田は解するのである。

弥勒信仰とは、先に述べたように、現世即未来再生思想である。つまり、今、この世が即弥勒の浄土となるのが、弥勒下生だとするなら、一休にとっては森女とは、じつは弥勒の化身、同体ということになる。

表面的には、老僧が年を重ね、四季を経た衰えを認め、まだ若い森女が弥勒の化身として、若さの力で、老いを春によみがえらせてくれる。

この再生は、老僧個人のことではなく、この世が、弥勒再生の世となり、万世が浄土となる。その奇跡が、一休にとっては森女なのである。

何故そんなことが可能なのか。一休の深い禅的境地が、森女との愛によって、弥勒浄土を現前させているのである。(9)

そして、栗田は、この霊的なものへと昇華した愛欲は、キリスト教のアガペーに見紛うものであり、「中世カトリックにおける、聖女の聖愛の数々」を思い出させると言う。(10)

一休と仙道

私たちは、第7章で、ミシェル・オンフレやドニ・ド・ルージュモンの論を参照しつつ、そうした聖愛やアガペーの実相を見た。その「実相」は、愛欲の霊的なものへの昇華という点では相似ているように見えるかもしれないが、その内実はむしろ（オンフレが「キリスト教の肉体の虚無主義とインドの太陽的エロス」とことさら二項対立的に描いたように）似て非なるものであることを確認した。だから、我々としても、その愛欲の霊性を、むしろ町田宗鳳の文学的直感力に頼って、道教的な行が打ち開くそれと解したほうが自然であろう。

按摩はいつも半時ほど続きましたが、そのうちに禅師さまの魔手が動き始めるのでした。私をご自分の傍らに引き寄せ、お抱きになりました。一服の茶を点てるがごとく、静寂の中で私の心を満たしたかと思うと、尺八を激しく奏でるごとく、私の体全体に狂風が吹き込まれたのです。

どこで学ばれたのか存じませんが、禅師さまには中国古来の養生法である房中術のお心得があったようにも思います。ですから、禅師さまと私は祖父と孫のように歳を隔てておりましたが、二人のまぐわいにはつねに慈愛があり、交われば交わるほど互いの命が養われるような奥深さがあったのです。(11)

たぶん一休は、その淫房通いによって経験的に、あるいは道家の著作に触れてか、おそらくは両者によって、「房中術」のみならず「仙道」をも習得していたのではなかったか。ところで、「仙道」とは何か。それに精通する張明彦は、こう説明する。

この「空の悟りの境界」を目指した道家神仙の学術は、漢代の魏伯陽の導きでだんだん思想的にも実務的にも発達し、魏晋南北朝時代の「外丹法」を経て、唐代以後になると、「精・気・神」を修錬して内丹を形成し、さらにその内丹を練りあげて元嬰を育て、「空の悟り」を得て天界へ飛昇しようとする「丹道」に変貌しました。これが一般にいわれている仙道です。そしてこの理想は、「空の境界」へ解脱しようとするインド後期仏教とそれを継承したチベット密教と同じものです。(12)

この「内丹」の練り上げには、「導引術」と言われる呼吸法で、身体の内分泌機能を変え、自らの生殖力を生命力に転換して、心身の不老長生を目指す。仙道には、この修練法を「独修」する「清浄派」と、房中術を取り入れ、男女で「双修」する「栽接派」があった。「そこで、仙道とほぼ同じ時代か少し後の戦国時代に工夫されたらしい『房中術』といわれる養生法を取り入れた『栽接派』が起こりました。これは修行に異性の力を利用しようとする方法で、インド密教の『シャクティ信仰』といわれる男女双修に考え方がよく似ています。(13)」だから、仙道とは、(歴史的にどのような影響関係があったかわからないが)中国版タントリズムといっても過言ではないだろう。

おそらく一休は、経験的にそして学術的に、この(中国版タントリズムである)仙道を独修し双修したのではなかったか。でなければ、藤森が「論理的」に言うところの「反転関係」、禅宗の枢要（独修）と森女との媾い（双修）を、自らの身心の内で矛盾なく合一させることなどできなかったろう。一休の「風狂」、その霊能とは、まさに禅を「仙道」として究めることではなかったか。

仙道の修行は、この人体における霊能消費の逆、つまり霊能をつくり出すことにあるのです。自分の生殖力を生命力に変えて陽気を増やすか、あるいは異性の精力をもらってきて自分のものにすることによって、それが陽気に変わり元気に変わって意念を補い、最後には霊能を増強するわけです。(14)

茶・禅・道一味

一休、そして彼に私淑した珠光は、茶の内に禅を、そしてさらには仙道を、具現しようとしていたのではなかったか。「茶禅一味」ならぬ、「茶禅道一味」。それを慧眼にも見抜いたのが、誰よりも岡倉天心であった。曰く、「茶道は姿を変えた道教なのである。(15)」

ところで、「道《タオ》」とは、そもそもいかなるものなのか。天心は老子を引く。

あらゆるものをはらんだ、天地に先だって生まれたものがある。なんと静かなことだろう。なんと孤独なことだろう。ひとりきりで立ちあがり、そのまま変わることがない。やすやすと自転し、万物の母となる。その名を知らないので道と呼ぼう。無限と言ってもかまわない。無限はすばやいということであり、すばやいということは消滅するということであり、消滅するとは戻ってくるということである。(16)

そして、天心は、道教がアジアの暮らしに最も貢献したのが「美学」の領域であり、それも「この世に生きる術」としての美学だと言う。道教は、空間における「虚」、藝術における「空白」の重要性を説き、(17)「真の美」とは「不完全なものを前にして、それを心の中で完全なものに仕上げようとする精神の動きにこそ見出される」(18)とした。それが、道教のみならず、禅にも共通する「美」の考え方だ。茶道は、この道教・禅的美学を、生活の隅々にまで具現し、室礼の細部、所作の些細な気配の中にも、無限なる「道」へと通ずることを本旨とした。「茶道の理念はことごとく、暮らしの細々とした事柄のうちに偉大さを見出すというこの禅の考え方に由来する。道教によって美学的理念の基礎が築かれ、禅によってそれが具体化されたのである。(19)」

この、天心の説く、道教によって基礎が築かれ、禅によって具体化されたとする美学、「茶禅道一味」の茶こそ（天心自身はそうと言ってはいないが）、一休と珠光による「わび茶」の〝発明〟であった。そして、その〝発明〟の痕跡は、今もなお一種の「暗号」のように、実は虎丘庵に「書かれて」いる。だからこそ、その「暗号」に呼ばれるが如く、私はふと思い立ち、あそこまで足を運んだのではなかったか。

私は、天心の如上の示唆を受けながら、以下、私なりにその「暗号」を解読してみたい。そのエロスとタナトス、無限小と無限大、必然と偶然が交感する美の判じ絵を解き明かしてみたい。

そのためにはまず、とば口として、「茶」と「禅」との関係を改めて深く掘り下げてみよう。後代（一八二八年）にはなるが、とりわけ「茶禅一味」に込められた思想的意義を闡明して名高い、寂庵宗澤の、その名も『禅茶録』を参照したい。

寂庵は、一休こそ、「茶道の根幹には禅がある」ことを見出し、それはまさに珠光が日々茶に打ち込んでいる姿を見て、悟ったことだと言う。一休＝珠光にとって、「茶を点てる」ことは、まさしく禅の修行と同じことと映った[20]。

では、その「一味」の中身はどういうことか。それは、茶器を扱うときも「三昧」の境地に入り、「自性」を悟る行であるということ。具体的には、

例えば茶杓を扱うときは、その茶杓だけに心を集中し、余分なことは一切考えず、扱い切ることです。茶杓を置くときも、同じように心を深く集中させて置きます。これは茶杓に限ったことでなく、すべての道具を扱う時も同じです。
また、道具を置いてから、手を離して引いてくるときも、心を少しも気をゆるめることなく、次に扱おうとする他の道具へそのまま心を寄せ、移していきます。どこまでも気をゆるすこと

なく点てることを、「気続点《きぞくてん》」と言います。まさに茶三昧の修業です。(21)

寂庵は、続けて言う。禅は、坐禅だけではない。日常の起居動作、一挙手一投足を怠りなく心を寄せてやることもまた、同様に重要な行である。(まさに、現代的にいえば、「マインドフルネス」である。)それこそが「一休禅師の優れた知恵の工夫の賜物であり、実に感動、賞賛に値する道と言えましょう。(22)」

では、一休＝珠光が〝発明〟し、その後の茶人たちが深めていった「わび茶」とは、いかなるものか。

寂庵は、「侘び」とは、そもそも「物が不足して、一つも自分の思い通りにならず、何事も上手くいかない」ということであり、「不自由であっても、不自由だと思うことなく、足らなくても、足らないという思いを起こさず、調わなくても、調わないという気持ちを持たないこと」であると言う。(23)

そして、「侘び茶」を行じる茶人、すなわち「数奇者」とは(寂庵は『南方録』を引き)、「奇」がもともと「片われ」で「相揃わない」ことを意味するところから、「世俗に同調することなく、物が揃いすぎることを好まず、思いのままにならないことも楽しんでしまう」粋人であり、「家屋では、松の柱や竹の垂木は、曲ったり真っ直ぐだったり、角ばったり丸くなっている自然のままで、上下左右揃えない。また、新古、軽重、長短、広狭もそれぞれある。あるいは欠けているところは補い、破れている所はつなぎ合わせて用いる。とにかく同じ形のものを揃えるというようなことはない[24]」、そうした相揃わない「数奇道具」を好む者であると言う。（現代的に言えば、「ブリコラージュ」を好む「アウトサイダー」とでも言うべき者か。）

さらに寂庵は、禅と茶は、「体」と「用」の関係にあると指摘する。「体」とは、不動で坐り悟りを開くこと、「用」とは、身体を動かし点前・所作をしつつ悟りを世に活かすこと。寂庵は、ある経典の一節を引く。「体・用については、修行覚道し、悟りの根源を知ることは、体である。修業後に悟りを身に付けた者が、迷いの世界の中で人々のために尽くすことが、用である。[25]」まさに、我々の言葉でいえば、GEIDOの「いびつなV」である。

しかも、寂庵は、この書の最後で、「いびつな〇」にまで言及する。それこそ、「無賓主の茶」（客も亭主も区別のない茶）だと言う。「無賓主の茶とは、すべて人心が真理を求め、智見にたどり着く真の茶であります。亭主と客の現象世界に「無」の一字を付けた意味を知らなければなりません。『火炉頭無賓主（火炉頭に賓主無し）』（囲炉裏の前では、賓客と亭主の区別なく火に暖められる。主客が互いの心と心で融合し、何の隔てもなく一体となる一座建立の茶事）と、『五灯会元』（中国南宋代の禅籍）にもあります。[26]」

以上、寂庵は、（一休と珠光の〝発明〟した）「わび茶」について説くのである。

だがしかし、寂庵の「茶禅一味」が捉ええなかったことが一つある。——一休の禅は、単なる「禅」ではなかった。限りなく「風狂」な禅だった。それは、道教のエロス、仙道が充填された禅であり茶だった。

だから、茶具を扱うときも単に心を集中するだけではない。女体を奏でるように扱うのだ。

森女は言っていなかったか。「按摩はいつも半時ほど続きましたが、そのうちに禅師さまの魔手が動き始めるのでした。私をご自分の傍らに引き寄せ、お抱きになりました。一服の茶を点てるがごとく、静寂の中で私の心を満たしたかと思うと、尺八を激しく奏でるごとく、私の体全体に狂風が吹き込まれたのです。」

そう、一服の茶を点てるがごとく、一人の女と媾い、一人の女と媾うごとく、一服の茶を点てる。嫋《たお》やかに折り畳んだ袱紗の襞のうちにすべらかに茶杓を挿し入れては抜き、また挿し入れては抜く。あるいは、茶碗の仄暗い虚ろにたぎった湯を注ぎ、そこに茶筅を挿し入れ、今度は激しく掻き回しつづけ、泡立つ頃合いを見計って、するりと引き抜く。仙道の男女双修のエロスが、道具の陰陽の交合にまで及ぶ。わび茶の点前とは、禅的マインドフルネスの只中で、道教的陰陽が演じるいたって官能的なドラマでありパフォーマンスではなかったか。そして、もちろん、そうして一服の茶を堪能する前後には、今度は茶道具を扱う手さばき、体さばきで、森女との浄福に満ちた「点前」を楽しむ。これが、一休（と珠光）が〝発明〟した茶禅道一味の「わび茶」ではなかったか。

「美」の暗号

さて、そこで、「美」はどのように生まれるのか。「美」の暗号は虎丘庵にどのように「書かれている」のか。

私たちは、第6章で、九鬼周造の偶然論を考察しつつ、「原始偶然」を理念的に「直視」する形而上学、それを体験的に「直観」する瞑想に比して、藝道の原始偶然に際する振る舞いを見た。その振る舞いのうちに、いかに「美」が立ち現れるかを見た。――瞑想は、「いまここ」の実存＝世界の偶然的生成、すなわち原始偶然を「直観」する。その「観」の徹底なる行を通して、あらゆる必然性＝業から「自由」になり「解脱」していく。一方、藝道は、如何。藝道は、その身心的源泉を深く瞑想に負いながらも、その身心の所作――「人間」として生きるためにプログラムされたＯＳ＝必然性で駆動している所作をいわば「超必然化」する、すなわち「型」としてプログラムを過剰に上書きすることによって、その型の超必然性に自己が反復的修行を通して限りなく没入し、型に「なりきり」、「我」を無化していく。茶道を例にとれば、畳の上での歩の進め方、身体の構え方、道具の置き方・持ち方・操り方、同席者との間合いの取り方・話し方、茶の飲み方、菓子の食べ方にいたるまで、すなわち「人間」として日常的に行なっている動作のプログラムを過剰に必然化した「型」へと、自らの身心が溶解し同化するまでに反復稽古する。では、その超必然化された身心、およびその環世界＝しつらえにあって、「美」はどのように立ち現れるのか。それは、超必然性のふとした「ほころび」のうちに、「自《じ》然《ねん》」が、そよ風の気まぐれとして、鳥のさえずりの華やぎとして、沸き立つ湯のさざめきとして、立ち上る湯気の戯れとして、はては衣ずれの音の冴えとして、入り込み、その「偶然」が際立つ。その、超必然性による自然の「超」偶然化、原始偶然の際立ちこそが（原始偶然の「直観」としての瞑想と異なり）、「美」、少なくとも藝道の「美」なのではないか――。

わび茶にあって、この型の超必然性は、茶室の空間的布置へと翻訳され、交響し、超必然性の張り詰めた時空を作り出す。床柱、落し掛け、床框、長押、鴨居、敷居、畳寄せ、天井の竿縁、廻縁に至るまでの直線的交差・交錯が、虎丘庵にあっては、付け書院の明障子の「幾何」によってさらに増幅される。が、その障子戸が左右に開くのだ。開く合い間から、枯れかじけたように、節々が歪み捻れ、疣《いぼ》や瘤《こぶ》ででこぼこに覆い尽くされた老梅がのぞき、しかもその枝枝に、幽けき、初々しい、薄紅色した花弁が、ここかしこと蕾み、あるいは開きかけ、さんざめく。そこに、どこからか、めじろがやってきて、停まり、その啄ばみが、花弁を幾枚かはらはらと散らす。明障子の合い間という、超必然性の「ほころび」(「数奇」!)が、自然《じねん》を呼び込み、その原始偶然の生起を「超偶然化」して、「美」として際立たせる。わび茶の「美」の「暗号」とは、これだったのだ。一休と珠光は、日がな、語りあい、坐りあい、点てあいながら、この「美」を周到にデザインしていたのだ。そして、その傍らには、折々、森女が控え、もう一本の「老梅」の枝に、もう一つの匂い立つ「花」を添えていたのだ。

私は、九鬼論で、続けてこう書いていた。――そして、ひとたび「型」への徹底的参入を突き抜け、その(超)必然性から解き放たれた藝道家＝GEIDO-KAは、その還帰の道すがら改めて「型」と戯れる。その戯れの中へと、「自然《じねん》」が、その無常なる力が流れ入り、(超)必然性を内から解《ほど》き破り(「破格」)、やがて自由なる境で憩い遊ぶ(「離格」)。色即是空から空即是色へ(世阿弥)の実存的Vとしての藝道＝GEIDO。しかも(『藝術2・0』で説いたように)、その型＝超必然性との戯れは、(ちょうどフランス語の「戯れ」を表す語 jeu が同時に「賭け」をも意味するように）、それを解きにやってくる「自然」――微生物（一休寺納豆！）から気象まで、あるいは他者の内なる「自然」に至るまで――の「不確実性に飛び込んでいく覚悟と喜び」（小倉ヒラク）に駆動された賭け、すなわち原始偶然の骰子一擲でもあるのだ――。

そう、この「美」はまた、骰子一擲としてのjeu、花弁の一ひらが、茶碗からの一滴が、無（限）、道《タオ》への鋒で閃く、乾坤一擲の賭け＝遊び、すなわち「一滴潤乾坤」なのだ。

この、「茶禅道一味」として、生の刻々の生成を味わうわび茶はまた、戦乱の世にあって、「死」という絶対的外部、虚無にも絶えず晒されている。だからこそ、老梅の向こうには、己の霊廟がすぐ控えている。なんという「暗号」、なんという「デザイン」だろうか。

この、「いびつなV」の美学＝行は、独修され、双修されただけではなかった。それは、いわば「多修」されてもいた。藝能者・藝道者たちの一期一会の「いびつな○」として、究められ、興じられてもいた。舞われ、唄われ、弾かれ、点てられ、描かれ、多種多様な能曲が、連歌が、音曲が、漢詩が、点前が、絵画が生まれていった。

ここ、虎丘庵は、同時代の藝能・藝道の「実験工房」であり、一休はその「総合プロデューサー」に他ならなかった。しかも、その「実験」の一つ一つ、舞い、唄い、弾き、書き、点て、描く一挙手一投足、一声、一滴、一筆、そして嫞いから漏れる吐息、甘露が、鳥の囀り、花の香り、風のそよぎ、陽ざしの戯れに感応し交合しあって、ついには、無限なる道《タオ》へと突き抜ける、エコゾフィ的ポリアモリーの宇宙と化していた。

草庵と茶室の「批判力」

ところで、先にも参照した建築（史）家、藤森照信は、わび茶室の誕生について、大変興味深い見解を述べている。わび茶室とは、山里に隠者が結んだ草庵が、都市の只中に投入された「市中の山居」だというのだ。どういうことか。

藤森によると、この意味での草庵は、鎌倉時代の西行に端を発する。[27]「寂しさに耐えたる人のまたもあれな　庵並べむ冬の山里」。この西行の歌には二つの意味があると、藤森は見る。一つは、最初から一人で生きられるような人ではなく、世の楽しみを経験しながらも、それをあえて捨て一人生きる覚悟をした人なら庵を並べよう。もう一つは、この世で欲望を全開して生きた者のみが、冬の山里の寂しい庵で悟ることができる――と藤森は解釈する。

そして、藤森は、重要なのは、草庵の、都との距離感、位置関係だと言う。

利休の活動に先立つ頃、草庵は多く都の郊外に結ばれ、隠居した僧や文化人や富裕な町人などが独居していた。忘れてならないのは、都との距離で、もちろん都のにぎわいは届かないものの、山の奥までは入り込まず、たとえば都の周辺の寺の裏山などの夜になると都の明かりが遠くに望まれるような距離を保っていた。対極としての緊張感が感じ取れるような距離。[28]

この都市との微妙な距離感、緊張感が、超俗の境地にありながら、社会的には「俗の世を批判し相対化する作用」をはたす。(29)

草庵はその後、『方丈記』の鴨長明、『徒然草』の吉田兼好を経て、江戸時代の良寛や芭蕉にまで受け継がれていく。この流れの中に、わび茶室もまた位置していたと藤森は見る。が、わび茶室の独自性は、山里にあった庵を、都市の只中に、町屋の中に持ち込んだ点だ。珠光の茶室は、まだ途上にあったが（確かに虎丘庵なども山里にあった）、草庵を、都市の、それも当時の国際貿易都市であった堺の只中に投入したのが、武野紹鷗だった。彼の四畳半の茶室こそ、「市中の山居」としてのわび茶室の嚆矢となった。

海外の国際貿易都市でも自然を求める気持ちは強く、そこここに緑が取り込まれているが、市中の山居はそれとはちがう。緑と一緒に草庵が持ち込まれたことに注目してほしい。緑だけなら通風と日照のためのただの裏庭にすぎないが、草庵の投入によって、その一画は通りに面した母屋同様、小なりといえ一軒の家が入ったことになり、ただの小さな裏庭が、本来の草庵の周りに広がるはずの森や緑や水といった野外の自然と通底することになる。都市の外に広がる大きな自然が、草庵を一つの穴として市中へとなだれ込む。一六世紀の堺の町の中で起こったことは、世界の都市と建築の歩みと比べても異例なことだった。(30)

そう、だから、わび茶室とその庭は、都市の只中に雪崩れ込んだ草庵とその周りに広がる

「山里＝里山」の自然に他ならない。こうしてわび茶と里山が、草庵＝茶室を介して通底する。が、GEIDO論の観点から、その通底の考察に入る前に、もう少し藤森の論を追おう。

草庵が都市ともつ微妙な距離感・緊張感が、都市の社会的・文化的驕奢への批判力を蔵していたように、それを都市の渦中へと持ち込んだわび茶室もまた、いやおそらくは草庵以上に、危険な批判力を孕んでいただろう。それを誰よりも理解していたのが、利休でなかったか。彼は、秀吉の栄華の只中にあって、その起爆力を秘していた。そして、待庵――この、二畳足らずの、華美の対極にある、わびの極致を体現した空間こそが、秀吉の権勢を内破する起爆装置だったのだ。藤森流に言えば、この狭小の闇の中で、一休と珠光が始動したあの「反転」が、成就する。

現代の草庵（千葉・鴨川の棚田オフィス）

普通の壺中天ではなく、反転によって外側のすべてが中に封じ込められた壺。この反転を可能にするのは、穴が小さいことと、中が閉じていること。そしてもう一つ、反転が意味を持つのは、外が真空状態ではなく物や力や富といった世俗があふれていること。

反転は、利休一人では外が真空状態と同じで意味を持たず、秀吉という物と力と富の所有者が小さな穴を通して入ってきてくれないと反転の秘儀は成立しない。入ってくれれば、世俗の物と力と富が茶室という茅屋の内に封じ込められ、極小が極大を含み、極小の中に極大もまたあることになる。

反転現象は、待庵以前から堺のわび茶の領分では実現していた。都市の外の田園の中にもともとの草庵はあり、それを小さな庭を付けて都市の中枢部に持ち込んだのが紹鴎の四畳半の草庵茶室だった。

〔…〕

堺では、町の中に外の田園と草庵が反転して入り込み、利休の極小茶室では、大坂城や聚楽第が、さらに秀吉という存在も反転して呑み込まれていた。(31)

この、わび茶室による「反転」、そしてその転倒した元型とも言える、山里＝里山の草庵の「批判力」を、今この世に蘇らせ、再活性化することはできないか。ただし、単なる「論理的」反転ではなく、いわば「文明史」的とも言える「反転」として、秀吉の富と力どころか、今や超人格化し、「グローバル化」した、貨幣と情報の無機的過増殖と化した文明を「反転」し「批判」し、再エロス化し、再生命化し、再大地化するような、起死回生の文明史的仕掛けとして再生することはできないか。

陶々舎

大徳寺。一休が修行し、住持にも任ぜられた寺。利休もまた参禅し、しかも秀吉による賜死の一因にもなったとされる、自身の木像が安置されていた山門・金毛閣が今もそのまま残る寺。その広大な敷地の一隅に構える茶室に、今、私は毎週通っている。

陶々舎。二〇一三年春、天江大陸、中山福太朗、キキ・ガイセが集い、共に住まい始めた、茶が現代に活きる家。韓国で生まれ、ロシア、シリア、ウクライナと転々と暮らしてきた天江。ハワイ大学で初めて茶の世界を知ったチリ出身のキキ。二人は共に、同じデンマーク人の先生から茶を習う。中山も、カナダ人の先生から習う。このいたって「ハイブリッド」で、脱風土化した三人が、ユニットを組み、二十一世紀のこの世に「わび茶」を蘇らせる、のみならず、新たなわび茶を〝発明〟しようとしている。

陶々舎

無印良品でのワークショップ

鴨川べりでの野点

彼らは、例えば「茶と湯」と称し、室町時代の「淋汗《りんかん》茶の湯」を再デザインし、銭湯と茶の湯を結ぶ茶会を催したり、あるいはネットで見つけたコンロ付き自転車に茶道具一式を積み走らせ、鴨川べりで野点し、道行く人に一服の茶を供したり、はたまた、京都駅前のイオンモールにある無印良品の巨大店舗の中で、MUJIの商品を用いたワークショップを開いたりして、現代の生活の内に、「わび茶」が今なお蔵しているはずの、文化的、いやもしかすると「文明的」かもしれない潜在力・創造力を蘇らせ、展開しようとしている。

二〇一六年六月、陶々舎は、その三周年を祝った。ここで、浮世絵漫画を描く会を行ってきた諫山恵実が、この日に合わせ板戸に描いてきた松の絵がお披露目される。その完成を、能楽のユニット「田〇田」が舞い、謡い、寿ぐ。

最近諫山さんは、大陸さんに誘われて近くに引っ越してきた。最後は泊まり込みで、作品の完成を宴に間に合わせた。能舞台の「影向《ようごう》の松」は神仏が現れる依代《よりしろ》といわれるが、田〇田の前田さんと篠田さんが、この松の前で完成を寿ぐ。

夏至に近く、遅い陽もようやく沈んで、ろうそくに灯りがともった。田〇田の舞台が始まった。美保の松原の羽衣伝説に基づく「羽衣」のほか「天鼓」などを謡い舞い、汲めども尽きぬ酒を謡う「猩々」はみんなで大合唱。

宴もたけなわとなり、キキさんが自室で、スピンオフのお茶会を開いた。自然な流れだが、宴会に茶会を組み込んだスタイルは驚き。月の光が差すベランダでキキさんがお茶を点て、友人の荒木真実さんがマンドリンを奏でた、酩酊と覚醒を促すお酒とお茶の効果を生かす、新しいお茶の可能性をそこに見た気がした。[32]

こうして、二十一世紀の今、大徳寺の一隅で、金春禅竹が、そしておそらくは一休もその前で舞い謡ったであろう「影向の松」、そしてやはり禅竹作と伝えられる曲などが、蘇る。

私もまた、彼らのもとに稽古に通いつつ、「円遊の会」（GEIDOの「いびつな〇」にちなむ）を共に企画し催したりしていた。ある宵は、私が通っていた「ヨガ・オブ・ヴォイス」の師や笙を奏する僧などを招きつつ、めくるめくような声の交響に酔いしれたかと思うと、脳波が沸騰するかのような笙のバイブレーションに震撼し、さらには、二人ペアで指の先端だけを触れ合わせながら即興的に踊る「コンタクト・インプロヴィゼーション」などに興じながら、もちろん茶も点て喫み、「いびつな〇」の可能性を、多「GEIDO」的に模索したりもしたのだった。

また他のある日は、煎茶道の小川流のお点前で、無農薬で実生の貴重な茶を数滴に凝集した一服をいただく。その「滴」が、口内に入った途端、それこそ天地が無限へと突き抜けるような清冽な衝撃を受けた。それは、六十余年生きてきた私の飲食の経験の中でも、度外れた衝撃だった。まさに「一滴潤乾坤」そのものだった。

そんな、陶々舎によるわび茶の再デザイン・再創造。それが、私の中で翻りながら、鴨川の里山をやはり再デザイン・再創造する林良樹の「地球芸術」と共振する。この、二つの実践以外にも、今、この国で、そして世界中で、文明を再エロス化、再生命化、再大地化しようとするGEIDO的実践が為されようとしている。それらが、共鳴しあい、共創しあって、現在の文明を根底から「反転」し、新たな文明を作り出すことができなければ、この「人新世」は早晩自壊していくことは、誰の目にも明らかだ。

GEIDOの実践へ

改めて、いったいこの文明のどこが「おかしい」のか。根源的に問うてみよう。

生命とは、元々、自己創出的であるとともに、自己変異的なものである。それは絶えず自らを自らにより創出しつつ、ウイルスや環境の変化により自らを変異させ、多様化していくエネルギーに満ちたものである。

ところが、やはり一生命体であった人間は、いつしか「心」をもち、それがやがて半ば「自律化」していくとともに、他の生命、そして宇宙全体を「意識」により二重化し、記号により表象するようになった。その、意識・記号による世界の二重化・表象とは、自己差異化する生命に対して、自己同一化という反－生命をもたらす。「ネコ」という言葉そしてその意味は、原則的に、明日も一年後も同一であり、「一万円」という貨幣とその価値も、明日も一年後も同一であらねばならない。[33]そうした意識・記号による自己同一性の反復は、だから、生命の自己差異化に対して「死」をもたらすものに他ならない。それは、ヘルベルト・マルクーゼが、ジグムント・フロイトの文明論を継いで、文明における「タナトス」と呼んだものだ。[34]

ヨーロッパ近代が発明した資本主義、そしてデジタル・テクノロジーが創出した「情報主義」が、自己同一性の加速度的過増殖を引き起こし、今や文明を限りなくタナトス化している。そのタナトスのブラックホールに吸い込まれるように、人類は、莫大な量の化石燃料による、あるいは原発によるエネルギーを浪費し、無数の生物を犠牲にし、そして莫大な量の廃棄物を排出してきた。この「死」、「反－生命」の謳歌に、今や生命が反旗を翻し、ガイアの脅威となって襲いかかろうとしている。

だから、我々人類は、早急にこの文明のタナトス化へのベクトルを「反転」させ、再エロス化、再生命化しなくてはならない。タナトスの自己同一性を、エロスの、生命の自己差異化へと「反転」させ、逆流させて、再び大地へと、ガイアへと接合させなくてはならないのだ。その「反転」の仕掛けこそが、里山の再創造としての「地球芸術」であり、わび茶の再創造であり、あらゆるGEIDO的実践だと思うのだ。

でも、なぜGEIDOなのか。

この「反転」としてのGEIDOには、少なくとも二つの方法がある。一つは、「内なる旅」としての脱通態化だ。私たちは、オギュスタン・ベルクとともに、文明が風土を上書きしていく通態化であることをみた。だが、その通態化の結果、文明がこれほどまでに過剰にタナトス化し、自壊寸前であるなら、もう今度は風土の上書きを逆行し、内へと旅し続け、エロスの、生命の泉を再び見出すしか方途はないのではないか。その「内なる旅」こそ、独修の、双修の、多修の行であった。そして、もう一つの方法は、「外なる旅」としての脱風土化だ。林を含め、GEIDO-KAたちは、「内なる旅」とともに「外なる旅」を、長きにわたって行った。その「旅」は、ある風土から他の風土へと移動し続けることにより、自らの出自の風土もさることながら、あらゆる風土から自由になり、その脱風土化の果てに「地球」を再発見することであった。そして、「外なる旅」の末、この里山に、この茶室に辿り着き、「内なる旅」と相まって、そこに「小さな地球」を創り出す。その「地球」の懐の深奥から、その「いびつなV」の鋒の向こうから押し寄せてくる生命の、エロスのエネルギーの奔流、「道《タオ》」が、上書きされた風土・通態の積層の内側へと雪崩れ込んでいき、文明に巣食ったタナトスを洗い流していく。そして、里山という風土を、茶室という風土を、生命的・エロス的に再デザイン、再創造していく。「破格」し、ついには「離格」していく。GEIDO-KAたちは、しかし、ただの環境活動家ではない。彼らは、そうした再デザイン・再創造のなかに、「美」をも生み出そうとする。太鼓の一打、茶の一滴が、超偶然=美として際立ち、その乾坤一擲の鋒が、無限、宇宙が宿る「依代」となるよう、己の「藝」を磨くのだ。

だが、そのGEIDOは、その里山、その茶室に住む少数のエリート、「天才」のものではない。都市に暮らす、いまだ文明のタナトスの只中で生活する誰でもが、自分が望みさえすれば、すぐにも実行できるものなのだ。いや、なるべく多くの者たちが、なるべく早急に、このGEIDOのエロス化に参加しなければ、文明は完全に機能不全となり、自壊してしまう。だから、GEIDO-KAたちが個人として全身全霊で彼らを誘い込むことも重要だが、より大規模な組織、企業、大学、行政などが、この文明の再エロス化に参入してくることもまた緊要なのだ。林の地球芸術や陶々舎の新しいわび茶を共創する良品計画や博報堂のみならず、多くの企業、大学、行政が、ここ日本でもGEIDO的行動へと「反転」し始めている。我々人類に残された時間は、あと五年、いやもっと短いかもしれない。この文明史的「賭け」に破れたならば、ガイアは、人類など平気で飲み込んでしまうかもしれない。そうならないうちに、我々人類は、今すぐにもGEIDOの実践者とならなくてはならない。

註

プロローグ

（1）町田宗鳳『森女と一休』、講談社、二〇一五年、Kindle版、位置No.3453-3462。なお、この小説は、主人公＝語り手である森女の回想として物語られる、史実には基づくが創作である。私は、町田の文学的想像力が、少なくとも一休と森女の交わす情愛の襞を描きえているところから、あえてこの「創作」を引用してみたい。

（2）熊倉敬聡『藝術2・0』、春秋社、二〇一九年。

（3）https://hakko-department.com/products/ikkyuji50g（二〇二一年七月一八日閲覧）。なお引用文中「住職」とあるが「副住職」と思われる。

序章

（1）「マクロン大統領、国民に向けて2回目のテレビ演説」（訳：在日フランス大使館、https://jp.ambafrance.org/article15565　二〇二〇年六月一七日閲覧）。その後、事態の経過とともに、フランス政府は、新型コロナウイルスとの「戦争」から「共生」へと政策を転換する（フィリップ首相による二〇二〇年四月二八日フランス下院での演説「外出規制緩和に関する国の方針」）。

（2） Bruno Latour, *Face à Gaïa*, Editions La Découverte, Paris, 2015.
（3） カール・シュミット『政治的なものの概念』、田中浩・原田武雄訳、未来社、一九七〇年、二六頁。
（4） Latour, op.cit., p.306（拙訳、以下同様）。
（5） Ibid., p.308.
（6） Ibid., p.316.
（7） Ibid., p.327.
（8） Ibid., p.135.
（9） ブルーノ・ラトゥール『地球に降り立つ』、川村久美子訳、新評論、二〇一九年、一四四―一四五頁。
（10） 同書、一四七頁。
（11） Timothy Morton, "Thank Virus for Symbiosis"（以下、引用文は拙訳）。https://strp.nl/program/timothy-morton（二〇二〇年六月一七日閲覧）。
（12） ティモシー・モートン「涙にくれ、異国の畠中に立ちつくした」、小川緑・篠原雅武訳、『現代思想』二〇一五年九月号、Kindle版、位置No.4777-4783。
（13） 同書、位置No.4783-4787。
（14） 同書、位置No.4787-4789。
（15） 「(福岡伸一の動的平衡) ウイルスという存在　生命の進化に不可避的な一部」、『朝日新聞DIGITAL』、二〇二〇年四月三日。https://www.asahi.com/articles/DA3S14427771.html（二〇二〇年六月一七日閲覧）。

第1章

（1） 「術に亦二ツの區別あり。Mechanical Art and Liberal Art. 原語に從ふときは則ち器械の術、又上品の術と云ふ意なれと、今此の如く譯するも適當ならさるへし。故に技術、藝術と譯して可なるへし。技は支體を労するの字義なれは、總て身體を働かす大工の如きもの是なり。藝は心思を労する義にして、總て心思を働かし詩文を作る等のもの是なり。」（西周「百學連環」『西周全集　第四巻』、宗高書房、一九八一年、一五頁。）

（2）同書、一二頁（傍点筆者）。

（3）小倉ヒラク『発酵文化人類学』、木楽舎、二〇一七年。

（4）小倉ヒラク・熊倉敬聡・楊木希「ＯＳとしてのアートが発酵文化をさらに『スペシャル』にする」、『PLAY ON』。https://playon.earth/think/dailogues/ogurahiraku/（二〇二〇年二月一八日閲覧）。

（5）『増補　久松真一著作集　第五巻』、一九九五年、法藏館、四六一―四六九頁。

（6）『利休聞き書き「南方録 覚書」』、筒井紘一全訳注、講談社、二〇一六年、五八頁。

（7）岡倉天心『新訳 茶の本』、大久保喬樹訳、KADOKAWA、二〇〇五年、一三五頁。

（8）『青幻舎マガジン vol.19「先人たちの心を受け継ぎ いまに接続する茶の湯を。」』。http://www.seigensha.com/magazine/kyotokyoten19（二〇二〇年二月一八日閲覧）。

（9）河合隼雄『中空構造日本の深層』、一九九九年、中央公論新社、四一頁。

（10）同書、四八頁。

（11）久松真一『茶道の哲学』、講談社、一九七八年、一九七頁。

（12）同書、二〇三頁。

（13）岡倉天心、前掲書、一七―一八頁。

（14）ジャック・デリダ『ならず者たち』、みすず書房、二〇〇九年。

第2章

（1）福住廉『今日の限界芸術』、BankART1929、二〇〇八年、九―一八頁。

（2）同書、二二一―二三頁。
（3）鶴見俊輔『限界芸術論』、ちくま学芸文庫、一九九九年、一〇―一六頁。
（4）同書、八八頁。
（5）同書、一七―三七頁。
（6）同書、三八―四九頁。
（7）同書、五〇―八七頁。なお、以下で鶴見は宮沢の『オッペルと象』に言及するが、『校本 宮澤賢治全集』（筑摩書房、一九七三―一九七七年刊）以降、『オツベルと象』が正しいとされる。本稿では、都合上、鶴見の表記を採用する。
（8）『現代デザイン講座 第四巻 デザインの領域』、川添登・加藤秀俊・菊竹清訓監修、風土社、一九六九年、五一―九〇頁。
（9）『鶴見俊輔集9 方法としてのアナキズム』、一九九一年、筑摩書房、九三―一二〇頁。
（10）『藝術2・0』の第6章で論じたアズワンネットワークの自己批判的母体であるヤマギシ会について、理念的純粋化に向かったサークルとして鶴見がここで言及しているのは興味深い。
（11）『鶴見俊輔集9 方法としてのアナキズム』、一九九一年、筑摩書房、七九―九三頁。
（12）熊倉敬聡・望月良一・長田進・坂倉杏介・岡原正幸・手塚千鶴子・武山政直編著『黒板とワイン――もう一つの学び場「三田の家」』、慶應義塾大学出版会、二〇一〇年、四頁。
（13）私のプラム・ヴィレッジでの滞在と瞑想の詳細については、拙著『汎瞑想』（慶應義塾大学出版会、二〇一二年）第三章を参照されたい。

第3章

（1）「礼賛」に関しては、弟子筋に当たる水尾比呂志による浩瀚な『評伝 柳宗悦』（ちくま学芸文庫、二〇〇四年）を初めとして枚挙にいとまがないが、「批判」に関しては、最も辛辣な批判（むしろ罵詈雑言に近い）は北大路魯山人が自ら主宰した雑誌『星岡』に載せた「柳宗悦氏の民芸論をひやかすの記」など一連の文であろう。もっとも体系的な批判は、出川直樹『民芸 理論の崩壊と様式の誕生』（新潮社、一九八八年）に見られる。また、それらの批判をさらに批評的に論じたものとして、伊藤徹『柳宗悦手としての人間』（平凡社選書、二〇〇三年）がある。

（2）柳宗悦「工藝の美」、『民藝四十年』、岩波文庫、一九八四年、一〇五頁。

（3）柳宗悦「民藝の趣旨」、同書、一六五―一六六頁。

（4）同書、一六七頁。

（5）柳宗悦の思想とハイデガーの哲学の比較に関しては、伊藤徹『作ることの哲学』（世界思想社、二〇〇七年）から示唆を受けた。

（6）ここまで、ハイデガーからの引用は、マルティン・ハイデッガー『芸術作品の根源』（関口浩訳、平凡社ライブラリー、二〇〇八年）の六八―八七頁から。

（7）同書、一一一―一一二頁。

（8）同書、一〇四頁。

（9）同書、四二―四六頁。

（10）マルティン・ハイデガー『技術とは何だろうか　三つの講演』、森一郎編訳、講談社、二〇一九年、Kindle版、位置No.1491-1492。

（11）『芸術作品の根源』、四四―四五頁。

（12）柳宗悦「雑器の美」、『民藝四十年』、八四頁。

（13）柳宗悦『工芸の道』、青空文庫、二〇一四年、Kindle版、位置No.898-902。

（14）同書、位置No.973-975。

（15）柳宗悦「日本の眼」、『民藝四十年』、三二二頁。

（16）同所。

(17) 柳宗悦「美の法門」、『民藝四十年』、二六二―二八五頁。
(18) 柳宗悦『南無阿弥陀仏』、岩波文庫、一九八六年、二五―三八頁。
(19) 同書、六〇頁。
(20) 同書、一三五―一三七頁。
(21) 同書、三七―四九頁。
(22) 柳宗悦「美の法門」、『民藝四十年』、二七一―二八三頁。
(23) 同書、二八三頁。
(24) 鶴見俊輔はその『柳宗悦』(平凡社選書、一九七六年)で、柳の二人の息子の興味深い証言を引いている(九三―九四頁)。
「おやじの本を読んだ人は、おやじのことを偉い坊主のように思っている人もあるらしい。しかしそれは大間違いだ。お寺や神社へ行っても、拝んでいるおやじの姿を、私はついぞ見なかった。晩年、病に倒れて不眠症になった時、おふくろが、『念仏を唱えたら寝られるでしょう』といったら『念仏なんかきくものか』といってひどく怒ったとか。要するに、おやじは筆では信を唱えても、それはあくまで自己の体得した美に対する裏づけの理論としてに過ぎなかったと思う。」(柳宗理)
「父は、民芸の研究をし、美の研究をする根源として、仏教の研究を終生続けていた。仏の教えについて、私は父の書いたものを読むことによってよく理解出来た。私が父から教えを受け影響されたことといえば、この仏の教えについてである。しかし、息子の私から見ていると、教えを説いたのは父であったが、身をもって実践したのは母に他ならない。」(柳宗民)
(25) 「天狗草子」、『続日本の絵巻 26 土蜘蛛草子 天狗草子 大江山絵詞』、小松茂美編、中央公論社、一九九三年、五六頁、一三六頁。
(26) 守中高明『他力の哲学』、河出書房新社、二〇一九年。
(27) 同書、一八一頁。
(28) ジル・ドゥルーズ、フェリックス・ガタリ『千のプラトー 中 資本主義と分裂症』、宇野邦一、小

沢秋広、田中敏彦、豊崎光一、宮林寛、守中高明訳、河出文庫、二〇一四年、Kindle版、位置No.2691-2696。
(29) 守中高明、前掲書、一八四頁。
(30) 『一遍上人語録』、大橋俊雄校注、岩波文庫、一九八五年、三五頁。
(31) 栗原康『死してなお踊れ 一遍上人伝』、河出文庫、二〇一九年、Kindle版、位置No.1572-1585。
(32) 以下の私による勅使川原のダンス哲学の理解は、あくまで二〇数年を隔てた私の記憶によるものであり、用語や表現などは必ずしも正確でないかもしれないことをお断りしておく。ただし、彼の哲学の本質は外していないつもりである。また、ワークショップでは、勅使川原以外のKARASのメンバーも指導していた。
(33) 栗原康、前掲書、位置No.1803-1807。
(34) ジル・ドゥルーズ、フェリックス・ガタリ、前掲書、位置No.2055-2057。
(35) 柳宗悦『南無阿弥陀仏』、一一二―一一五頁。
(36) 熊倉敬聡、前掲書、一七五頁。
(37) ウィリアム・ハート『ゴエンカ氏のヴィパッサナー瞑想入門』、日本ヴィパッサナー協会監修、太田陽太郎訳、春秋社、一九九九年、一六九―一七〇頁。
(38) 同書、一五二頁。
(39) 魚川祐司『仏教思想のゼロポイント――「悟り」とは何か』、新潮社、二〇一五年。
(40) 同書、特に第六章、一三一―一六一頁。
(41) 同書、一八〇―一八一頁。
(42) 熊倉敬聡、前掲書、第5章。
(43) 同書、第1章。
(44) 同書、第3章。
(45) 同書、第8章。

第4章

（1）ジョルジョ・アガンベン『開かれ――人間と動物』、岡田温司・多賀健太郎訳、平凡社、二〇〇四年、一二〇頁。
（2）同書、一五頁。なお以下、コジェーヴからの引用は同書による。
（3）同書、一七頁。
（4）同書、二一―二二頁。
（5）同書、二二―二三頁。
（6）同書、二四―二五頁。
（7）同書、七五頁。なお以下、ハイデガーからの引用は同書による。
（8）同書、七八頁。
（9）同書、八一―八四頁。
（10）同書、九八―九九頁。
（11）同書、一〇〇頁。
（12）同書、一〇一―一〇五頁。
（13）同書、一〇五―一〇八頁。
（14）同書、九五頁。
（15）同書、一一一―一一三頁。
（16）同書、一一五頁。
（17）同書、一二二―一二六頁。
（18）同書、一三二頁。
（19）同書、一三八―一三九頁。
（20）藤田一照『現代坐禅講義』、俊成出版社、二〇一二年、一二頁。

（21）小倉ヒラク『発酵文化人類学』、木楽舎、二〇一七年。

第5章

（1）和辻哲郎『風土——人間学的考察』、岩波文庫、一九七九年、三—五頁。
（2）以下、「風土の基礎理論」は、同書第一章、九—三三頁。
（3）同書、三四—六二頁。
（4）同書、六二—九〇頁。
（5）同書、九一—一七八頁。
（6）同書、一九九—二〇八頁。
（7）同書、二五二—三〇三頁。
（8）ジル・クレマン『動いている庭』、山内朋樹訳、みすず書房、二〇一五年、六—七頁。
（9）同書、七—一〇頁。
（10）同所。
（11）山内朋樹「新しい庭は人間なしでつくられるのか」、『あいだ／生成』二〇一二年第2号、一二—一三頁。
（12）同書、一四頁。
（13）同書、一六頁。
（14）同書、二三頁。
（15）同書、二四—二五頁。
（16）ブルーノ・ラトゥール、前掲書。
（17）山内朋樹「野生と仕立ての相互包摂——庭の松についての試論」、『あいだ／生成』、二〇一六年第6

号、七七―八三頁。
(18) オギュスタン・ベルク『風土学はなぜ　何のために』、木岡伸夫訳、関西大学出版部、二〇一九年。
(19) ブルーノ・ラトゥール、前掲書。
(20) オギュスタン・ベルク、前掲書、八八頁。
(21) 同書、九〇頁。
(22) 同書、九四頁。
(23) 同書、「訳者解説」参照。
(24) 同書、九九頁。
(25) 同書、九四頁。

第6章

(1) 九鬼周造『「いき」の構造』、岩波文庫、一九七九年、七頁。
(2) 同書、九二―九六頁。
(3) 同書、七頁。
(4) 同書、一九頁。
(5) 同書、二一頁。
(6) 同書、二二―二三頁。
(7) 同書、二三―二五頁。
(8) 同書、二五―二七頁。
(9) 同書、二七―二九頁。
(10) 同書、三二―四七頁。

（11）同書、五〇―六〇頁。
（12）同書、六一―八四頁。
（13）ハイデガーもまた九鬼から「いき」について「機会原因」を与えられていた。しかし、「この語が何を言うのか、私には、九鬼との対話では、いつもただ遠くからおぼろげに感じられるだけでした。」と告白している。マルティン・ハイデッガー『言葉についての対話』、高田珠樹訳、平凡社ライブラリー、二〇〇〇年、八頁。
（14）九鬼周造「日本芸術における『無限』の表現」、小浜善信訳、九鬼周造『時間論 他二編』、小浜善信編、岩波文庫、二〇一六年。三一―六四頁。
（15）九鬼周造『「いき」の構造』、二九頁。
（16）九鬼周造「時間の観念と東洋における時間の反復」、小浜善信訳、九鬼周造『時間論 他二編』、九―三〇頁。
（17）同書、二二―二三頁。
（18）「巴里心景」、『九鬼周造全集 第一巻』、岩波書店、一九八一年、一〇九―二一八頁。
（19）「〔九鬼周造の父〕隆一は摂津国三田藩の武士・星崎貞幹の子として生まれたが、八歳で丹波国綾部藩の家老・九鬼隆周の養子となった。三田藩主・九鬼隆義が綾部藩主・九鬼隆都の子であり、両藩のあいだに深いつながりがあったことが背景にある。」（藤田正勝『九鬼周造――理知と情熱のはざまに立つ〈ことば〉の哲学』、講談社、二〇一六年、Kindle版、位置No.136-140）。
（20）魚川祐司、前掲書、一三二―一三六頁。
（21）九鬼周造『「いき」の構造』、二五頁。
（22）同書、五一頁。また九鬼は、日本の「芸者」とヨーロッパの「遊女（demi-mondaine）」をこんなふうに比較している。「ヨーロッパでは、遊女《ドウミ・モンデーヌ》は半ば死せる存在《ドウミ・モルト》である。彼女たちは世間からつまはじきされるアウトサイダーである。日本で「芸者」が社会の中で一定の役割を果たしていることを知るとヨーロッパ人は驚く。〔…〕芸者になるためには音楽と舞踏の公式試験を受けなければならない。彼女たちの理想は、倫理的であると同時に美的な『いき』と呼ばれているもので、逸楽と気品の調和した統一である。」（九鬼周造「芸者」、『九鬼周造全集 第一巻』、四五五頁。）なお、九鬼がパリ滞在中に書いた詩の中に、彼とかの地の女性たちとの逢瀬を窺わせる詩篇がいくつか見出せる。（同書、一四八、一五〇、一六〇―一六三頁。）

(23) 『偶然性の問題』の原型をなすテキストは、一九三二年に博士論文「偶然性」として京都帝国大学に提出された。

(24) 九鬼周造『偶然性の問題』、岩波文庫、二〇一二年、二七七―二七八頁。

(25) 九鬼周造『「いき」の構造』、岩波文庫、一九七九年、二二頁。

(26) 九鬼周造『偶然性の問題』、二六八頁（傍点筆者）。

(27) 同書、一三頁。

(28) 同書、一四頁。

(29) 同書、四八―四九頁。

(30) 同書、二二八―二二九頁。

(31) 同書、二三一頁（傍点筆者）。

(32) 同所。

(33) 同書、二五六―二五七頁。

(34) 同書、二六一―二六二頁。

(35) 同書、二七八頁。

(36) 同書、二三七頁。

(37) 同書、二四〇頁。

(38) 同書、二四一頁。

(39) 野内良三は、その『「偶然」から読み解く日本文化』（大修館書店、二〇一〇年）において、吉田兼好の『徒然草』を読解しつつ、「偶然の美」（彼は「マイナスの美」とも言う）について、四つの要件を挙げている。「(1)短さ(瞬時性)(2)もろさ(脆弱性)(3)小ささ(微小性)(4)少なさ(希少性)」である。さらに「偶然の美」を「余情の美」とも言い表し、兼好など「無常の美学」を生きる者たちが、盛りの花より「花の散りしおれたる庭」を愛でるのは、逆に「想像力によって失われた盛りの美が対比され、あえかな美が喚起される」としているが(同書、一三三―一三四頁)、それは「想像力」の問題ではなく、むしろ「花が散りしおれる」という「原始偶然」=「無常」を、作庭の人為=超必然性が「際立たせ」、無(限)を暗示することにあるのではなかろうか。

(40) 熊倉敬聡『藝術2・0』、一一七頁。
(41) 同書、二一八頁。
(42) 小倉ヒラク『発酵文化人類学』、三三六頁。

第7章

(1) 『九鬼周造全集　第一巻』、岩波書店、一九八一年、八七―一〇八頁。
(2) 九鬼周造『「いき」の構造』、五一頁。
(3) ジョルジュ・バタイユ『エロティシズム』、酒井健訳、ちくま学芸文庫、二〇〇四年、一六頁。
(4) 同書、一八頁。
(5) 同書、二八頁。
(6) 同所。
(7) 九鬼周造、前掲書、二二一―二二三頁。
(8) 同書、五〇―五二頁。
(9) ジョルジュ・バタイユ、前掲書、二九頁。
(10) 同書、三〇―三一頁。

（11）パトリック・ヴァルドベルグ「アセファログラム」、ジョルジュ・バタイユ『聖なる陰謀 アセファル資料集』、マリナ・ガレッティ編、吉田裕・江澤健一郎・神田浩一・古永真一・細貝健司訳、ちくま学芸文庫、二〇〇六年、四七三頁。
（12）Michel Onfray, *Le souci des plaisirs : construction d' une érotique solaire*, Flammarion, 2008.（以下、引用は拙訳。）
（13）Ibid., pp.22-24.
（14）Ibid., pp.24-27.
（15）Ibid., p.27.
（16）Ibid.
（17）Ibid., pp.29-44.
（18）『新約聖書 新共同訳』日本聖書協会、一九八七年、三〇七頁。
（19）Onfray, op.cit., pp.44-56.
（20）Ibid., pp.56-69.「（罪がなかったら）性的器官は欲情によって刺戟されないで意志によって促されて、必要なとき必要なだけ、男は子孫の種を蒔き、女はそれを胎に宿したことであろう。〔…〕また、若干の人びとは、思いのままに自分たちの後ろから音楽的な音響を（いかなる臭いもたてずに）つくり出すのであるが、それは、かれらがその側から歌っているようにさえ思われるのである。」（アウグスティヌス『神の国（三）』、服部英次郎訳、岩波文庫、一九八三年、三五〇―三五二頁。）
（21）Ibid., pp.70-113.
（22）数多の例から一例を挙げよう。拷問の残虐さの強度と、それをも上回る信仰の強度を実感していただくために、長くなるが以下引用してみたい。アウグスティヌスは「聖人たちの殉教は、ありとあらゆる迷誤と不純な愛と恐怖とにみちた現世をどのように克服しなければならないかとわれわれに教えてくれる」とするが、そのアウグスティヌスも（デ・ウォラギネによれば）伝記を書いたとされる聖ウィンケンティウス（司教ウァレリウスの助祭）の殉教の場面を、デ・ウォラギネはこのように描写する。「ウィンケンティウスは、総督〔ダキアヌス〕のほうに向きなおった。『あなたは、わたしたちが信仰を否認することを望んできた。しかし、はっきり申しあげておきますが、わたしたちキリスト教徒にとって、神を否認し、神への奉仕を冒瀆することは、悪魔の悪知恵にほかなりません』総督は、この言葉を聞いて激怒して、司教を追放し、ウィンケンティウスを不遜な若造と見て、拷問台にかけ、ほかの人ならおびえあがるほど手足をねじあげさせた。こうして、彼の手足が痛めつけられているとき、ダキアヌスは、『ウィンケンティウスよ、きさまの哀れな肉体は、いまどんな具合いだね』とたずねた。しかし、ウィンケンティウスは、平然と笑いながら、『これは、わたしがずっと望んできたところです』と答えた。これを聞いた総督は、ますます激怒し、言うとおりにしなければありとあらゆる拷問にかけてやる、と言っておどした。ウィンケンティウスは、こう答えた。『おお、わたしは、ほんとうにしあわせです。あなたがかんかんに怒れば怒るほど、わたしのほうは、ますます大きな喜びを味わうことができるのですから。さあ、悪霊があなたにそそのかすありとあらゆる意地悪をわたしにしかけなさい。あなたの拷問の力よりも神のおん助けによって苦しみに耐えるわたしの力のほうが強いことを思い知らせてあげますよ』裁判官である総督は、刑吏たちを叱咤して、家来たちに笞と棍棒で彼らを打たせた。ウィンケンティウスは、これを見て言った。『ダキアヌスよ、あなたは、わたしを苦しめる者たちにわたしのかわりに復讐をしてくださっているのですね』すると、裁判官は、気も狂わんばかりになって、刑吏たちに言った。『おお、腰ぬけどもめ、おまえたちときたら、からっきしなにもできないではないか。おまえたちの手は、なぜ力がなくなってしまったのか。父殺しや姦夫たちを拷問にかけて、かならず泥をはかせてきたおまえたちの手練手管も、このウィンケンティウスには手も足も出ないのか』そこで、刑吏たちは、鉄の櫛で彼のあばらを掻きむしった。いたるところから血が吹きだし、助骨はばらばらになり、内臓があらわれた。裁判官は言った。『ウィンケンティウスよ、すこしはわが身を不憫におもい、美しい青春をもう一度とりもどしてはどうかね。わたしの言うことをきくなら、これ以上の拷問は勘弁してやろう』ウィンケンティウスは、答えた。『おお、悪魔の毒をもつ舌よ、わたしは、あなたの責苦などこわくはない。わたしが怖れるのは、あなたがわたしに慈悲心をおこしはしまいかということだけです。というのは、あなたがかんかんに怒れば怒るほど、わたしは、ますますこころ楽しくなるからです。拷問に手ごころをくわえてもらったりしては困るのです。あなたがどんなにひどい仕打ちをくわえても、わたしを屈服させることはできない。そのことをあなたにとくと教えてあげたいのです』そこで、刑吏たちは、ウィンケンティウスを拷問台からおろして、火あぶりの台につれていった。しかし、彼は、ひるむどころか、刑吏たちをいそがせ、なにをぐずぐずしているのかと叱りつけて、みずから火格子のうえにのぼると、わが身を焼きあぶらせ、灼熱した鉄の針や釘に身を刺された。血が火に流れ落ち、傷口のうえにさらに新しい傷ができた。刑吏たちは、火に塩を投げこんだ。塩は、はじけて、彼の傷のなかで燃えた。灼熱した釘は、ほどなく彼の手足だけではなく、内臓にまでとどいた。身体の各部から内臓がはみだし、だらりと垂れさがった。ウィンケンティウスは、これほどの責苦のなかにあっても、身じろぎもしないで、眼をあげて神をあがめていた。刑吏たちがこれを報告すると、ダキアヌスは言った。『ああ、無念千万、これはわしの負けだ！　しかし、彼をもっと生かしておいて責めさいなむのだ。やつを火あぶり台からおろして、いちばん暗い牢に閉じこめ、ガラスのとがった破片のうえに寝かせて、両足を杭にしばりつけておけ。人間的な慰めなど一切あたえず、ただ破片のうえに寝かせておくのだ。そして、死んだら、わしに知らせにこい』邪悪な刑吏たちは、邪悪な主人の命令を実行するためにいそいで走っていった。が、そのとき、この勇敢な信仰の戦士から苦悶の忠誠をささげられている王は、この拷苦を栄光に変えられた。つまり、牢獄の暗闇は、はかりしれないほどの明るい光に追いはらわれ、するどいガラスの破片は、さまざまのやさしい花に変じ、両足のいましめはほどけ、天使たちがあらわれて、彼を慰めたのである。彼は、天使たちとともに花々のうえをそぞろ歩き、主をたたえる歌をうたった。その甘美な歌声は、遠くまでひびきわたり、花々の香りは、あたりにひろがった。」（ヤコブス・デ・ウォラギネ『黄金伝説１』、前田敬作・今村孝訳、人文書院、一九七九年、二七六―二七八頁。）

(23)　ジョルジュ・バタイユ、前掲書、一二頁。

(24)　同書、四五七―四五八頁。

(25)　Michel Onfray, op.cit., p.110.

(26)　以下のインド的エロスに関する記述は、同書の pp.114-163 による。

(27) ヴァーツヤーヤナ『バートン版 カーマ・スートラ』、大場正史訳、角川文庫、一九九七年、二九―三六頁。（なお、この邦訳では「椋鳥」と訳されているところを、オンフレは「mainates（九官鳥）」と記している）。

(28) 同書、五二―六〇頁。

(29) ドニ・ド・ルージュモン『愛について――エロスとアガペ』、鈴木健郎・川村克巳訳、岩波書店、一九五九年、九八頁。

(30) 同書、九六―九九頁。

(31) 同書、九九頁。

(32) わずかに九鬼は、ニーチェの「高貴」や「距離の熱情」に「意気地」との類似を見た。「またニイチエのいう『高貴』とか『距離の熱情』なども一種の『意気地』にほかならない。これらは騎士気質から出たものとして、武士道から出た『意気地』と差別しがたい類似をもっている。しかしながら、一切の肉を独断的に呪《のろ》った基督教《キリスト》の影響の下《もと》に生立《おいた》った西洋文化にあっては、尋常の交渉以外の性的関係は、早くも唯物主義と手を携えて地獄に落ちたのである。その結果として、理想主義を予想する『意気地』が、媚態をその全延長に亙《わた》って霊化して、特殊の存在様態を構成する場合はほとんど見ることができない。」（九鬼周造『「いき」の構造』、九三―九四頁。）

(33) ドニ・ド・ルージュモン、前掲書、一二八頁。

(34) 同書、二四九頁。

(35) アウグスティヌス、前掲書、二六一―二六三頁。

(36) ドニ・ド・ルージュモン、前掲書、一〇八頁。

(37) 同書、一五八頁。

(38) 同書、一七〇頁。

(39) 同書、一七〇―一七一頁。

(40) 同書、一八〇―一八一頁。

（41）同書、八六―八七頁。
（42）Michel Onfray, op.cit., pp.190-191.
（43）『カーマ・スートラ』自体、ヴァーツヤーヤナは、その執筆を「瞑想に没入」しながら行ったようだ。（「カーマ・スートラは、バブーラヴィアをはじめとする古代著作家を熟読玩味《がんみ》し、彼らの作った諸原理の意義をよく考え、聖典の教えに従って、ヴァーツヤーヤナが世の福祉のために編述したものである。その間彼は修業僧の生活を送り、神の冥想《めいそう》に没入した」、ヴァーツヤーヤナ、前掲書、二一五頁。）
（44）五木寛之『サイレント・ラブ』、角川書店、二〇〇二年。
（45）五木寛之『愛に関する十二章』、角川書店、二〇〇二年。
（46）同書、二三四―二三五頁。
（47）ブロニスロウ・マリノウスキー『未開人の性生活』、泉靖一・蒲生正男・島澄訳、一九九九年、新泉社。
（48）五木寛之『サイレント・ラブ』、七一―七三頁。
（49）ジェイムズ・N・パウエル『エロスと精気《エネルギー》』、法政大学出版局、一九九四年。
（50）同書、一三五―一三六頁。
（51）Robert Becker, *The Body Electric: Electromagnetism and the Foundation of Life*, William Morrow Paperbacks, 1998.
（52）ジェイムズ・N・パウエル、前掲書、一四七頁。
（53）同書、一四八頁。
（54）Robert Becker, op.cit., p.259、拙訳。
（55）ジェイムズ・N・パウエル、前掲書、一五三頁。
（56）「シューマンは、一九五二年に量子化されたプラズマ振動は光と同じ速度で一秒間に地球を七周半、細かい計算では7.83Hzの定在波、14.1Hz, 20.3Hzのプラズマ振動が生じているはずだという仮説を立てました。この当時は計測できる技術がないので仮説のままでした。後に人工衛星エクスプローラー1号（1958年）の打ち上げで電離層（バンアレン帯）の存在が発見され、アポロ4号の計測（1967年）

で予想的中、電離層のプラズマ振動には7.8Hzの電磁振動があることが分かりました。そこでこの7.8Hzはシューマン共振（または共鳴）と呼ばれています。つまり、地球は周波数7.8Hzの電磁波で囲まれているということです。そして、我々は、生まれて以来ずっと、7.8Hzの電磁波を浴びていて生活しており、脳波はその影響を受けているということにもなります。〔…〕つまり、私たちは系統発生的にも個体発生的にも、7.8Hzを中心とした「揺らぎ」の中で進化し、成長してきたことになります。」（志賀一雄『奇跡の《地球共鳴波動7.8Hz》のすべて』、ヒカルランド、二〇一八年、一二九―一三一頁。）

(57) ルドルフ・フォン・アーバン『新版　愛のヨガ』、片桐ユズル訳、野草社、二〇一九年。なお、パウエルも、それを参照した五木も、著者名を「フリードリッヒ・フォン・ウルバン」としているが、誤記だと思われる。

(58) 同書、一五頁。

(59) 同書、一〇〇頁。

(60) 同書、一〇二―一〇三、一二二頁。

(61) 同書、一〇三―一〇八頁。

(62) 同書、一〇八―一一三頁。

(63) 同書、一一三―一一七頁。

(64) 同書、一一七―一二三頁。

(65) 同書、一三〇―一三一頁。

(66) アウグスティヌス、前掲書、三五〇―三五一頁（傍点筆者）。

(67) 以下、タントリズムに関する考察は、拙著『汎瞑想』の第4章「快楽を瞑想する」の一部と重複することを許されたい。

(68) ミルチャ・エリアーデ『ヨーガ 2』、エリアーデ著作集第十巻、立川武蔵訳、せりか書房、一九七五年、八六―八七頁。なお、『』内の引用文は、La Vallée Poussin, *Bouddhisme : Etudes et matériaux*, p.135 からの引用。
(69) 同書、八六頁。
(70) 同書、七一頁。なお、『』の引用文は、経典『ゴーラクシャ・サンヒラー』からの引用。
(71) ウィリアム・ハート、前掲書、一六九―一七〇頁。
(72) 同書、一五二頁。
(73) 小倉ヒラク、前掲書。
(74) 神保泰彦「生体電気計測の基礎」、『精密工学会誌』、vol.73 no.11、二〇〇七年、一二〇四―一二〇七頁。
(75) 魚川祐司、前掲書、一七九頁。
(76) ワークショップの詳細は、下記ウェブサイトを参照されたい。https://mindful-sex.mystrikingly.com

第8章

(1) 熊倉敬聡「価値形態論の論理的構造について」、慶應義塾大学経済学部卒業論文、一九八四年、二六―二九頁。
(2) ジュリア・クリステヴァ『詩的言語の革命　第一部　理論的前提』、原田邦夫訳、勁草書房、一九九一年。『詩的言語の革命　第3部　国家と秘儀』、枝川昌雄、松島征、原田邦夫訳、勁草書房、二〇〇〇年。(なお、第2部は近刊。)
(3) Takaaki Kumakura, *L' « économie politique » chez Stéphane Mallarmé*, 1991, Université Paris 7.
(4) 『マラルメ全集Ⅱ　ディヴァガシオン他』、筑摩書房、一九八九年。
(5) ステファヌ・マラルメ「音楽と文芸」、清水徹訳、同書、五四二頁。
(6) ステファヌ・マラルメ「書物、精神の楽器」、松室三郎訳、同書、二六三頁。

(7) ステファヌ・マラルメ「宮廷」、同書、三四一頁。(ただし引用文は拙訳。)

(8) ステファヌ・マラルメ「詩の危機」、同書、二四二頁。(ただし引用文は拙訳。)

(9) 熊倉敬聡「芸術と資本主義(1)——IDEAL COPY」、『慶應義塾大学日吉紀要　フランス語フランス文学』、一六号、一九九三年、八九—一一一頁。「芸術と資本主義(2)——IDEAL COPY(2)」、同紀要、一八号、一九九四年、一二九—一五八頁。両論文は、加筆修正され、熊倉敬聡『脱芸術/脱資本主義』(慶應義塾大学出版会、二〇〇〇年)に収録。

(10) 熊倉敬聡「芸術と資本主義(2)——マラルメと貨幣(1)」、『慶應義塾大学日吉紀要 言語・文化・コミュニケーション』第三号、一九九四年、七—二四頁。ならびに「芸術と資本主義(2)——マラルメと貨幣(2)」、『慶應義塾大学日吉紀要 フランス語フランス文学』第一二号、一九九四年、八〇—一〇四頁。

(11) 熊倉敬聡『瞑想とギフトエコノミー』、サンガ、二〇一四年。

(12) カール・マルクス『経済学批判』武田隆夫他訳、岩波書店、一九五六年、一三五—一五七頁。カール・マルクス『資本論(1)』岡崎次郎訳、大月書店、一九七二年、二二一—二二九頁。なお本論では、私たちは、Zeichen というドイツ語に、これら邦訳の「表章」、「章標」ではなく、より一般的な「記号」という訳語を用いたい。

(13) 「コインの種類が多岐にわたっていることが〔両替における〕一つの障害となる〔…〕。この障害は、〔鋳貨に〕使用されている金属によってその程度が様々であった。青銅貨は、地域の小規模な売買に使われていたために、問題とはならなかった。銀貨、金貨には、ゆっくりと変化はするが、きちんと決まった昔からのレートがあり、両替商はその重さや純分を確かめることができた。〔…〕唯一、金と銀の合金、すなわち白金＝エレクトロンだけが、その純分を確かめるかけにはいかなかった。たとえば、小アジアのキジコスのエレクトロン製スタテル貨は、天然合金から鋳造されようが、人工合金から鋳造されようが、アルキメデスがその金銀の割合を発見するまで純分を検定することができなかったので、慣用的な価値で流通していた。」(Moses I. Finley, *L'économie antique*, traduit de l'anglais par Max Peter Higgs,

Paris, Minuit, 1975, p.223. 拙訳)
(14) ステファヌ・マラルメ「ヴィリエ・ド・リラダン」、『マラルメ全集Ⅱディヴァガシオン他』、四一八頁。(ただし引用文は拙訳。)
(15) ジル・ドゥルーズ、フェリックス・ガタリ『アンチ・オイディプス 下』宇野邦一訳、河出書房新社、二〇〇六年、一三―一四頁。(ただし引用文は拙訳、傍点筆者。)
(16) ステファヌ・マラルメ「対決」、前掲書、三三三頁。(ただし引用は拙訳。)
(17) ステファヌ・マラルメ「雑報」、『マラルメ全集Ⅱディヴァガシオン他』別冊、筑摩書房、一九八九年、二二五頁。(ただし引用は拙訳。)
(18) 同所。(ただし引用は拙訳。)
(19) Fernand Braudel, *L'identité de la France III*, Paris, Arthaud-Frammarion, 1986, p.385.(拙訳)
(20) Ibid., p.384.(拙訳)
(21) ステファヌ・マラルメ「対決」、『マラルメ全集Ⅱディヴァガシオン他』、三三三―三三六頁。(ただし引用は拙訳。)
(22) 熊倉敬聡「マラルメの「経済学」:『マラルメの〈書物〉』の草稿解読の試み」、一九九一年、慶應義塾大学。(なお、私は、慶應義塾大学文学研究科仏文学専攻修士課程に在籍中に、パリ第三大学ならびにパリ第七大学に留学し博士号を取得し、のち上記修士課程に復学し、修士号を取得したため、通常の学位の順番とは逆になっている。)この修士論文は、のち加筆修正し、以下に再録――熊倉敬聡「『マラルメの〈書物〉』草稿解読の試み」、『慶應義塾大学日吉紀要フランス語フランス文学』、第一五号、一九九二年、一一一―一六〇頁。
(23)「火曜会」については例えば以下を参照。ゴードン・ミラン『マラルメの火曜会』、柏倉康夫訳、行路社、二〇一二年。
(24) 熊倉敬聡『藝術2・0』、第2章。
(25) 熊倉敬聡、前掲書。

（26）熊倉敬聡、前掲書。
（27）九鬼周造、前掲書、二七八頁。
（28）Charles Eisenstein, *Sacred Economics*（*revised*）, North Atlantic Books, 2021（Kindle版、なお初版は二〇一一年刊）. 以下引用は拙訳。なお、この未邦訳の文献の読書会・研究会を、二〇一六年から二〇一八年にかけ京都で、そして二〇一七年から二〇一八年にかけ東京で行った。以下の考察は、それに多くを負っている。改めて参加メンバーに感謝したい。
（29）Ibid., 位置 No.427-570。
（30）Ibid., 位置 No.2949-2962。
（31）Ibid., 位置 No.3022-3081。
（32）Ibid., 位置 No.6082。
（33）Ibid., Chapter 20。
（34）Ibid., Chapter 12。
（35）Ibid., 位置 No.3497。
（36）Ibid., 位置 No.3501。
（37）Ibid., 位置 No.3534。
（38）Ibid.
（39）Ibid., 位置 No.3551。
（40）Ibid., 位置 No.5716。
（41）Ibid., 位置 No.3567。
（42）Ibid., 位置 No.5607。
（43）Ibid.
（44）川本栄介「0から分かるトークンエコノミー 連載1：仮想通貨が可能にするあたらしい経済の循環」、『あたらしい経済』、二〇一八年六月二二日、https://www.neweconomy.jp/features/zerokara/25599

（二〇二一年四月二六日閲覧）。

（45）　川本栄介「0から分かるトークンエコノミー 連載2：トークンエコノミーの循環と経済効果を学ぶ。～もしもレシピサイトがトークンエコノミー化したら～」、二〇一八年七月二日、https://www.neweconomy.jp/features/zerokara/25601（二〇二一年四月二六日閲覧。）

（46）　https://feature.undp.org/beyond-bitcoin/（二〇二一年四月二六日閲覧。）

（47）　https://www.unicef.org/press-releases/unicef-launches-cryptocurrency-fund（二〇二一年四月二六日閲覧。）

（48）　https://crypto-times.jp/eth-foundation-aya-miyaguchi/?amp（二〇二一年四月二六日閲覧。）

（49）　https://ix-careercompass.jp/article/838/（二〇二一年四月二六日閲覧。）

（50）　https://crypto-times.jp/eth-foundation-aya-miyaguchi/?amp（二〇二一年四月二六日閲覧。）
ちなみに、この「引き算の美学」は、「三田の家」などの学びの場における私自身の「マイナスの」立ち位置・役回り、「不在のファシリテーション」とでもいうべき思想・実践に通底している。参考：熊倉敬聡「〝もう一つの〟学びの場を求めて」、熊倉敬聡他編著『黒板とワイン――もう一つの学び場「三田の家」』、慶應義塾大学出版会、二〇一〇年、一一四―一三一頁。

第9章

（1）　University of Creativity ならびに私が担当する Ferment のより詳しい内容は、以下を参照されたい。https://uoc.world

（2）　この読書法の詳細は、以下を参照されたい。http://www.abd-abd.com

（3）　結城正美・黒田智編『里山という物語――環境人文学の対話』、勉誠出版、二〇一七年。

（4）　結城正美「里山言説の地勢学」、同書、三―三五頁。

（5）　田口ランディ『ゾーンにて』、文藝春秋、二〇一三年。

（6）結城正美、前掲書、三一頁。

（7）林良樹「連載ブログ　千葉・鴨川――里山という『いのちの彫刻』：この星の反対側から来た人々（二〇一四年一一月二六日）」https://www.muji.net/lab/blog/kamogawa/026064.html（二〇二一年一月二八日閲覧。）

（8）「毎年、お受けしている良品計画さんの新入社員研修でも稲作を行っていますが、素足で重粘土質の深い田んぼにムニュリと足を踏み入れると、歓声が上がります。『うお〜!』『キャ〜!』その時、僕は大きな声でこう伝えます。『みんな、地球にEARTH（接地）してー!』すると、里山に笑い声が響きます。柔らかい泥の感触には『宇宙の情報』が詰まっていて、素足で田んぼに入ることでこの情報を頭ではなく、五感を通して全存在で受信します。」（林良樹、同ブログ「地球にEARTHする（二〇一八年六月一三日）」https://www.muji.net/lab/blog/kamogawa/031883.html　二〇二一年一月二八日閲覧。）

（9）林良樹、同ブログ「天は雲の上にあるのではなく（二〇一八年一二月一二日）」https://www.muji.net/lab/blog/kamogawa/032300.html（二〇二一年一月二八日閲覧。）

（10）林良樹、同ブログ「多様性のある里山コミュニティ（二〇一八年八月一五日）」https://www.muji.net/lab/blog/kamogawa/032058.html（二〇二一年一月二八日閲覧。）

エピローグ

（1）町田宗鳳『森女と一休』、Kindle版、位置No.3627-3634。

（2）同書、位置No.3615-3623。

（3）同書、位置No.3819-3833。

（4）藤森照信『藤森照信の茶室学』、六耀社、二〇一二年、一二二―一二三頁。

（5）同書、一二四頁。

(6) 同書、一二五頁。
(7) 栗田勇『一休』、祥伝社、二〇〇五年、三五二頁。
(8) 同書、三八〇―三八一頁。なお、現代語訳は、『一休和尚全集　第二巻　狂雲集（下）』（春秋社、一九九七年）の蔭木英雄訳。
(9) 同書、三八一―三八二頁。
(10) 同書、三六四、三七五頁。
(11) 町田宗鳳、前掲書、位置 No.3712-3727。
(12) 張明彦『仙道双習の秘法』、太玄社、二〇一八年、Kindle 版、位置 No.169-175。
(13) 同書、位置 No.205-208。
(14) 同書、位置 No.258-261。
(15) 岡倉天心『新訳 茶の本』、五〇頁。
(16) 同書、五七―五八頁。
(17) 同書、六四―六六頁。
(18) 同書、九二頁。
(19) 同書、七二頁。
(20) 寂庵宗澤『現代語訳 禅茶録』、吉野白雲監修、知泉書館、二〇一〇年、四―五頁。
(21) 同書、一〇―一一頁。
(22) 同書、一五頁。
(23) 同書、三四―三五頁。
(24) 同書、四四―四五頁。
(25) 同書、五九頁。
(26) 同書、六五頁。
(27) 藤森照信、前掲書、七一頁。ところで、農事用または旅中の仮泊のための仮設的建物としての庵

（「イホ」「カリホ」「イホリ」などと呼ばれた）は、『万葉集』にも幾つか登場することから、上代にすでに存在していたと思われる。（小野恭平「中世初期の仏教説話にみる仏道修行者の庵」、『日本建築学会計画系論文報告集』、第436号一九九二年六月、一一五―一二五頁。）
（28）同書、七三頁。
（29）同書、七二頁。
（30）同書、八一頁。
（31）同書、一一六頁。
（32）『京都はお茶でできている』、暮らす旅舎編、青幻舎、二〇一六年、二六頁。
（33）もちろん、これは「原則的」にであって、記号の「原則的」自己同一性は、絶えず生命の自己差異化に晒されてもいるため、その意味や価値は長いスパンでは変動することもある。
（34）ハーバート・マルクーゼ『エロス的文明』、紀伊國屋書店、一九五八年。

あとがき

こうして、前著『藝術2・0』をめぐる「旅」につづき、GEIDOをめぐる第二の「旅」がとりあえず終わりを迎えた。

第一の「旅」の途上、その出発時には全く念頭になかった哲学者田辺元と小説家野上弥生子の、北軽井沢での人知れぬ限りなくプラトニックな逢瀬——おそらく本人たちも深い因縁に気づいていなかったかもしれないマラルメ研究と『秀吉と利休』との思想的木霊でもあった逢瀬に、いつのまにか導かれたように、この第二の「旅」でも、やはり旅立ちの時には所在すら知らなかった虎丘庵、そこで（北軽井沢とは違い）濃密に、だが浄福に満ちた媾いを奏でていた一休宗純と森女、そして二人を囲む「前衛的」な藝能・藝道者たちの霊的気配に導かれたかのように、私は彼らが「仕組んだ」であろう「暗号」の前にいつのまにか坐し、その謎解きに立ち会っていた。

こうしたまたもや、私自身の意識の下深くに潜んでいた「因縁」に突き動かされ、本論を

「書かされる」にいたった。二つの「プロローグ」、二つの「エピローグ」が、この二つの拙著に冠せられるのを、長きにわたって、待ち望んでいたかのように。

が、実は、もしかすると、それらの因縁のどこかに交錯するように、もう一つ別の因縁もまた、このGEIDO論を待ち望んでいたかもしれない。千利休とその（第二の）妻おりきをめぐる或る「いきさつ」である。

利休が生まれ育ち、そしておりきとも居を構えた堺は、当時この国で最大の貿易港・都市であった。そこに、外国からの多彩な物財とともに、キリスト教もまた押し寄せてきた。フランシスコ・ザビエルが宣教師として初めてこの地に足を踏み入れて以来、堺は布教の一大拠点となっていた。そして、豪商で茶人でもあった日比屋了慶がザビエルを茶席に招いて以来、数多くの宣教師と商人・茶人たちが交わり、当時としてはまことに「ハイブリッドな」コミュニティと文化が形成されていった。その渦中に、やはり商人・茶人であった利休、そして妻のおりきもいた。

長女とともにカトリックの信仰に深く傾倒していたとされるおりきに伴われ、利休もまた（同様に帰依していたかどうかは資料的に定かならずとも）少なくともミサに列席し、司祭の所作を目撃していたであろうと、かなりの数の研究者、そして家元までが推察している。例えば、武者小路千家十四代家元千宗守は、茶の湯の点前とカトリックのミサの所作の間に強い類似性をみてとる。

これ〔濃茶の回し飲み〕は利休が考え出したことなのです。しかも利休が亡くなる二、三年前に、突然考え出す。記録にも残っているのです。「一碗から飲めとおおせ候」という文書が出てくる訳ですね。秀吉も、よし、それでいこうと非常に気に入ったという。突然、表れるのです。〔…〕

どこからヒントを得たと思われますか？ キリスト教、カソリックのミサなのです。皆さんが想像されるように、当時カソリックは近畿地方に布教しておりました。高槻という、大阪と京都のちょうど真ん中にある町には、高山右近というキリシタン大名がおりました。彼の領地は九九％キリスト教、当時はカソリックです。カソリック信者と言われていました。我々京都の家の周りにも、天主堂跡というのがいっぱいあるのです。教会があった証拠ですね。だから京の都にもありましたし、ましてや堺の町はバテレンたちが一番最初に上がってくるところですから、もう日常茶飯ミサがある訳です。利休の家族たちも信じていたという話もございますし、利休自身もその目でカソリックのミサを見た。いわゆるキリストの血でありますブドウ酒を、カリスという器に入れて飲んでいく。それを司祭という神父が自分が飲む。そして周りに集まった信者に飲ませる。そしてまた器を拭いて次の信者に飲ませる。そういうふうに飲み回しをしていく儀式がミサの中にあるのです。それと同時に、キリストの肉でありますパンも口にしてあげる訳ですが、これがミサの中では非常に大事な儀式であります。おそらく利休はそれを見ていて、このイニシエーションは使えると思ったのですね。

（千宗守「『市中の山居』～茶の湯の本質～」、『本田財団レポート』、no.121、九―一〇頁）

こうした茶の湯の点前とミサの所作の類似にとどまらず、昨今では、（ローマイエズス会文書館に保管されている当時の資料に基づき）イエズス会の布教がとった、現地の文化・習慣への「適応主義」の中核に茶の湯があったとする研究が発表されたり（スムットニー祐美『茶の湯とイエズス会宣教師』、思文閣出版、二〇一九年）、あるいは利休自身もまた熱烈なクリスチャンで、バテレン追放令を発布した秀吉を暗殺する計画まで企てたとする陰謀論まで登場するにいたったが（加治将一『軍師 千利休 秀吉暗殺計画とキリシタン大名』、祥伝社、二〇二〇年）、本論にはもはやそれらを深彫りする紙数が残されていない。が最後に、GEIDO論の文脈であえて言っておきたい。――茶道は、禅宗に基づき、道教の思想と美学に根を下ろしているだけでなく、もしかすると当時の「熱いクリエーション」であったキリスト教によっても「再デザイン」されていたかもしれない。利休の高弟の武士たち、先の高山右近を初めとした「利休七哲」たちのほとんどがカトリック信者か深き理解者であり、例えばその一人の古田織部が指導したとされる織部焼に十字のクルス文が描かれているように、藝道の一つ、というよりむしろその綜合的パフォーマンスでもあった茶道は、当時すでにGEIDOであったのではなかったか。熱いクリエーションによる冷たいクリエーションの再デザインとしてのGEIDO、しかもいびつなV＝茶人たちによるいびつな〇＝一期一会の一座建立であったのではないか。藝道はすでにしてGEIDOであった…。

本書は、春秋社のwebマガジン「web春秋　はるとあき」に、二〇二〇年二月から二〇二一年五月にわたり連載した文章『GEIDO試論』を改めて纏め加筆した論考である。連載早々、そしていまだに新型コロナウイルスの蔓延により図書館などの利用が制限されていたり、また私自身が今年の三月まで在野で活動していたこともあり、原典にあたるなど文献の参照が十分できなかった点は、どうぞお許しいただきたい。

前著に引き続き、編集の中川航さんには連載開始時から本書に纏め上げるまで大変お世話になった。改めて謝意を表したい。

そして、この書に名前が現れる方々（故人も含めて）とのご縁に深く感謝したい。これらのご縁がなければ、本論は成らなかった。

最後に、家族たち、妻と三人の娘、母、妹、そして義母にも感謝したい。いつも賑やかに、そして細やかに、原稿用紙やパソコンに向かう私を、励ましてくれた。

熊倉敬聡

二〇二一年六月

著者略歴

熊倉敬聡　（くまくら　たかあき）

1959年生まれ。慶應義塾大学経済学部卒、パリ第7大学博士課程修了（文学博士）。芸術文化観光専門職大学教授。元慶應義塾大学教授、元京都芸術大学教授。フランス文学・思想、特に詩人ステファヌ・マラルメの〈経済学〉を研究後、コンテンポラリー・アートやダンスに関する研究・批評・実践等を行う。大学を地域・社会へと開く新しい学び場「三田の家」、社会変革の“道場”こと「Impact Hub Kyoto」などの立ち上げ・運営に携わる。博報堂University of Creativityにて講師を務める。主な著作に『藝術2.0』（春秋社）、『瞑想とギフトエコノミー』（サンガ）、『汎瞑想』、『美学特殊C』、『脱芸術／脱資本主義論』（以上、慶應義塾大学出版会）、編著に『黒板とワイン――もう一つの学び場「三田の家」』（望月良一他との共編）、『女？日本？美？』（千野香織との共編）（以上、慶應義塾大学出版会）、『practica 1 セルフ・エデュケーション時代』（川俣正、ニコラス・ペーリーとの共編、フィルムアート社）などがある。

GEIDO論

2021年9月20日　初版第1刷発行

著者――――熊倉敬聡
発行者――――神田　明
発行所――――株式会社 春秋社
〒101-0021 東京都千代田区外神田2-18-6
電話 03-3255-9611
振替 00180-6-24861
https://www.shunjusha.co.jp/
印刷・製本――萩原印刷 株式会社
装幀――――伊藤滋章

Printed in Japan, Shunjusha.
ISBN978-4-393-33387-7
定価はカバー等に表示してあります

熊倉敬聡

藝術2・0

行き場を失った現代アートの世界を離れ、その外側に息づく営為に新たな創造性の萌芽を見出す。工芸、発酵、坐禅、コミュニティ、茶道…に紛れ込んでいる「藝術2・0」とは？

2420円

L・ローゼンバーグ／藤田一照訳

〈目覚め〉への3つのステップ

マインドフルネスを生活に生かす実践

3段階で「気づき」への深め方を具体的に示唆し、瞑想の極意を伝授する。内容説明とQ&Aの形式で、日常における実践への疑問もカバー。これから瞑想をはじめる方にも。

2530円

ケン・ウィルバー／大野純一訳

万物の歴史

物質還元主義を批判し、心を含む真の全宇宙（コスモス）の進化と人類史の意味を解明するケン・ウィルバーの画期的名著、待望の新装復刊。大著『進化の構造』の要約版。

3960円

▼価格は税込（10％）。